Englische Barockgedichte

ENGLISCH UND DEUTSCH

AUSGEWÄHLT, HERAUSGEGEBEN
UND KOMMENTIERT
VON HERMANN FISCHER

PHILIPP RECLAM JUN. STUTTGART

Universal-Bibliothek Nr. 9315-19/19a
Alle Rechte vorbehalten. © Philipp Reclam jun. Stuttgart 1971
Gesetzt in Petit Garamond-Antiqua. Printed in Germany 1971
Herstellung: Reclam Stuttgart
ISBN 3 15 009315 5 (kart.)   ISBN 3 15 009316 3 (geb.)

Ἡ εὐφυοῦς ἡ ποίησις ἡ μανικοῦ.

Aristoteles

From witty men and mad
All poetry conception had.

No sires but these will poetry admit –
Madness or wit.

This definition poetry doth fit:
It is a witty madness or mad wit!

Only these two poetic heat admits:
A witty man, or one that's out of's wits.

Alle Poesie wurde von geistreichen oder von verrückten Menschen ersonnen.

Keine anderen Väter als diese will die Dichtung anerkennen: Wahnsinn oder Witz.

Dies ist die Definition, die auf die Poesie paßt: Sie ist ein geistreicher Wahnsinn oder ein verrückter Geistreichtum!

Nur diese beiden erkennt das poetische Fieber an: einen witzigen Mann oder einen, der seinen Mutterwitz verloren hat.

Thomas Randolph

Einleitung

Eines der Ereignisse, die auf den literarischen Geschmack der Engländer im 20. Jahrhundert besonders stark eingewirkt haben, war die Wiederentdeckung, oder besser Wiedergewinnung, Reaktualisierung der sogenannten »Metaphysical Poets«. Durch zwei editorische Taten (Sir Herbert Griersons Donne-Ausgabe von 1912 sowie seine Anthologie *Metaphysical Lyrics and Poems of the Seventeenth Century* von 1921) und durch eine literaturkritische Glanzleistung (T. S. Eliots faszinierenden, ungemein subjektiven und gerade dadurch einflußreichen Brückenschlag zwischen der Bewußtseinslage der Dichter des Barockzeitalters und der Empfindungs- und Erfahrungswelt moderner Dichter in dem berühmten Essay *Metaphysical Poetry* von 1921) wurde etwas ausgelöst, das bis heute in der angelsächsischen Literaturwelt geschmacksbestimmend weitergewirkt hat. Ein ganzer Schatz von poetischen Texten, von denen das englische Lesepublikum seit ungefähr zweihundert Jahren nur wußte, daß sie als museale Kuriosität existierten, wurde plötzlich ans Tageslicht gefördert und als zeitgemäß erkannt. Die Dichter, voran Eliot selbst, orientierten ihren Bildgebrauch, ihre technischen Verfahrensweisen, ihre Einstellung zur Welt, zu sich selbst, zur Religion, zur Sexualität an John Donne und seinen Nachfolgern, bzw. an dem Bild, das sie sich von Donne und den späteren Dichtern, die so ähnlich schrieben wie er, gemacht hatten. Die Literaturwissenschaftler und -kritiker überboten einander, zunächst im Fortspinnen der Eliotschen Thesen, später in immer kritischerer Auseinandersetzung mit ihnen. Die Herausgeber und Verleger edierten die meisten Barockdichter in modernen Textausgaben, ja man entdeckte sogar noch zwei oder drei ganz unbekannte hinzu. Und Generationen von Literaturstudenten und -liebhabern fanden das, was sie dachten und fühlten, in Donnes oder Marvells

Gedichten artikuliert, bestätigt, in gültige Form gebracht; von Virginia Woolfs frühem Romanhelden Jacob Flanders, der 1912 in Athen der verheirateten Reisebekanntschaft Sandra Wentworth Williams einen Band mit Donnes Gedichten schenkt, als konzentrierten Ausdruck seines aus Erotik, Desillusionierung und Erfüllungssehnsucht gemischten Verhältnisses zu ihr; über den Chorführer der *lost generation* von vorgestern, Ernest Hemingway, der sich den Titel seines Romans aus dem spanischen Bürgerkrieg, *For whom the bell tolls*, aus den *Meditations* von Donne holte, bis hin zu den zornigen jungen Dichtern von gestern, von denen manche ihren Donne ohne Bruch mit der Rock-'n'-Roll-Welt der Jugend, für die sie zu sprechen glaubten, oder mit der Küchenmiefproblematik der sozial Unterprivilegierten, die sie zur Anteilnahme an den Bildungsgütern führen wollten, in Einklang brachten. Noch heute will jeder zweite junge Engländer, der frisch von seinem Studium in Leeds oder Manchester an ein deutsches Anglistikseminar kommt, um Lektor zu werden, sein erstes Proseminar über die Metaphysical Poets halten. Nur die Wortführer der allerjüngsten Generation haben kein wirkliches Verhältnis mehr zu dieser Lyrik: Soweit sie überhaupt eine Lyrik lesen, die älter ist als ihre eigenen Probleme, fühlen sie sich wohler bei der schwungvollen Verschwommenheit und aus Prinzip revolutionären Selbstbemitleidung des Romantikers Shelley als bei Donnes distanziert analytischer Präzision oder bei Marvells glanzvoll manierierter Urbanität – so sehr ihnen der eine als ein Zertrümmerer sexueller Tabus und der andere als ein fanatischer Ankläger eines korrupten Establishments liegen müßte.

Wenn man nun überprüft, auf welchen Ausschnitt aus der englischen Barocklyrik sich die Aufwertung stützt, welche Gedichte denn vor allem in das Bewußtsein der Leser eingegangen sind, so stellt man dreierlei fest:

Einleitung

1. Die Auswahl, die Grierson in der genannten Anthologie von 1921 traf, hat nicht nur für Eliots frühe Bewertung der Lyrik des 17. Jahrhunderts den Weg gewiesen (Eliots Essay entstand ja als eine Art Besprechung jenes Sammelbandes), sondern sie hat auch für die meisten weiteren Anthologien die Weichen gestellt.

2. Der Auswahl von Grierson wie auch der Auswahl in Helen Gardners heute als besonders repräsentativ geltendem Bändchen *The Metaphysical Poets* von 1957 liegt als zentraler Orientierungsgedanke der Begriff der »metaphysischen« Dichtung zugrunde. Das ist ein recht vages und vieldeutig schillerndes Etikett. Es war bei seiner ersten Anwendung abwertend gemeint: John Dryden, der es am Ende des 17. Jahrhunderts zum erstenmal prägte, zielte damit auf die Affektation scholastischer Denkschemata und Argumentationsmethoden bei der lyrischen Behandlung von Stoffen, denen eine solche Behandlung nach seiner rationalistischen Meinung nicht zukam. Der Terminus hat sich dann rasch als Bezeichnung für eine angebliche Dichterschule verfestigt, und ihm wurden, quasi als antithetischer Gegenbegriff, die weiteren Etikette »Cavalier Poetry« oder »the poetry of the sons of Ben« (gemeint ist Ben Jonson) gegenübergestellt. In unserem Jahrhundert nahm dann der Ausdruck »Metaphysical« noch alle Assoziationen in sich auf, die T. S. Eliot 1921 hineingelegt hatte. Und dieser Begriff bestimmt im wesentlichen das, was in Anthologien herausgestellt wird und im Bewußtsein des Publikums lebt.

3. Die Auswahl von Grierson und die Auswahl in den meisten späteren Anthologien, soweit sie nicht deutlich andere Spezialisierungen im Titel angeben[1] oder aber sehr

---

[1] So z. B. der Band *Minor Poets of the Seventeenth Century*, ed. R. G. Howarth, London 1931, der sich auf *poetae minores* beschränkt, die auch auf dem Höhepunkt der Metaphysical-Mode unbekannt geblieben waren; oder die dem »Gegentyp« gewidmete Sammlung *Jonson and the Cavaliers*, ed. M. Hussey, London 1964.

umfangreiche Kollektionen sind[2], enthält ohne Frage die Masse der »besten«, d. h. der nach heutigen ästhetischen Maßstäben vollkommensten, lesbarsten, interessantesten Stücke, die in der Zeit von 1600 bis 1670/80 in England gedichtet wurden.

Für jemand, der heute, im Jahr 1971, eine neue Anthologie der Lyrik dieser Epoche herausgeben will, müssen diese Feststellungen den Ausgangspunkt bilden. Gibt er sie zudem für deutsche Leser heraus, so kommen noch weitere, sein spezielles Publikum betreffende Erwägungen hinzu.
Die hier vorliegende Anthologie wurde nach folgenden Grundsätzen zusammengestellt:
Eine Wiederauflage der bekannten und üblichen Anthologiestücke wurde nach Möglichkeit vermieden. Von einem deutschen Liebhaber, der sich eine Sammlung englischer Barockgedichte anschafft, kann meist angenommen werden, daß er den bekanntesten Gedichten der Epoche schon begegnet ist. Ähnlich ist es mit deutschen Studenten der englischen Literatur: sie stoßen bei ihrer ersten Beschäftigung mit dem Gebiet fast zwangsläufig zunächst auf die allenthalben empfohlenen, preiswerten Sammlungen von Grierson, Gardner, Hugh Kenner[3] u. a., die verdrängen zu wollen unsinnig wäre, da sie eben das »Stammkapital« der englischen Barocklyrik enthalten. Beide Arten von Lesern werden aber, wenn sie Gefallen an diesem Stammkapital gefunden haben, für eine Erweiterung des allgemein zugänglichen Textfundus dankbar sein, zumal wenn diese in einer Form angeboten wird, welche die oft beträchtlichen Leseschwierigkeiten erleichtert und umständliches Nachschlagen erspart. Besonders begrüßenswert muß die Erweiterung dann sein, wenn

---

2. So z. B. das *Oxford Book of Seventeenth Century Verse*, ed. H. Grierson und G. Bullough, Oxford 1934.
3. *Seventeenth Century Poetry*, ed. H. Kenner, New York 1964. Erwähnt sei noch *Seventeenth Century Lyrics*, ed. N. Ault, London 1928, ²1950.

Einleitung

sie das übliche Bild in neuen Richtungen ergänzt oder es sogar korrigiert.

Dem Drang nach Neuem sind freilich Grenzen gesetzt. Er wird zunächst durch Qualitätskriterien eingeschränkt. Sie lassen sich, selbst wenn man von Dichtung mehr erwartet als nur ästhetisches Vergnügen, nicht ausschalten. Bei der Barocklyrik ist die Strecke von dem, was fesselt und weltliterarischen Rang hat, bis zu dem, was wirklich museal ist, gar nicht weit. Völlig Leeres, Langweiliges, Epigonales, logisch Brüchiges oder einfach schlecht Gemachtes gibt es da allenthalben, und derlei bringt nicht nur keine ästhetische Befriedigung hervor, sondern wird einfach nicht gelesen – es wird, selbst wenn es literatursoziologisch relevantes Material enthält, auch von denen nicht gelesen werden, die in der Dichtung mehr nach dem Zeitgeist und den gesellschaftlichen Spannungen suchen, als nach der Dichtung selbst. Diese unumstößliche Wahrheit schließt generell die Entdeckung von vergessenen *poetae minores* aus. Der Herausgeber hat, neben den in diese Anthologie aufgenommenen Dichtern, die fast alle auch bei Helen Gardner (wenn auch mit anderen Texten und in einem etwas längeren Epochenausschnitt) vertreten sind, mindestens ebenso viele viert- und fünftrangige Dichter durchgelesen; aber er konnte davon nichts verwenden, weil die Qualität inferior und die Thematik abgeklappert war. Selbst bei den aufgenommenen Dichtern mußte in einigen Fällen auf die bei Gardner abgedruckten Gedichte zurückgegriffen werden, da der Rest ihrer Lyrik zu schwach schien, um eine Aufnahme zu rechtfertigen.

Auch der begrenzte Raum, der zur Verfügung steht, schränkt die Entdeckerfreude ein. Man kann kaum lange Gedichte aufnehmen, wenn man nicht andererseits auf den Abwechslungsreichtum verzichten will. Dabei war das lange Gedicht im Barock recht beliebt; viele Untergattungen der Barockpoesie – die mannigfachen Formen der Gelegenheitsdichtung wie Huldigungs-, Widmungs-, Nachruf-, Hochzeits-Gedichte, die Satiren, Elegien, Episteln usw. – übersteigen die gewöhnliche Länge eines lyrischen Gedichtes. Daß dadurch der englische Begriff der *poetry of the seventeenth century* ungewollt und automatisch in Richtung auf das deutsche Verständnis des Wortes Lyrik mit all seinen für das 17. Jahrhundert anachronistischen Assoziationen verschoben wird, ist einleuchtend. Und das ist noch nicht einmal die einzige verfälschende Folge der Raumbeschränkung; eine zweite ist die ungleiche Berücksichtigung der beiden stilistischen »Schulen«, von denen schon die Rede war. Es erweist sich nämlich an diesem Punkt, daß es sich gar nicht um Schulen, d. h. um durch ein Programm zusammengehaltene Dichtergruppen handelt, die säuberlich zu trennen wären. Nein, zumindest im Bereich der weltlichen Dichtung bedient sich oft ein und derselbe Dichter in seinen kurzen Stücken – in den Liebeswerbungen und -disputationen, den Komplimenten an eine Dame, den witzigen Erörterungen von Situationen aus dem Alltag des amourösen oder höfischen Lebens, den Grotesken und Parodien – des »metaphysischen« Stils, das heißt, er eifert Donne oder den preziösen Manieristen auf dem Kontinent nach, während er sich in seinen langen Gedichten – eben den Episteln, Preisliedern oder Einladungen auf das Land, Nachrufen und Huldigungen – stärker auf Ben Jonson und dessen klassisch-antike Vorbilder stützt. Eine saubere Scheidung ist auch das nicht; denn die gegenseitige Durchdringung von klassizistischen und manieristischen Zügen, von Donnes und Jonsons Erbe, ist das eigentliche Hauptmerkmal der englischen Lyrik der Stuartzeit, weshalb auch diese beiden Dichter zu Beginn der Anthologie mit relativ hohen Textanteilen vertreten sind. Aber das Gewicht der einen oder der anderen Stilhaltung *ist* innerhalb der Mischung verschieden verteilt, je nachdem, ob ein mehr »offizielles« oder ein mehr »intimes« *genre* gepflegt, ob ein langes oder ein kurzes Gedicht geschrieben wird. Und wer eine – aus was für Gründen immer – ausschließlich auf kurze »Lyrik« beschränkte Auswahl trifft, der muß wissen und muß sagen, daß er damit die Gewichte einseitig verteilt, d. h.

Einleitung

den manieristischen oder Donneschen Einfluß überrepräsentiert. Aus diesem inneren Grunde konnte Helen Gardner ihre Anthologie *The Metaphysical Poets* nennen, obwohl der größte Teil der dort zur Sprache kommenden weltlichen Dichter eigentlich Cavaliers sind. Und alle in Maurice Husseys Cavalier-Anthologie vertretenen Dichter bis auf einen[4] figurieren mit ihren kurzen *lyrics* auch bei Helen Gardner, ja oft findet man bei beiden Anthologisten dieselben Gedichte vor, wobei Hussey sie mehr wegen ihrer für seine knappe Anthologie vorteilhaften Kürze gewählt hat und Gardner wegen ihres *metaphysical wit*. Dieser letzte Gesichtspunkt spielte bei der Auswahl für die hier vorgelegte Sammlung keine Rolle, und darum wurde der neutrale Titel *Englische Barockgedichte* gewählt. Die im Grunde falsche Antithetik der beiden »Schulen« sollte über Bord geworfen werden; der Barockbegriff, so umstritten er für die Literatur sein mag, ist da weniger irreführend[5]. Die Ausdrücke *Metaphysical* und *Cavalier* wurden in den Anmerkungen lediglich als Bezeichnungen für bestimmte »Haltungen« innerhalb des Barocken verwendet.

Die Entdeckerfreude des Herausgebers einer Anthologie englischer Barockgedichte wird schließlich drittens auch noch eingeschränkt durch die starke Zeitgebundenheit und Erklärungsbedürftigkeit vieler Texte aus dieser Epoche. Die nötigen Anmerkungen würden in diesen Fällen so viel Raum erfordern, daß bei den Texten eingespart werden müßte. Das mag bei einer streng wissenschaftlichen Publikation angehen, aber es kann nicht als der Sinn einer für ein breiteres Publikum bestimmten Textsammlung angesehen werden. Aus diesem Grund wurden die Gattungen Satire und großes politisches oder höfisches Gelegenheitsgedicht, abgesehen von

---

4. Dieser eine, Robert Herrick (1591–1674), wurde auch von uns ausgeschlossen, da er eher ein verspäteter Elisabethaner ist.
5. Der Herausgeber befindet sich dabei in Übereinstimmung mit Hugo Friedrich, der in seinen *Epochen der italienischen Lyrik*, Frankfurt 1964, ebenfalls den Barockbegriff beibehält und verteidigt (S. 534 ff.).

Marvells großer Ode auf Cromwells Rückkehr vom irischen Feldzug, praktisch unberücksichtigt gelassen, was nun freilich zu einem so starken Übergewicht des royalistischen Standpunktes führt, daß der Herausgeber einer einseitigen Sympathie für diese Partei – »Wrong but Wromantic«, »vor der Geschichte im Unrecht, aber dekorativ« nennt sie eine humoristische englische Geschichtsdarstellung[6] – geziehen werden könnte.

Die drei skizzierten Beschränkungen – durch den Qualitätsanspruch, die Raumbeschränktheit und die relativ gute Verständlichkeit für den modernen Leser – scheinen nun freilich das ganze Unternehmen wieder genau dahin zu schieben, wo die Auswahl von Grierson und auch die von Gardner angesiedelt sind, nur daß eben andere und – da ja dort die besten Stücke versammelt sind – schwächere Gedichte derselben Autoren und derselben Art zusammengestellt erscheinen. Aber ganz so ist es doch nicht.

Einmal unternimmt die Anthologie verschiedene Exkurse in Gebiete, die in früheren Sammlungen dieses Umfangs nicht oder nur ganz wenig repräsentiert waren. Sie bringt Nonsens-Gedichte und Wahnsinnsgedichte von einer erstaunlichen, ganz modernen Fantastik; sie bringt trotz dem oben Gesagten ein paar längere Gedichte, die noch heute fesseln können; sie bringt Parodien und Grotesken, Figurengedichte, ins Populäre abgesunkene Fortentwicklungen der Motive und Themen der Gebildetenpoesie u. a. m. In einigen Fällen riskiert sie auch recht zweideutige Stücke, deren Veröffentlichung Grierson wohl noch als peinlich empfunden hätte (Helen Gardner ist da weniger zimperlich), die aber unbedingt zum Bild gehören.

Zum anderen kamen dem Herausgeber während des Auswählens einige Leitideen ins Bewußtsein, einige Gesichtspunkte für die Zusammenstellung, die sich aus dem Material ergaben.

6. W. C. Sellar und R. J. Yeatman, *1066 and all that*, London 1930, ²1960, S. 71.

Da das sonst naheliegende Kriterium der höchsten poetischen Qualität durch die existierenden Sammlungen vorweggenommen war, wurde das Prinzip verfolgt, die Stücke sich möglichst gegenseitig ergänzen zu lassen. So wurden motivgleiche Gedichte von verschiedenen Autoren aufgenommen: Bei einigen Texten etwa speist sich die Bildlichkeit aus den Musikanschauungen der Zeit, die immer irgendwie in der Vorstellung der Sphärenharmonie kulminieren; bei anderen liegen die immer wieder ähnlichen metaphorischen Konventionen zugrunde, die das Zeitalter mit dem Spiegel verband. Manche Stücke verhalten sich zueinander wie Modell und Parodie, Original und epigonale Nachahmung, Anfang und Fortsetzung usw. Auf das Netz dieser Bezüge ist in den Anmerkungen hingewiesen. Diese machen auch sonst auf Vergleichbares innerhalb und außerhalb der Anthologie aufmerksam.

Aber nicht nur diese mehr oder weniger nur den Philologen interessierenden Möglichkeiten des Vergleichs bestimmten die Auswahl. In dem Bewußtsein, daß neben das literarische Interesse heute in stärkerem Maße ein gesellschaftshistorisches tritt, wurde versucht, mit den ausgewählten Gedichten ein Porträt der Sozietät zu zeichnen, aus der die englische Barocklyrik kam. Das reicht von der versifizierten Genealogie des Stuart-Königshauses von Aurelian Townshend (S. 78 f.) bis zu dem recht deutlichen sozialkritischen Akzent in Quarles' *Pflüger*-Gedicht (S. 98); von der schier unfaßlichen Unfähigkeit vieler Cavaliers, auf die Bedrohung ihres Lebensstils, ja ihrer Existenz anders zu reagieren als mit den ihnen geläufigen aristokratisch-literarischen Attitüden (s. vor allem das Gedicht von Davenant auf die Gräfin von Anglesey auf S. 188), bis hin zu dem wunderlichen, sarkastisch gebrochenen Elendspathos der beiden Wahnsinnsgedichte aus zeitgenössischen Sammlungen anonymer Dichter (S. 152 ff.); von der selbstsicher stilisierten, militanten Offizierspose der royalistischen Streiter Davenant, Montrose und Lovelace (S. 190 f., 250 f., 290 f.) bis zu der visionären Unweltlichkeit des mit Jakob Böhme vergleichbaren tiefreligiösen Schusterssohnes Traherne (S. 364 ff.) und zu der Betroffenheit über das Ende eines Zeitalters, die sich in den Zeilen der nach der Niederlage von Naseby entstandenen, Cleveland zugeschriebenen *Totalen Finsternis* der Cavaliers (S. 254) malt. Nur wenig von diesem außerliterarischen Gesicht der Zeit kommt in den bisherigen Anthologien klar zum Ausdruck. Sicherlich erhebt unsere Sammlung nicht den Anspruch, eine ausreichende literarische Dokumentation für eine literatursoziologische Deutung des großen Konfliktes zu sein – das kann ein Band lyrischer Gedichte gar nicht, vor allem wenn darin vorwiegend von Liebe, Frauenverehrung oder -eroberung, Edelsteinen, abstrusen naturkundlichen Vergleichen, Ovidschen Metamorphosengestalten oder aber von des Menschen Verhältnis zu Gott und zu den Wahrheiten der Religion die Rede ist. Dazu würde auch eine stärkere Berücksichtigung des puritanischen Standpunktes nötig sein, und die war hier unmöglich.

Eine Aufnahme von Miltons wirklich repräsentativer, großer Lyrik verbot sich wegen der Länge der Stücke und war auch wegen der leichten Zugänglichkeit dieser Texte nicht geboten, abgesehen davon, daß Gedichte wie Miltons *Nativity*-Ode oder seine *Lycidas*-Elegie wegen ihres großen Gewichtes die Proportionen ebenfalls verschoben hätten, sehr zum Nachteil der kleineren Cavaliers. Da die Auswahl mehr auf einen Gruppenstil und seine Charakteristika angelegt ist als auf die Würdigung von Einzelpersönlichkeiten, hätte der Riese Milton in jeder Beziehung den Rahmen gesprengt. Marvell andererseits, der zweite namhafte Puritanerdichter, hat eine Lyrik von so europäischem Charakter geschrieben, daß sie mit dem Etikett »puritanisch« eigentlich gar nicht festgelegt werden sollte. Und sonst hat die Cromwell-Partei keine Dichter hervorgebracht, die sich den vielen exzellent dichtenden Cavaliers an die Seite stellen ließen. Die Puritaner sind eben, was den Lebensstil anlangt, ästhetisch unergiebig – »Right and Repulsive«, »geschichtlich im Recht,

aber abstoßend«, wie das schon zitierte lustige Büchlein sagt[7].
Aber wenn hier auch keine literatursoziologische Beispielsammlung geboten wird und geboten werden soll, so entsteht doch ein Zeitbild, aus dem zumindest eines ganz klar hervorgeht: Die Poesie, die man am Hofe der Stuarts und auf den Adelssitzen rings im Land pflegte, wurde von einer Klasse getragen, die sich nicht mehr weiterentwickelte. Hier wird das große Erbe aus Antike und Renaissance, hier werden die ungemein reichen formalen Möglichkeiten der elisabethanischen Kulturblüte genüßlich als Kostüm getragen, als Requisitenarsenal für gesellschaftliche Spiele verwendet, als Modellsammlung für aristokratische Attitüden und Posen verbraucht – aber der humanistische Inhalt hat sich daraus verflüchtigt und der Bezug zur historischen Gesamtwirklichkeit wird immer dünner. Noch ist die intellektuelle Brillanz groß, noch ist man großer Subtilität und Kompliziertheit fähig, noch ist der Geschmack einigermaßen intakt; aber es wird eigentlich nur Bekanntes in immer raffinierteren und immer erfahrungsleereren Kombinationen, in immer mehr von der sozialen Realität entfernten Kunstgebilden serviert. Oder aber die Künste der Travestie, Ironie und Groteske zerstören bewußt den Anschauungsgrund, auf dem sich das Gebäude des »goldenen« Elisabethanischen Zeitalters hatte erheben können.
Ben Jonson hatte das, was an Empirismus, Skepsis, Standpunktrelativierung und Aufweichung der Ethik und Moral durch die »Counter-Renaissance«-Philosophie Machiavells, Montaignes und anderer in das vom christlichen Humanismus zusammengehaltene Weltverständnis seiner Zeit eindrang, mit Emphase, satirischer Schärfe und großer Energie abgewehrt. Bei Donne hatte es als Denktechnik Aufnahme gefunden, als Testmethode, mit der die alten Lehrgebäude, Argumentationsschemata, Stil- und Empfindungskonventio-

7. loc. cit.

nen überprüft und an der erlebten Wirklichkeit gemessen wurden. Bei den jüngeren Cavaliers aber wird die Instabilität der ethischen Normen und die Unsicherheit der Weltbeurteilung zur eigentlichen Grundfarbe der Sensibilität. Unter ihrem immer noch petrarkistisch posierenden Minnedienst lassen sie mehr und mehr den nackt kreatürlichen Egoismus und sexuellen Naturalismus des *male animal* zum Vorschein kommen; und der ritterliche Ehrenkodex schlägt bei den bis zum Ende kämpfenden Royalisten um in ein romantisches, aber sinnloses Desperadotum, während er bei den Emigranten zu einem Reaktionärstum ohnegleichen wird, das dann – als die Restauration die alte Lebensgrundlage noch einmal zurückbringt – schließlich zu dem krassen Materialismus, Skeptizismus und Staatsabsolutismus hinführt, dessen philosophische Grundlage Thomas Hobbes geliefert hatte.
In diesem – hier simplifiziert dargestellten – Rahmen muß man die in dieser Anthologie vorgestellten Gedichte sehen, und die Auswahl hat der Verdeutlichung dieser Entwicklungstendenzen Rechnung getragen, ohne freilich ausschließlich auf sie hinorientiert zu sein – sie trägt ja auch der religiösen Dichtung Rechnung, für die das Gesagte kaum gilt.
Diese Erläuterung der Gedanken, von denen die Auswahl beeinflußt wurde, möge als Einführung und zugleich als literaturgeschichtlicher Hintergrund genügen.
Die Textgestalt im Englischen wurde durchweg modernisiert. Jeder Kenner originaler barocker Schreibweisen des Englischen wird das mit dem Herausgeber bedauern. Die vielen Großschreibungen, die dem modernen Gebrauch zuwiderlaufende exzessive und doch logische Interpunktion und die pittoresken obsoleten Schreibungen gehören für den Eingeweihten fast semantisch zum Eindruck des Originals. Aber einmal stellen diese Dinge für den Neuling zusätzliche Schwierigkeiten dar und machen den Studenten in seiner Orthographie des modernen Englischen unsicher. Und zum anderen wäre es technisch unmöglich gewesen, für die zum

Einleitung

Teil schwer zugänglichen Texte in jedem Fall die gesicherte Originalgraphie zu besorgen. So mußte der archaische Reiz praktischen Erwägungen zum Opfer fallen.

Die Anmerkungen sind kein wissenschaftlicher Apparat, keine Interpretationen, keine Fußnoten für Unwissende – aber sie haben von all dem etwas. Man faßt sie am besten auf als Hinweise für einen Freund oder Mitstudenten, dem mühevolles Nachschlagen erspart werden soll und von dem man erwartet, daß er dankbar ist, wenn er auf Wesentliches hingewiesen wird und durch einige Bemerkungen zur Machart oder Zeitsymptomatik der Texte zu einer Steigerung seines Lesevergnügens gelangt.

Die Übersetzungen verstehen sich als Lese- und Verständnishilfen, nicht als künstlerische Übertragungen. Versgerechte Nachdichtung englischer Barocklyrik ist im Deutschen nahezu unmöglich; selbst die poetisch besten Versuche[8] sind im Endeffekt so kryptisch, daß man immer wieder auf die Originale rekurrieren muß, um zu verstehen, was gemeint ist. Prosaübersetzungen haben es viel leichter, präzis, verständlich und natürlich zu sein. Trotz der Hauptaufgabe der Genauigkeit, die sich der Herausgeber gestellt hat, möchte er aber doch nicht durch Überexaktheit den Nachvollzug dessen, was das Original an Spannung, Rhythmus, Stilhöhe und Einheitlichkeit des Tons enthält, prosaisch zerstören. Die Kompromisse, die dies jeweils erfordert, sind natürlich in Sache des persönlichen Geschmacks. Der kontrollierende Wissenschaftler mag zuviel Freiheit, der zum Vergnügen lesende *dilettante* zuviel philologische Pedanterie finden, und dem Sprachpuristen mögen gelegentliche Modernismen des Ausdrucks oder Aufnahmen des originalen Versrhythmus störend auffallen. Aber als Brücke zu den Originalen mögen die Übersetzungen ihren Dienst tun: wenn sich der Leser mit ihrer Hilfe das englische Original erobert hat, sind sie sowieso überflüssig und mögen getrost vergessen werden.

8. W. Vordtriede, *John Donne: Metaphysische Dichtungen*, Wiesbaden 1961, und ders., *Andrew Marvell: Gedichte*, Berlin 1962.

Die recht umfangreichen Arbeiten, die dieser Band erforderte, wurden dem Herausgeber ermöglicht durch ein Forschungsfreisemester. Der Deutschen Forschungsgemeinschaft, die durch die Finanzierung einer Vertretung diese Freistellung ermöglichte, sei an dieser Stelle gedankt. Ohne diese Hilfe und ohne die Benutzung der Bibliothek des Britischen Museums wäre die Ausgabe nicht möglich gewesen.

Die Gedichte

WILLIAM ALABASTER

Sonnet 28
Of the Reed that the Jews Set in Our Saviour's Hand

Long time hath Christ, long time I must confess,
Held me, a hollow reed within his hand,
That merited in hell to make a brand,
Had not his grace supplied mine emptiness.
Oft time with languor and newfangledness   5
Had I been borne away like sifted sand
When sin and Satan got the upper hand,
But that his steadfast mercy did me bless.
Still let me grow upon that living land,
Within that wound which iron did impress   10
And made a spring of blood flow from thy hand.
Then will I gather sap and rise and stand,
That all that see this wonder may express,
Upon this ground how well grows barrenness.

Sonnet 33
Ego sum Vitis

Now that the midday heat doth scorch my shame
With lightning of fond lust, I will retire
Under this vine, whose arms with wandering spire
Do climb upon the Cross, and on the same
Devise a cool repose from lawless flame,   5
Whose leaves are intertwist with love entire,
That envy's eye cannot transfuse her fire,
But is rebated on the shady frame.

WILLIAM ALABASTER

Sonett 28
Über das Rohr, das die Juden unserem Erlöser
in die Hand gaben

Lange, o lange Zeit – ich muß es bekennen – hat Christus / mich, ein hohles Rohr, in seiner Hand gehalten, / eine Rute, die es verdient hätte, Brennstoff für die Hölle zu sein, / hätte nicht seine Gnade meine Leere aufgefüllt. / Oft wäre ich von meiner Gleichgültigkeit und Modenarrheit / wie dünner Sand davongetragen worden, / wenn die Sünde und der Satan die Oberhand gewonnen hätten; / aber seine unverrückbare Barmherzigkeit segnete mich. / O laß mich weiterwachsen auf dem lebendigen Boden, / in der Wunde, die der eiserne Nagel gebohrt hat, / so daß ein Quell von Blut aus deiner Hand entsprang. / Dann will ich Saft ziehen und mich aufrichten und gerade stehen, / damit alle, die dieses Wunder sehen, sagen mögen: / Wie schön wächst auf diesem Boden selbst die Unfruchtbarkeit.

Sonett 33
Ich bin der Weinstock

Nun, da die Mittagsglut meine Scham / mit Blitzen eitler Wollust sengt, will ich Schutz suchen / unter diesem Weinstock, dessen Arme in wandernden Spiralen / am Kreuze ranken und machen, daß unter dem / Kreuz eine Stelle kühler Ruhe für zügellose Flammen entsteht. / Die Blätter dieses Weinstocks sind ganz mit Liebe durchflochten, / so daß das Auge des Neides mit seinem Feuer nicht hindurchdringen kann, / sondern stumpf zurückprallt von dem beschirmenden

And youthful vigour from the leaved tier
Doth stream upon my soul a new desire.
List, list, the ditties of sublimed fame
Which in the closet of those leaves the choir
Of heavenly birds do warble to his name.
O where was I that was not where I am?

Gehäuse. / Und Jugendkraft strömt von dem belaubten Spalier herab / und füllt meine Seele mit neuem Sehnen. / Horch, horch auf die Lieder erhabenen Rühmens, / die in jener Blätterlaube der Chor / der Himmelsvögel seinem Namen singt! / Oh, wo war ich, der ich nicht da war, wo ich bin?

JOHN DONNE

Song

Go and catch a falling star,
    Get with child a mandrake root,
Tell me where all past years are,
    Or who cleft the devil's foot,
Teach me to hear mermaids singing   5
Or to keep off envy's stinging,
        And find
        What wind
Serves to advance an honest mind.

If thou be'st born to strange sights,   10
    Things invisible to see,
Ride ten thousand days and nights
    Till age snow white hairs on thee;
Thou, when thou return'st, wilt tell me
All strange wonders that befell thee,   15
        And swear,
        Nowhere
Lives a woman true, and fair.

If thou findst one, let me know;
    Such a pilgrimage were sweet.   20
Yet do not: I would not go
    Though at next door we might meet.
Though she were true when you met her,
And last till you write your letter,
        Yet she   25
        Will be
False, ere I come, to two, or three.

JOHN DONNE

Lied

Geh und fang die Sternschnuppe ein; / mach der Alraunenwurzel ein Kind; / sag, wo all die vergangenen Jahre sind / oder wer des Teufels Huf gespalten hat. / Lehr mich die Nixen singen hören / oder mich vor den Stacheln des Neids zu bewahren, / und finde heraus, / welcher Wind / dazu gut ist, einen ehrlichen Menschen zu fördern.

Wenn du von Geburt an die Gabe hast, / überirdische oder unsichtbare Dinge zu sehen, / dann reite zehntausend Tage und Nächte, / bis das Alter graue Haare auf dich schneit; / wenn du zurückkommst, wirst du mir berichten / von all den seltsamen Wundern, die dir begegnet sind, / und wirst schwören: / Nirgendwo / lebt ein Weib, das zugleich treu und schön ist.

Wenn du eines findest, laß es mich wissen; / eine Pilgerfahrt dorthin wäre süß. / Nein, tu es doch nicht! Ich würde nicht gehen, / selbst wenn wir uns an der nächsten Tür begegneten. / Selbst wenn sie treu gewesen sein sollte, als du sie trafst, / und treu bleiben sollte, bis du deinen Brief geschrieben hast, / wird sie / doch, / bevor ich hinkomme, schon zweien oder dreien die Treue gebrochen haben.

The Canonization

For God's sake hold your tongue, and let me love,
  Or chide my palsy, or my gout,
My five gray hairs, or ruin'd fortune flout,
    With wealth your state, your mind with arts improve,
      Take you a course, get you a place,   5
      Observe his honour, or his grace,
Or the King's real, or his stamped face
  Contemplate; what you will, approve,
    So you will let me love.

Alas, alas, who's injured by my love?   10
  What merchant's ships have my sighs drown'd?
Who says my tears have overflow'd his ground?
  When did my colds a forward spring remove?
    When did the heats which my veins fill
    Add one man to the plaguy bill?   15
Soldiers find wars, and lawyers find out still
  Litigious men, which quarrels move,
    Though she and I do love.

Call us what you will, we are made such by love;
  Call her one, me another fly,   20
We are tapers too, and at our own cost die,
  And we in us find the Eagle and the Dove.
    The Phoenix riddle hath more wit
    By us; we two being one, are it.
So to one neutral thing both sexes fit,   25
  We die and rise the same, and prove
    Mysterious by this love.

We can die by it, if not live by love,
  And if unfit for tombs and hearse

John Donne

Die Heiligsprechung

Halt um Gottes willen deinen Mund und laß mich lieben! / Oder schimpf auf meine Wassersucht oder meine Gicht, / mokiere dich über meine fünf grauen Haare oder meine ruinierten Finanzen; / verbessere deine gesellschaftliche Stellung durch Reichtum, deinen Geist durch Bildung; / schlag eine Laufbahn ein, erkämpf dir eine Position; / richte alle deine Aufmerksamkeit auf Euer Ehren und Euer Gnaden, / oder auf des Königs echtes oder in Münzen geprägtes Gesicht; / heiß gut, was du willst, / wenn du mir nur zugestehst zu lieben.

Ach, wer hat denn von meiner Liebe Schaden? / Welche Handelsschiffe haben meine Seufzer versenkt? / Wer kann sagen, daß meine Tränen seinen Grund überflutet haben? / Wann haben meine Kälteschauer einen vorzeitigen Frühling verjagt? / Wann haben die Hitzen, die meine Adern füllen, / einen einzigen Menschen mehr auf die Liste der Pesttoten gebracht? / Immer noch finden Soldaten Kriege, und Anwälte / streitsüchtige Menschen, die gegeneinander prozessieren wollen, / auch wenn sie und ich uns lieben.

Nenn uns, was du willst: wir sind es durch die Liebe geworden. / Nenne sie eine und mich eine zweite Fliege. / Wir sind auch Kerzen und sterben auf unsere eigenen Kosten. / Und wir finden in uns den Adler und die Taube. / Das Rätsel des Phönix hat durch uns einen reicheren Sinn – wir zwei, die wir eins sind, verkörpern es: / so verbinden sich die beiden Geschlechter zu einem neutralen Etwas. / Wir sterben und erstehen als die gleichen und erweisen uns / als ein Mysterium durch diese Liebe.

Wir können an der Liebe sterben, wenn wir schon nicht von ihr leben können; / und wenn unsere Legende nicht für Grab und Aufbahrung paßt, / so wird sie für Verse geeignet

Our legend be, it will be fit for verse;
   And if no piece of chronicle we prove,
     We'll build in sonnets pretty rooms;
     As well a well-wrought urn becomes
The greatest ashes, as half-acre tombs,
   And by these hymns, all shall approve
     Us *canoniz'd* for Love:

And thus invoke us: 'You, whom reverend love
   Made one another's hermitage;
You, to whom love was peace, that now is rage;
   Who did the whole world's soul contract, and drove
     Into the glasses of your eyes
     (So made such mirrors, and such spies,
That they did all to you epitomize)
   Countries, towns, courts: beg from above
     A pattern of your love!'

The Bait

    Come live with me, and be my love,
    And we will some new pleasures prove
    Of golden sands, and crystal brooks:
    With silken lines, and silver hooks.

    There will the river whispering run
    Warm'd by thy eyes, more than the Sun;
    And there the enamour'd fish will stay,
    Begging themselves they may betray.

    When thou wilt swim in that live bath,
    Each fish, which every channel hath,
    Will amorously to thee swim,
    Gladder to catch thee, than thou him.

sein. / Und wenn wir kein Gegenstand für die Chronikschreibung sind, / so werden wir in Sonetten hübsche Räume für uns sichern. / Eine schöngeformte Urne ist / für die Asche der Größten ebenso passend wie Grüfte, die einen halben Morgen groß sind. / Und alle sollen mit diesen Hymnen zustimmen / unserer Kanonisierung als Heilige der Liebe:

Und so zu uns beten: »Ihr, die die hochwürdige Liebe / einen zu des anderen Einsiedelei gemacht hat; / ihr, für die die Liebe, die heutzutage Wut und Raserei ist, Frieden bedeutete; / die ihr die Seele der ganzen Welt zusammenzogt und einfüllet / in die Gläser eurer Augen / (die dadurch zu solchen Spiegeln und Spionen wurden, / daß sie für euch alles in einem Extrakt zusammenfaßten) / Länder, Städte, Herrscherhöfe: Erfleht von oben ⟨auch für uns⟩ / ein Beispiel eurer Liebe!«

Die Lockspeise

Komm, leb mit mir und sei mein Lieb, / und ich will dir neue Freuden zeigen / bei goldnem Sand und kristallnen Bächen, / mit seidenen Schnüren und silbernen Haken.

Dort wird der Fluß flüsternd vorbeifließen, / von deinen Augen mehr erwärmt als von der Sonne. / Und dort werden die verliebten Fische stehenbleiben / und darum betteln, gefangen zu werden.

Wenn du in diesem lebendigen Bad schwimmst, / wird jeder Fisch aus jedem kleinen Seitenkanal / buhlerisch zu dir hinschwimmen / und froher sein, wenn er dich erwischt, als du bist, wenn du ihn einfängst.

If thou to be so seen be'st loath
By Sun, or Moon, thou dark'nest both,
And if myself have leave to see, 15
I need not their light, having thee.

Let others freeze with angling reeds,
And cut their legs with shells and weeds,
Or treacherously poor fish beset,
With strangling snare, or windowy net: 20

Let coarse bold hands, from slimy nest
The bedded fish in banks out-wrest;
Or curious traitors, sleave-silk flies,
Bewitch poor fishes' wand'ring eyes.

For thee, thou need'st no such deceit, 25
For thou thyself art thine own bait;
That fish, that is not catch'd thereby,
Alas, is wiser far than I.

The Apparition

When by thy scorn, O murd'ress, I am dead,
    And that thou thinkst thee free
From all solicitation from me,
Then shall my ghost come to thy bed,
And thee, feign'd vestal, in worse arms shall see; 5
Then thy sick taper will begin to wink,
And he, whose thou art then, being tir'd before,
Will, if thou stir, or pinch to wake him, think
    Thou call'st for more,
And in false sleep will from thee shrink; 10
And then, poor aspen wretch, neglected thou

Wenn du es unangenehm findest, / von Sonne oder Mond so gesehen zu werden, ⟨denk daran⟩: du verdunkelst beide; / und wenn es mir selber verstattet ist hinzuschauen, / so brauch ich ihr Licht nicht, da ich ja dich habe.

Laß andere mit der Angelrute frieren / und ihre Beine an Muscheln und Schilf schneiden / oder armen Fischen verräterisch / mit erdrosselnder Reuse oder gefenstertem Netz zusetzen:

Laß rohe, dreiste Hände die in ein schlammiges Nest / gebetteten Fische unterm Uferrand herausholen und sie im Ringkampf besiegen; / oder laß seltsame Verräter – Fliegen, so seidig wie Frauenärmel – / die wandernden Augen armer Fische betören.

Du brauchst keine solchen Täuschungsmanöver; / denn du bist selbst der Köder für dein Angeln; / der Fisch, der sich damit nicht fangen läßt, / ist – ach! – viel gescheiter als ich.

Die Geistererscheinung

Wenn ich, o Mörderin, durch deine Abweisung zu Tode gekommen bin / und du dich frei von allen Bitten wähnst / aus meinem Munde, / dann soll mein Geist an deinem Bett erscheinen / und dich, du vorgetäuschte Vestalin, in den Armen eines schlechteren Mannes sehen. / Dann wird deine matte Kerze zu flackern anfangen, / und der, dem du dann gehörst, wird – da er sich vorher bereits ermüdet hat –, / wenn du ihn schüttelst oder zwickst, um ihn zu wecken, glauben, / daß du noch mehr von ihm verlangst, / und wird sich in falschem Schlaf von dir zurückziehen. / Und dann wirst du, armer unglücklicher Espenlaub-Schelm, verlassen daliegen, /

Bath'd in a cold quicksilver sweat wilt lie,
    A verier ghost than I:
What I will say, I will not tell thee now,
Lest that preserve thee; and since my love is spent,   15
I had rather thou shouldst painfully repent,
Than by my threat'nings rest still innocent.

Love's Diet

To what a cumbersome unwieldiness
And burdenous corpulence my love had grown,
    But that I did, to make it less,
    And keep it in proportion,
Give it a diet, made it feed upon   5
That which love worst endures, *discretion*.

Above one sigh a day I allow'd him not,
Of which my fortune, and my faults, had part;
    And if sometimes by stealth he got
    A she-sigh from my mistress' heart,   10
And thought to feast on that, I let him see
'Twas neither very sound, nor meant to me:

If he wrung from me a tear, I brin'd it so
With scorn or shame, that him it nourish'd not;
    If he suck'd hers, I let him know   15
    'Twas not a tear which he had got,
His drink was counterfeit, as was his meat;
For eyes which roll towards all, weep not, but sweat.

Whatever he would dictate, I writ that,
But burnt my letters; when she writ to me,   20
    And that that favour made him fat,
    I said: 'If any title be

gebadet in einem kalten Quecksilberschweiß, / ein echteres Gespenst als ich. / Was ich dann sagen werde, will ich dir jetzt nicht sagen, / damit dir das Wissen darum nicht einen Schutz davor ermöglicht; und da meine Liebe erlahmt ist, / möchte ich lieber, daß du schmerzensvoll bereuen mußt, / als daß du wegen meiner Drohung weiterhin unschuldig bleibst.

Diät für die Liebe

Zu welcher schwerfälligen Unförmigkeit / und belastenden Korpulenz hätte mein Liebeswahn ⟨mein Amor⟩ sich ausgewachsen, / hätte ich ihm nicht, um ihn schlanker zu machen / und in der richtigen Proportion zu halten, / eine Diät vorgeschrieben und ihn mit dem gefüttert, / was die Liebe am schlechtesten ertragen kann: Besonnenheit.

Mehr als einen Seufzer am Tag erlaubte ich ihm nicht, / und daran hatten außerdem noch meine Vermögensverhältnisse und meine Sünden ihren Anteil; / und wenn er gelegentlich verstohlen / einen weiblichen Seufzer aus dem Herzen meiner Geliebten erjagte / und sich daran gütlich tun wollte, dann zwang ich ihn zu der Einsicht, / daß dieser Seufzer weder sehr herzhaft, noch für mich gedacht war.

Wenn er *mir* eine Träne abrang, versalzte ich sie / so sehr mit Verachtung oder Scham, daß sie ihn nicht nährte. / Wenn er *ihre* Tränen aufsaugte, ließ ich ihn wissen, / daß das, was er da ergattert hatte, keine Träne war / und daß sein Trank unecht war wie vorher seine Speise: / denn Augen, die zu allen hinrollen, weinen nicht, sondern schwitzen.

Was immer er diktierte, schrieb ich zwar nieder, / aber ich verbrannte meine Briefe. Wenn *sie* an mich schrieb / und wenn solche Gunst ihn fett zu machen drohte, / dann sagte

Convey'd by this, ah! what doth it avail
To be the fortieth name in an entail?'

Thus I reclaim'd my buzzard love, to fly
At what, and when, and how, and where I choose;
    Now negligent of sport I lie,
    And now, as other falconers use,
I spring a mistress, swear, write, sigh and weep:
And the game kill'd, or lost, go talk, and sleep.

The Relic

    When my grave is broke up again
    Some second guest to entertain
    (For graves have learn'd that woman-head,
    To be to more than one a bed),
        And he that digs it spies
A bracelet of bright hair about the bone,
        Will he not let us alone,
And think that there a loving couple lies,
Who thought that this device might be some way
To make their souls, at the last busy day,
Meet at this grave, and make a little stay?

    If this fall in a time, or land,
    Where mis-devotion doth command,
    Then he that digs us up will bring
    Us to the Bishop, and the King,
        To make us relics; then
Thou shalt be a Mary Magdalen, and I
        A something else thereby;
All women shall adore us, and some men;
And, since at such time miracles are sought,
I would have that age by this paper taught
What miracles we harmless lovers wrought.

ich: »Selbst wenn hierdurch irgendwelche Rechte / zugebilligt werden sollten, ach, was nützt das: / Was ist es wert, der vierzigste Name in einer Erbenliste zu sein?«

So zähmte und dressierte ich meinen ⟨Jagd-⟩Bussard-Amor, daß er auf was und wann und wie und wo ich will fliegt. / Einmal liege ich ruhig da und denke nicht an den Jagdsport, / und dann wieder jage ich, so wie andere Falkner, / eine Geliebte – schwöre, schreibe, seufze und weine; / und wenn das Wild ersprungen ist oder verloren, geh' ich davon und plaudere oder leg' mich schlafen.

Die Reliquie

Wenn man mein Grab einst wieder aufbricht, / um einem zweiten Gast Unterkunft zu gewähren / – denn Gräber haben den echt weiblichen Zug erlernt, / für mehr als einen ein Bett zu sein –; / und wenn der, der es aufgräbt, / ein Armband aus hellglänzenden Haaren um das Gebein geschlungen sieht, / wird er uns da nicht in Ruhe lassen / und denken, daß hier ein liebendes Paar begraben liegt, / das glaubte, dieser Einfall sei eine Möglichkeit, / ihre beiden Seelen an dem letzten, ereignisreichen Tag / zusammentreffen zu lassen an diesem Grab, um dort noch kurz miteinander zu verweilen?

Wenn sich das in einer Zeit oder in einem Land zuträgt, / wo der ⟨katholische⟩ Irrglaube regiert, / dann wird der, der uns ausgräbt, / uns zum Bischof oder zum König bringen, / damit Reliquien aus uns gemacht werden. Dann / wirst *du* eine Maria Magdalene sein und *ich* ein Etwas, das danebenliegt. / Alle Frauen werden uns anbeten und manche Männer. / Und da man in solchen Epochen nach Wundern sucht, / möchte ich durch dieses Papier jenem Zeitalter kundgemacht wissen, / welche Wunder wir arglose Liebende wirkten.

    First, we lov'd well and faithfully,
      Yet knew not what we lov'd, nor why;
    Difference of sex we never knew,
    No more than our guardian angels do;
        Coming and going, we
Perchance might kiss, but not between those meals;
      Our hands ne'er touch'd the seals
Which nature, injur'd by late law, sets free:
These miracles we did; but now, alas,
All measure, and all language, I should pass,
Should I tell what a miracle she was.

A Valediction: Forbidding Mourning

    As virtuous men pass mildly away,
      And whisper to their souls, to go,
    Whilst some of their sad friends do say:
      'The breath goes now', and some say: 'No':

    So let us melt, and make no noise,
      No tear-floods, nor sigh-tempests move;
    'Twere profanation of our joys
      To tell the laity our love.

    Moving of the earth brings harms and fears;
      Men reckon what it did and meant:
    But trepidation of the spheres,
      Though greater far, is innocent.

    Dull sublunary lovers' love
      (Whose soul is sense) cannot admit
    Absence, because it doth remove
      Those things which elemented it.

Zuerst liebten wir stark und treu, / wußten aber noch nicht, was oder warum wir liebten. / Den Geschlechtsunterschied kannten wir ebensowenig / wie unsere Schutzengel ihn kennen. / Beim Kommen und Gehen küßten wir uns / vielleicht, aber nicht zwischen diesen Mahlzeiten. Unsere Hände berührten niemals die Siegel, / welche die Natur, durch das spätere Gesetz ins Unrecht gesetzt, für frei erklärt. / Diese Wunder taten wir. Doch ach, / ich würde alles Maß und alle Möglichkeit der Sprache übersteigen, / wäre ich imstande zu erzählen, welches Wunder *sie* war.

Abschied: Verbot zu trauern

So wie tugendhafte Menschen sanft entschlafen / und ihrer Seele zuflüstern, sie möge nun hingehen, / während einige von ihren trauernden Freunden sagen: / »Jetzt setzt der Atem aus«, und andere sagen: »Nein« —

so laß uns verlöschen und keinen Lärm machen, / keine Tränenfluten und Seufzerstürme erregen: / Es wäre eine Profanierung unserer Freuden, / den uneingeweihten Laien unsere Liebe kundzumachen.

Erderschütterungen bringen Schaden und Schrecken, / die Menschen rechnen nach, was sie bewirkt und bedeutet haben; / doch ein Beben der Sphären, / obgleich viel umfangreicher, ist ganz harmlos.

Die Liebe von stumpfen sublunarischen Liebenden / (deren Seele die Sinnlichkeit ist) kann keine Abwesenheit / vertragen, da diese ja das Objekt entfernt, / durch das die Liebe begründet wurde.

But we, by a love so much refin'd
    That our selves know not what it is,
Inter-assured of the mind,
    Care less, eyes, lips, and hands to miss.

Our two souls therefore, which are one,
    Though I must go, endure not yet
A breach, but an expansion,
    Like gold to airy thinness beat.

If they be two, they are two so
    As stiff twin compasses are two:
Thy soul, the fix'd foot, makes no show
    To move, but doth, if the other do;

And though it in the centre sit,
    Yet when the other far doth roam,
It leans, and hearkens after it,
    And grows erect, as that comes home.

Such wilt thou be to me, who must,
    Like the other foot, obliquely run:
Thy firmness makes my circle just,
    And makes me end where I begun.

A Lecture upon the Shadow

Stand still, and I will read to thee
A lecture, love, in love's philosophy.
    These three hours that we have spent
    In walking here, two shadows went
Along with us, which we ourselves produc'd;
But, now the Sun is just above our head,
    We do those shadows tread;
    And to brave clearness all things are reduc'd.

Doch wir, unseres Geistes gegenseitig versichert / durch eine Liebe, die so geläutert ist, / daß wir selber nicht wissen, was sie ist, / wir sind weniger besorgt, wenn wir auf Augen, Lippen und Hände verzichten müssen.

Darum erleiden unsere zwei Seelen, die eine sind, / damit, daß ich fortgehen muß, noch keinen Bruch; / sondern sie erfahren eine Ausweitung wie Gold, / das zu zartester Dünne gehämmert wird.

Wenn sie zwei sind, dann sind sie es in derselben Weise / wie zwei steife Zirkelschenkel zwei sind: / Deine Seele, der festgestochene Fuß, scheint sich nicht / zu bewegen, tut es aber doch, wenn der andere sich bewegt.

Und ob er gleich im Mittelpunkt steht, / beugt er sich doch, wenn der andere weit draußen schweift, / diesem zu und horcht auf ihn hin / und richtet sich wieder gerade auf, wenn der andere heimkommt.

So wird dein Verhältnis zu mir sein, der ich / wie der andere Fuß schräg meines Weges gehen muß: / Deine Festigkeit macht, daß mein Kreis korrekt wird, / und läßt mich dort enden, wo ich begann.

Eine Lektion über den Schatten

Liebste, bleib stehen und ich will dir / eine Lektion in der Philosophie der Liebe erteilen. / Während der drei Stunden, die wir hier auf und ab gehend / verbracht haben, gingen zwei Schatten / mit uns mit – Schatten, die wir selber erzeugten. / Doch nun, da die Sonne gerade über unserem Kopf steht, / treten wir auf diese Schatten; und alle Dinge haben ihre volle, helle Klarheit zurückgewonnen. / So gingen, wäh-

So, whilst our infant love did grow,
Disguises did, and shadows, flow
From us, and our cares; but now 'tis not so.

That love hath not attain'd the high'st degree,
Which is still diligent lest others see.

Except our love at this noon stay,
We shall new shadows make the other way.
   As the first were made to blind
   Others, these which come behind
Will work upon ourselves, and blind our eyes.
If once love faint, and westwardly decline,
    To me thou, falsely, thine,
    And I to thee mine actions shall disguise.
The morning shadows wear away,
But these grow longer all the day, –
But oh, love's day is short, if love decay.

Love is a growing, or full constant light;
And his first minute, after noon, is night.

The Blossom

Little think'st thou, poor flower,
  Whom I have watch'd six or seven days,
And seen thy birth, and seen what every hour
Gave to thy growth, thee to this height to raise,
And now dost laugh and triumph on this bough,
    Little think'st thou
That it will freeze anon, and that I shall
Tomorrow find thee fall'n, or not at all.

rend unsere noch im Kindheitszustand stehende Liebe heranwuchs, / Verstellungen und leerer, schattenhafter Schein / von uns und von unseren Sorgen aus; aber jetzt ist das anders geworden.

Die Liebe hat noch nicht den höchsten Grad erreicht, / die immer eifrig darauf bedacht ist, daß die anderen nichts sehen.

Wenn unsere Liebe nicht in diesem Mittag stehenbleibt, / dann werden wir neue Schatten in die entgegengesetzte Richtung werfen. / So wie die ersten dazu da waren, andere nicht sehen zu lassen, / so werden diese, die hinter uns hergehen, / auf uns selber wirken und unsere eigenen Augen blind machen. / Wenn unsere Liebe schwach wird und sich westwärts zum Untergang neigt, / wirst du vor mir in Falschheit deine, / und werde ich vor dir meine Handlungen verbergen. / Die Morgenschatten nehmen ab, / aber diese ⟨Schatten des Nachmittags⟩ werden den ganzen ⟨Rest des⟩ Tag⟨es⟩ über länger – / und ach! der Tag der Liebe ist kurz, wenn die Liebe verfällt.

Liebe ist ein wachsendes oder ein ganz stetiges Licht, / und ihre erste Minute nach dem Mittag ist schon Nacht.

Die Blüte

Kaum ahnst du, arme Blüte, / die ich sechs oder sieben Tage lang beobachtet habe / und deren Geburt ich sah ebenso wie die Zunahme an Wachstum, die jede Stunde / für dich brachte, um dich bis zu der jetzigen Höhe emporsprießen zu lassen, / dich, die du nun lachst und triumphierst auf diesem Zweig – / kaum ahnst du, / daß es bald frieren wird und daß ich dich / morgen abgefallen oder überhaupt nicht mehr finden werde.

    Little think'st thou, poor heart,
       That labour'st yet to nestle thee,
And think'st by hovering here to get a part
In a forbidden or forbidding tree,
And hop'st her stiffness by long siege to bow,
            Little think'st thou
That thou tomorrow, ere that Sun doth wake,
Must with this sun and me a journey take.

    But thou which lov'st to be
       Subtle to plague thyself, wilt say:
'Alas! if you must go, what's that to me?
Here lies my business, and here I will stay:
You go to friends, whose love and means present
            Various content
To your eyes, ears, and tongue, and every part.
If then your body go, what need you a heart?'

    Well then, stay here; but know,
       When thou hast stay'd and done thy most,
A naked thinking heart, that makes no show,
Is, to a woman, but a kind of ghost;
How shall she know my heart; or, having none,
            Know thee for one?
Practice may make her know some other part;
But take my word, she doth not know a heart.

    Meet me at London, then,
       Twenty days hence, and thou shalt see
Me fresher, and more fat, by being with men,
Than if I had stay'd still with her and thee.
For God's sake, if you can, be you so too:
            I would give you
There, to another friend, whom we shall find
As glad to have my body, as my mind.

John Donne

Kaum ahnst du, armes Herz, / das sich immerfort um einen Nistplatz bemüht / und glaubt, dadurch daß es hier herumflattert, einen kleinen Wohnbezirk / in einem verbotenen und sich verbietenden Baum zu ergattern, / und hofft, ihre Starrheit durch eine lange Belagerung zu beugen – / kaum ahnst du, / daß du morgen, eh' noch die Sonne erwacht, / mit dieser Sonne und mir eine Reise antreten mußt.

Doch du, das du gerne spitzfindig auf Wege sinnst, / dich selbst zu quälen, wirst sagen: / »Ach, wenn du gehen mußt, was ist das mir? / Hier hab ich mein Geschäft und hier will ich bleiben: / Du gehst zu Freunden, deren Liebe und deren Vermögen / die verschiedensten Vergnügungen / für deine Augen, Ohren, Zunge und alle anderen Teile bereitstellen. / Wenn dein Leib dorthin geht, wozu brauchst du dann ein Herz?«

Nun gut: bleib also hier. Doch überlege dir, / (was geschieht,) wenn du geblieben bist und dein möglichstes getan hast. / Ein nacktes denkendes Herz, das nach nichts aussieht, / ist für eine Frau nur eine Art Gespenst. / Wie sollte sie mein Herz erkennen oder, da sie selber keines hat, / in dir eines erkennen? / Die Erfahrung mag sie gelehrt haben, irgendeinen anderen Körperteil zu kennen, / aber – nimm mein Wort darauf! – sie kennt kein Herz.

Triff mich also in London / in zwanzig Tagen, und du wirst mich, / weil ich mit Männern zusammen war, frischer und wohlgenährter vorfinden, / als wenn ich bei ihr und bei dir geblieben wäre. / Sei du, um Gottes willen, auch so, wenn du kannst: / Ich möchte dich / dort einer andren Freundin geben, die wir ebenso erfreut sehen werden, / wenn sie meinen Leib, wie wenn sie meinen Geist haben kann.

The Storm

To Mr. Christopher Brooke

Thou which art I, ('tis nothing to be so) –
Thou which art still thyself, by these shalt know
Part of our passage; and a hand or eye,
By *Hilliard* drawn, is worth a history
By a worse painter made; and (without pride) 5
When by thy judgement they are dignifi'd,
My lines are such: 'Tis the pre-eminence
Of friendship only t'impute excellence.
England, to whom we'owe what we be and have,
Sad that her sons did seek a foreign grave 10
(For Fate's, or Fortune's, drifts none can soothsay,
Honour and misery have one face and way).
From out her pregnant entrails sigh'd a wind
Which at th'air's middle marble room did find
Such strong resistance, that itself it threw 15
Downward again; and so, when it did view
How in the port our fleet dear time did leese,
Withering like prisoners, which lie but for fees,
Mildly it kiss'd our sails, and, fresh and sweet
As to a stomach starv'd, whose insides meet, 20
Meat comes, it came; and swoll our sails, when we
So joy'd, as *Sarah*'her swelling joy'd to see.
But 'twas but so kind as our countrymen,
Which bring friends one day's way, and leave them then.
Then like two mighty kings, which, dwelling far 25
Asunder, meet, against a third to war,
The South and West winds join'd, and, as they blew,
Waves like a rolling trench before them threw.

John Donne

Der Sturm

An Mr. Christopher Brooke

Du, der du ich bist (es ist freilich gar nichts, ich zu sein) – / du, der du stets du selber bist, sollst durch diese Zeilen / von einem Teil unserer Überfahrt Bericht erhalten. Eine Hand oder ein Auge, / von der Hand Hilliards gemalt, ist ein ganzes Historiengemälde / von einem anderen Maler wert. Und – ohne Stolz sei's gesagt – / wenn meine Zeilen durch deinen urteilsfähigen Verstand des Lobes gewürdigt werden, / dann sind sie ebensoviel wert. Es ist das vorzügliche Verdienst / der Freundschaft (und nur sie kann das), dem Freunde hervorragende Qualität zuteilen zu können. / ⟨Die Insel⟩ England, der wir verdanken, was wir sind und haben, / war betrübt darüber, daß ihre Söhne ein Grab in der Fremde suchen gingen / (denn die Richtung, in die das Schicksal oder Fortuna uns treiben, kann keiner sicher voraussagen: / Ehre und Elend haben *ein* Gesicht und *einen* Weg). / Sie seufzte aus ihrem kummervollen Inneren einen Wind, / der im mittleren, marmorhellen Luftraum / auf so starken Widerstand stieß, daß er sich nach abwärts stürzte; und so – als er sah, / daß unsere Flotte im Hafen kostbare Zeit verlor / und hinsiechte wie Gefangene, die wegen Steuerschulden einsitzen – / küßte er sanft unsere Segel und kam erfrischend und willkommen, / so wie für einen verhungerten Magen, dessen Wände einander schon berühren, / eine Mahlzeit willkommen ist. Und er ließ unsere Segel schwellen, worüber wir / uns so freuten, wie Sara sich freute, als sie ihren Leib schwellen sah. / Aber er war nur in der Art freundlich, wie diejenigen unter unseren Landsleuten, / die ihre Freunde eine Tagereise weit begleiten und sie dann im Stich lassen. / Dann aber – so wie zwei mächtige Könige, die weit auseinander wohnen, / sich vereinigen, um gegen einen dritten Krieg zu führen – / verbündeten sich Süd- und Westwind miteinander und schoben mit ihrem Blasen / Wellen gleich einem rollenden Festungsgraben vor sich her. /

Sooner then you read this line, did the gale –
Like shot, not fear'd till felt – our sails assail;
And what at first was call'd a gust, the same
Hath now a storm's, anon a tempest's name.
Jonas, I pity thee, and curse those men,
Who, when the storm rag'd most, did wake thee then;
Sleep is pain's easiest salve, and doth fulfill
All offices of death, except to kill.
But when I wak'd, I saw, that I saw not;
I and the sun, which should teach me, 'd forgot
East, West, day night, and I could only say:
If th'world had lasted, now it had been day.
Thousands our noises were, yet we 'mongst all
Could none by his right name, but thunder, call.
Lightning was all our light, and it rain'd more
Than if the sun had drunk the sea before.
Some coffin'd in their cabins lie, 'equally
Griev'd that they are not dead, and yet must die;
And as sin-burden'd souls from graves will creep
At the last day, some forth their cabins peep,
And tremblingly'ask, what news, and do hear so
Like jealous husbands, what they would not know.
Some, sitting on the hatches, would seem there
With hideous gazing to fear away fear.
Then note they the ship's sicknesses, the mast
Shak'd with this ague, and the hold and waste
With a salt dropsy clogg'd, and all our tackling
Snapping like too-high-stretched treble strings.
And from our totter'd sails rags drop down so
As from one hang'd in chains a year ago.
Even our ordinance, plac'd for our defence,
Strive to break loose, and scape away from thence.

John Donne 47

Schneller als du diese Zeile liest, attackierte der Sturm / unsere Segel wie ein Kugelregen, den man nicht fürchtet, ehe man ihn fühlt; / und was zuerst eine Brise genannt zu werden verdiente, / hat nun den Namen Sturm und heißt dann in einem Nu Orkan. / Jonas, ich habe Mitleid mit dir! Und ich verfluche die Männer, / die dich weckten, als der Sturm am heftigsten tobte. / Der Schlaf ist der am leichtesten zu beschaffende Balsam für Schmerzen und tut in allem / dieselben Dienste wie der Tod – nur daß er nicht tötet. / Doch als *ich* erwachte, sah ich, daß ich *nicht* sah: / Ich und die Sonne, die mich hätte sehen lehren sollen, / hatten Ost, West, Tag und Nacht vergessen und konnten nur sagen, / daß es, wenn die Welt überhaupt noch bestand, jetzt Tag sein mußte. / Tausend Geräusche erfüllten die Luft, aber wir konnten keines von allen / bei seinem rechten Namen nennen außer dem Donner. / Blitze waren unser einziges Licht und es regnete mehr, / als wenn die Sonne vorher das ganze Meer ausgetrunken hätte. / Manche liegen da, in ihre Kajüte eingesargt und grämen sich ebensosehr darüber, / daß sie nicht tot sind, wie darüber, daß sie sterben müssen; / und so wie sündenbeladene Seelen am Jüngsten Tag aus dem Grab kriechen werden, / lugen manche aus ihren Kabinen heraus / und fragen zitternd, was es Neues gibt, und hören so / wie eifersüchtige Ehemänner, was sie am liebsten nicht hören möchten. / Manche sitzen auf den Einstiegluken und schauen aus, / als wollten sie mit ihren greulichen Blicken die Furcht hinwegfürchten. / Dann beobachten sie die Krankheiten des Schiffes: wie der Mast / vom Fieberfrost geschüttelt wird; wie der Laderaum und die Mitte des Schiffes / von der Salzwassersucht aufgeschwemmt werden und wie all unsere Takelage / zerspringt wie eine zu hoch gestimmte Diskantsaite. / Und von unseren flatternden Segeln fallen die Fetzen herab / wie von einem, der schon vor einem Jahr in Ketten gehenkt worden ist. / Sogar unsere Geschütze, die doch zu unserer Verteidigung da sind, / versuchen sich loszureißen und zu desertieren. / Das Pumpen hat unsere Männer ermü-

Pumping hath tir'd our men, and what's the gain?
Seas into seas thrown we suck in again.
Hearing hath deaf'd our sailors; and if they
Knew how to hear, there's none knows what to say.
Compar'd to these storms, death is but a qualm, 65
Hell somewhat lightsome, and th'Bermuda, calm.
Darkness, light's elder brother, his birth-right
Claims o'er this world, and to heaven hath chas'd light.
All things are one, and that one none can be,
Since all forms uniform deformity 70
Doth cover, so that we, except God say
Another *Fiat*, shall have no more day.
So violent, yet long these furies be,
That though thine absence starve me, 'I wish not thee.

Holy Sonnets V

I am a little world made cunningly
Of elements, and an angelic spright,
But black sin hath betrayed to endless night
My world's both parts, and (oh) both parts must die.
You which beyond that heaven which was most high 5
Have found new spheres, and of new lands can write,
Pour new seas in mine eyes, that so I might
Drown my world with my weeping earnestly,
Or wash it, if it must be drown'd no more:
But oh it must be burned! Alas, the fire 10
Of lust and envy have burned it heretofore,
And made it fouler; let their flames retire,
And burn me o Lord, with a fiery zeal
Of thee and thy house, which doth in eating heal.

det, und was haben wir damit gewonnen? / Die Meere, die wir ins Wasser geworfen haben, trinken wir wieder ein. / Das Horchen hat unsere Matrosen taub gemacht, aber wenn sie / hören könnten, dann wäre doch niemand da, der wüßte, was er sagen soll. / Im Vergleich zu diesen Stürmen ist der Tod ein bloßer Schwächeanfall, / die Hölle ein unbeschwerter Frohsinnsort und die Bermudas eine windstille Gegend. / Die Finsternis, die ältere Schwester des Lichtes, fordert ihr Erstgeburtsrecht / über die Welt und hat das Licht in den Himmel verjagt. / Alle Dinge sind eins und dieses Eine kann nichts sein, / da alle Formen einförmige Unförmigkeit / bedeckt, so daß wir, wenn Gott nicht / ein zweites *Es werde* spricht, keinen Tag mehr haben werden. / So wütend und trotzdem lang anhaltend ist dieses Furienunwesen, / daß ich – obwohl deine Abwesenheit mich verschmachten läßt – mir nicht wünsche zu genesen ⟨dich nicht herbeiwünsche⟩.

Geistliche Sonette V

Ich bin eine kleine Welt, geschickt zusammengesetzt / aus Elementen und einem engelhaften Geist. / Aber die schwarze Sünde hat beide Bestandteile meiner Welt an die endlose Nacht verraten, / und ach! beide Teile müssen sterben. / Ihr, die ihr über dem Himmelsraum, der bisher als der höchste galt, / neue Sphären entdeckt habt und über neue Länder schreiben könnt, / gießt neue Meere in meine Augen, damit ich / meine Welt mit meinem Weinen im Ernst ertränken / oder sie waschen kann, wenn sie nicht noch einmal überflutet werden soll. / Doch nein – ach! sie muß brennen! Wehe, das Feuer / der Wollust und des Neides haben sie schon einmal versengt / und dadurch wüster gemacht. Laß *diese* Flammen weichen / und brenne mich, o Herr, mit einem Feuereifer / für dich und dein Haus – einem Feuer, das, indem es verzehrt, Heilung bringt.

Holy Sonnets IX

If poisonous minerals, and if that tree,
Whose fruit threw death on else immortal us,
If lecherous goats, if serpents envious
Cannot be damn'd, Alas, why should I be?
Why should intent or reason, born in me,   5
Make sins, else equal, in me more heinous?
And mercy being easy, and glorious
To God, in his stern wrath, why threatens he?
But who am I, that dare dispute with thee
O God? Oh! Of thine only worthy blood,   10
And my tears, make a heavenly Lethean flood,
And drown in it my sins' black memory;
That thou remember them, some claim as debt,
I think it mercy, if thou wilt forget.

Holy Sonnets XIII

What if this present were the world's last night?
Mark in my heart, o Soul, where thou dost dwell,
The picture of Christ crucified, and tell
Whether that countenance can thee affright:
Tears in his eyes quench the amazing light,   5
Blood fills his frowns, which from his pierc'd head fell.
And can that tongue adjudge thee unto hell,
Which pray'd forgiveness for his foes' fierce spight?
No, no; but as in my idolatry
I said to all my profane mistresses,   10
Beauty, of pity, foulness only is
A sign of rigour, so I say to thee:
To wicked spirits are horrid shapes assign'd,
This beauteous form assures a pitious mind.

John Donne

Geistliche Sonette IX

Wenn giftige Minerale und wenn jener Baum, / dessen Frucht uns, die wir sonst unsterblich wären, den Tod brachte, / wenn lüsterne Ziegen, wenn neidische Schlangen / nicht verdammt werden können, wehe, warum soll ich verdammt sein? / Warum sollen Wille und Vernunft, die mir eingeboren sind, / Sünden, die sonst für gleich schlimm gelten, in mir hassenswerter machen? / Und da doch die Gnade für Gott ein Leichtes ist und ihm nur Ruhm einbringen kann, / warum droht er mir in seinem strengen Zorn? / Doch wer bin ich, daß ich mit dir zu rechten wage, / o Gott? Ach, mach aus deinem eignen kostbaren Blut / und meinen Tränen eine Flut himmlischer Lethe / und ertränke darin das schwarze Register meiner Sünden! / Manche fordern es als ihr Recht, daß du ihrer gedenkst; / mich dünkt es Gnade, wenn du mich vergessen willst.

Geistliche Sonette XIII

Was wär', wenn diese Nacht die letzte wär' der Welt? / In meinem Herzen, wo du wohnst, siehe, o Seele, / das Bild Christi am Kreuz und sag, / ob dieses Antlitz dich erschrecken kann. / Tränen in seinen Augen löschen das staunenswerte Licht. / Blut, das aus dem zerschundenen Haupte rann, füllt nun die Falten seiner Stirn. / Kann denn die Zunge dich zur Hölle verdammen, / die um Verzeihung für die wilde Bosheit seiner Feinde bat? / Nein, nein; doch so, wie ich in meinem Götzendienst / zu allen meinen weltlichen Geliebten sagte: »Schönheit ist ein Beweis für einen mitleidigen Charakter, / Häßlichkeit verrät ein starrsinniges Wesen« – so sage ich zu dir: / »Bösen Geistern sind schreckensvolle Gestalten beigegeben: / Diese schöne Form verspricht einen verzeihenden Sinn.«

Holy Sonnets XIV

Batter my heart, three person'd God; for you
As yet but knock, breathe, shine, and seek to mend;
That I may rise, and stand, o'erthrow me and bend
Your force, to break, blow, burn and make me new.
I, like an usurped town, to another due,   5
Labour to admit you, but oh, to no end,
Reason your viceroy in me, me should defend,
But is captiv'd, and proves weak or untrue.
Yet dearly I love you, and would be loved fain,
But am betroth'd unto your enemy: 10
Divorce me, untie, or break that knot again,
Take me to you, imprison me, for I
Except you enthrall me, never shall be free,
Nor chaste, except you ravish me.

John Donne

Geistliche Sonette XIV

Zerschmettre mein Herz, dreieiniger Gott! Denn bislang / hämmerst du nur, behauchst, polierst und suchst zu flicken. / Damit ich mich erheben kann und stehn, stürze mich nieder und neige / deine Kraft, um mich zu zerbrechen, niederzuschlagen, zu verbrennen und neu zu machen. / Ich mühe mich wie eine von einem Usurpator eingenommene Stadt, die einem anderen Herrscher gehört, / dich einzulassen; aber ach! ohne Erfolg. / Dein Vizekönig in mir, die Vernunft, sollte mich verteidigen, / aber sie ist gefangengesetzt und erweist sich als schwach oder untreu. / Dennoch bin ich dir in echter Liebe zugetan und möchte gerne wiedergeliebt werden; / aber ich bin deinem Feinde angelobt. / Scheide mich von ihm, löse oder zerhau' den Knoten ⟨der mich an ihn bindet⟩. / Nimm mich zu dir, nimm mich gefangen! Denn ich / werde niemals frei sein, wenn du mich nicht in deinen Dienst zwingst, / und niemals keusch, es sei denn, daß du mich vergewaltigst.

BEN JONSON

The Musical Strife: In a Pastoral Dialogue

SHE

Come, with our voices let us war,
    And challenge all the spheres,
Till each of us be made a star,
    And all the world turn ears.

HE

At such a call, what beast or fowl,
    Of reason empty is?
What tree or stone doth want a soul?
    What man but must lose his?

SHE

Mix then your notes that we may prove
    To stay the running floods,
To make the mountain quarries move,
    And call the walking woods.

HE

What need of me? Do you but sing,
    Sleep, and the grave will wake.
No tunes are sweet, nor words have sting,
    But what those lips do make.

SHE

They say the angels mark each deed,
    And exercise below,
And out of inward pleasure feed
    On what they viewing know.

BEN JONSON

Musikalischer Wettstreit:
In Form eines pastoralen Dialogs

SIE

Komm, laß uns mit unseren Stimmen ins Feld ziehen / und alle Sphären herausfordern, / bis jeder von uns in einen Stern verwandelt wird / und die ganze Welt in Ohren!

ER

Welches Tier und welcher Vogel kann / bei einem solchen Aufruf sprachlos bleiben? / Welcher Baum oder Stein wäre da ohne Seele? / Welcher Mensch verlöre nicht die seine?

SIE

Mische denn deine Noten mit den meinen, damit wir beweisen, / daß wir die strömenden Wasser anhalten können; / daß wir die Steinbrüche im Gebirge in Bewegung setzen / und die Wälder wandernd herbeirufen können!

ER

Wozu bin ich vonnöten? Sing du nur allein, / und der Schlaf und das Grab werden aufwachen. / Keine Melodien sind süß, keine Worte können aufreizen / als die, die von deinen Lippen kommen.

SIE

Man sagt, die Engel sehen jede Tat / und jede Beschäftigung hier unten; / und nähren sich, da ihre Freuden im Innern liegen, / von dem, was sie da beobachten und erfahren.

HE

O sing not you then, lest the best
   Of angels should be driven
To fall again; at such a feast,
   Mistaking earth for heaven.

SHE

Nay, rather both our souls be strain'd   25
   To meet their high desire;
So they in state of grace retain'd,
   May wish us of their choir.

The Hour-Glass

Do but consider this small dust,
   Here running in the glass,
      By atoms mov'd;
Could you believe, that this
   The body was   5
      Of one that lov'd?

And in his mistress' flame playing like a fly
   Turn'd to cinders by her eye?
Yes; and in death, as life, unbless'd,
      To have't express'd: 10
Even ashes of lovers find no rest.

To Penshurst

Thou art not, *Penshurst*, built to envious show,
   Of touch, or marble; nor canst boast a row

ER

O singe dann ja nicht, damit nicht der beste / der Engel zu einem erneuten Fall veranlaßt wird, / weil er bei einem solchen Hochgenuß / die Erde mit dem Himmel verwechselt.

SIE

Nein, vielmehr sollen unser beider Seelen sich anstrengen, / es dem hohen Verlangen der Engel gleichzutun; / dann werden sie in ihrem Gnadenstand verbleiben / und wünschen, daß wir ihrem Chor zugehören möchten.

Das Stundenglas

Betrachte nur dies bißchen Staub, / das da in dem Glas rinnt, / in einzelnen Atomen bewegt. / Kannst du dir vorstellen, daß dies / der Leib eines Mannes war, / der liebte?

Und der, als er in der Flamme seiner Geliebten wie eine Mücke spielte, / durch ihre Augen zu Asche wurde? / Ja, und daß er, im Tode unselig wie im Leben, / nun der bittern Wahrheit Ausdruck verleiht: / Selbst als Asche finden Liebende keine Ruhe.

An Penshurst

Penshurst, du bist nicht um des niederweckenden äußeren Scheins willen / aus schwarzem oder farbigem Marmor ge-

Of polish'd pillars, or a roof of gold:
  Thou hast no lantern, whereof tales are told;
Or stair, or courts; but stand'st an ancient pile, 5
  And these grudg'd at, art reverenc'd the while.
Thou joy'st in better marks, of soil, of air,
  Of wood, of water: therein thou art fair.
Thou hast thy walks for health, as well as sport:
  Thy *Mount*, to which the *Dryads* do resort, 10
Where *Pan* and *Bacchus* their high feasts have made,
  Beneath the broad beech and the chestnut shade;
That taller tree, which of a nut was set,
  At his great birth, where all the *Muses* met.
There, in the writhed bark, are cut the names 15
  Of many a *Sylvan*, taken with his flames.
And thence, the ruddy *Satyrs* oft provoke
  The lighter *Fauns*, to reach thy *Lady's* oak.
Thy copse, too, nam'd of *Gamage*, thou hast there,
  That never fails to serve thee season'd deer, 20
When thou would'st feast, or exercise thy friends.
  The lower land, that to the river bends,
Thy sheep, thy bullocks, kine, and calves do feed:
  The middle grounds thy mares and horses breed.
Each bank doth yield thee conies; and the tops 25
  Fertile of wood, *Ashore*, and *Sydney's* copse,
To crown thy open table, doth provide
  The purpled pheasant with the speckled side:
The painted partridge lies in every field,
  And, for thy mess, is willing to be kill'd. 30
And if the high-swoll'n *Medway* fail thy dish,
  Thou hast thy ponds that pay thee tribute fish:

baut worden, und du kannst nicht mit einer Reihe / von polierten Säulen oder mit einem goldenen Dach prahlen. / Du hast keine Dachlaterne, von der man weithin spricht, / oder eine Treppe, oder Prunkhöfe – nein, du stehst als ein altertümliches Bauwerk da, / und während man jene ⟨aufwendigen Bauten⟩ kritisiert, wirst du verehrt. / Du erfreust dich besserer Vorzüge, die dein Boden, die Luft, / die Wälder und Gewässer bieten: darin liegt deine Schönheit. / Du hast deine Alleen, die der Gesundheit ebenso dienlich sind wie dem Vergnügen; / deinen Hügel, an dem sich die Dryaden treffen / und wo Pan und Bacchus ihre hohen Feste gefeiert haben / unter der breiten Buche und im Schatten der Kastanie, / jenes die anderen überragenden Baumes, der aus der Nuß erwuchs, / welche bei der Geburt des großen Mannes eingesetzt wurde damals, als alle Musen zusammenkamen. / In die knorrige Rinde ist da der Name / von manchem Waldwesen eingeschnitten, das von seiner Flamme entzückt war, / und an dem gleichen Ort fordern die rotbraunen Satyrn oft / die schlankeren Faune auf, mit ihnen bis zu der Eiche der Dame des Hauses um die Wette zu laufen. / Auch dein Wäldchen hast du dort, das nach der Familie der Gamage benannt ist / und das dich stets mit dem der Jahreszeit gemäßen Wildbret versorgt, / wenn du Feste feiern möchtest oder deine Freunde die Jagd ausüben lassen willst. / Das tiefer gelegene Weideland, das sich zum Fluß hinunterzieht, / nährt deine Schafe, deine Ochsen, Kühe und Kälber; / die dazwischen liegenden Gründe dienen der Aufzucht deiner Stuten und Hengste. / Jedes Ufer liefert dir Kaninchen, und die Anhöhen, / die reich an Wäldern sind – Ashore und Sidneys Hölzchen – / stellen, um deine offne Tafel zu krönen, / den purpurnen Fasan mit der gefleckten Flanke zur Verfügung. / Das farbige Rebhuhn lagert in jedem Feld / und ist bereit, sich für deine Küche totschießen zu lassen; / und wenn der vom Hochwasser geschwollene Medway deine Tafel im Stich läßt, / dann hast du deine Weiher, um dir ihren Tribut an Fischen zu zahlen: / fette alte Karpfen,

Fat, aged carps that run into thy net,
   And pikes, now weary their own kind to eat,
As loath, the second draught or cast to stay,   35
   Officiously, at first, themselves betray.
Bright eels that emulate them and leap on land
   Before the fisher, or into his hand.
Then hath thy orchard fruit, thy garden flowers,
   Fresh as the air, and new as are the hours.   40
The early cherry, with the later plum,
   Fig, grape, and quince, each in his time doth come:
The blushing apricot, and woolly peach
   Hang on thy walls, that every child may reach.
And though thy walls be of the country stone,   45
   They are rear'd with no man's ruin, no man's groan.
There's none, that dwell about them, wish them down;
   But all come in, the farmer, and the clown:
And no one empty-handed, to salute
   Thy lord and lady, though they have no suit.   50
Some bring a capon, some a rural cake,
   Some nuts, some apples; some that think they make
The better cheeses, bring'hem; or else send
   By their ripe daughters, whom they would commend
This way to husbands; and whose baskets bear   55
   An emblem of themselves, in plum, or pear.
But what can this (more then express their love)
   Add to thy free provisions, far above
The need of such? Whose liberal board doth flow,
   With all that hospitality doth know!   60
Where comes no guest, but is allow'd to eat,
   Without his fear, and of thy lord's own meat:
Where the same beer, and bread, and selfsame wine,
   That is his Lordship's, shall be also mine.

die dir von selber ins Netz eilen, / und Hechte, die es müde sind, ihre Artgenossen aufzufressen, / lassen sich pflichtschuldigst beim ersten Auswurf von Angel oder Netz fangen, / als sei es ihnen unangenehm, auf den zweiten Auswurf oder Fischzug warten zu müssen; / glitzernde Aale, die es ihnen gleichtun wollen und ans Land springen / vor die Füße des Fischers oder gleich in seine Hand. / Dann hat dein Obsthain Früchte, dein Garten Blumen / frisch wie die Luft und neu wie jede einzelne Stunde. / Die frühe Kirsche und die späte Pflaume, / Feige, Traube und Quitte kommen alle zu ihrer Zeit; / die errötende Aprikose und der flaumige Pfirsich / hängen an deinen Mauern, so daß jedes Kind sie erreichen kann. / Und obwohl deine Wände aus dem Stein des Landes bestehen, / sind sie auf niemandes Ruin, niemandes Stöhnen aufgebaut. / Niemand, der in der Gegend wohnt, wünschte, sie wären niedergerissen – / nein, alle kommen herein: der Hofbesitzer und der Taglöhner – / und keiner kommt mit leeren Händen, wenn er deinen Herren und deine Herrin grüßt, / auch wenn er kein weiteres Anliegen hat. / Manche bringen einen Kapaun, manche einen ländlichen Kuchen, / manche Nüsse, manche Äpfel. Manche, die glauben, / daß die Käse, die sie machen, die besseren sind, bringen sie herbei oder schicken sie / durch ihre herangereiften Töchter her, die sie auf diese Weise / an den Mann zu bringen hoffen und deren Körbe / ein Emblem ihrer selbst enthalten in Gestalt der Pflaumen oder Birnen. / Doch was kann dies alles – über die Tatsache hinaus, daß es der Liebe dieser Landleute Ausdruck verleiht – / deinen großzügigen Vorräten hinzufügen, die weit über das hinausgehen, / was solche Leute in ihren beschränkten Verhältnissen anbieten können? Deine freigebige Tafel fließt von allem über, / woran die Gastfreundlichkeit denken kann! / Kein Gast kommt dahin, der nicht ohne Scheu wegen seines niederen Ranges essen darf, / und zwar von denselben Speisen wie dein Herr: / Dort sind dasselbe Bier und Brot und derselbe Wein, / von denen Seine Lordschaft tafelt, auch für mich da. / Und

And I not fain to sit (as some, this day, 65
    At great men's tables) and yet dine away.
Here no man tells my cups; nor, standing by,
    A waiter doth my gluttony annoy:
But gives me what I call, and lets me eat,
    He knows, below, he shall find plenty of meat, 70
Thy table's board not up for the next day,
    Nor, when I take my lodging, need I pray
For fire, or lights, or livery: all is there;
    As if thou, then, wert mine, or I reign'd here:
There's nothing I can wish, for which I stay. 75
    That found King *James*, when hunting late, this way,
With his brave son, the Prince, they saw thy fires
    Shine bright on every hearth, as the desires
Of thy *Penates* had been set on flame
    To entertain them; or the country came, 80
With all their zeal, to warm their welcome here.
    What (great, I will not say, but) cheer
Did'st thou, then, make 'hem! And what praise was heap'd
    On thy good lady then! Who, therein, reap'd
The just reward of her high huswifery; 85
    To have her linen, plate, and all things nigh,
When she was far: and not a room, but dressed,
    As if it had expected such a guest!
These, *Penshurst*, are thy praise, and yet not all.
    Thy lady's noble, fruitful, chaste withall. 90
His children thy great lord may call his own:
    A fortune, in this age, but rarely known.
They are, and have been taught religion: Thence
    Their gentler spirits have suck'd innocence.
Each morn and even, they are taught to pray 95
    With the whole household, and may every day

ich bin nicht genötigt – wie so mancher es heutzutage / an den Tischen großer Herren ist – dort zu sitzen und doch woanders mein Abendessen einzunehmen. / Hier zählt niemand die Becher, die ich trinke, nach, und da ist kein Diener, / der herumsteht und mißgünstig auf meine Gefräßigkeit schaut; / nein, er gibt mir, worum ich bitte, und läßt mich essen; / er weiß, daß er unten ⟨wo die Diener essen⟩ reichlich Fleisch vorfinden wird. / Deine Tafel hortet nicht für den nächsten Tag, / und wenn ich mein Logis beziehe, brauche ich nicht / um Feuer oder Licht oder um mein Taschengeld zu betteln: alles steht zur Verfügung, / als ob du mir selbst gehörtest oder ich hier regierte. / Da gibt es nichts, was ich wünschen könnte, worauf ich warten müßte. – / Das fand König Jakob bestätigt, als er unlängst in dieser Gegend / mit seinem tapferen Sohn, dem Prinzen, auf der Jagd war und sie deine Feuer / auf allen Herden hell leuchten sahen, als ob die Wünsche / deiner Penaten, sie zu bewirten, in Flammen / aufgelodert hätten oder als ob das ganze Land / mit all seinem Eifer herbeigekommen wäre, um ihnen einen warmen Empfang zu bereiten. / Welchen – ich will nicht sagen, großen, aber schnell bereiten – Willkomm' / botest du ihnen und was für ein Lob wurde da auf deine gute Herrin gehäuft, / die darin den gerechten Lohn auf ihre hohe Haushaltungskunst ernten durfte: / dafür, daß sie all ihr Leinen, Geschirr und sonstiges Hausgerät nah zur Hand hatte, / obwohl sie weit fort gewesen war; und daß auch noch das letzte Zimmer hergerichtet war, / als ob sie einen solchen Gast erwartet hätte! / Dies, Penshurst, ist dein Ruhm, und doch noch nicht die ganze Wahrheit darüber. / Deine Herrin ist edel, fruchtbar und dabei sittenrein: / dein großer Herr darf seine Kinder mit Sicherheit die seinen nennen – / ein Glück, das in der heutigen Zeit nur wenigen zuteil wird. / Sie sind's, und sie sind religiös unterwiesen worden. Daraus / haben ihre sanften Gemüter die Unschuld geschöpft, die sie erkennen lassen. / Man lehrt sie, jeden Morgen und Abend mit der gesamten Hofhaltung zu beten / und

Read in their virtuous parents' noble parts
  The mysteries of manners, arms, and arts.
Now, *Penshurst*, they that will proportion thee
  With other edifices, when they see 100
Those proud, ambitious heaps, and nothing else,
  May say, their lords have built, but thy lord dwells.

Song: To Celia

Drink to me only with thine eyes,
  And I will pledge with mine;
Or leave a kiss but in the cup,
  And I'll not look for wine.
The thirst that from the soul doth rise, 5
  Doth ask a drink divine:
But might I of Jove's nectar sup,
  I would not change for thine.

I sent thee, late, a rosy wreath,
  Not so much honouring thee, 10
As giving it a hope, that there
  It could not withered be.
But thou thereon didst only breathe,
  And sent'st it back to me:
Since when it grows and smells, I swear, 15
  Not of itself, but thee.

The Triumph of Charis

See the chariot at hand here of Love,
  Wherein my lady rideth!
Each that draws, is a swan, or a dove,
  And well the car Love guideth.

sie können dazu jeden Tag / an den edlen Fähigkeiten ihrer rechtschaffenen Eltern / die Geheimnisse guter Sitten, guter Waffenführung und guter Bildung ablesen. / So können also diejenigen, die dich, Penshurst, mit anderen Bauten vergleichen wollen, / wenn sie auf jene protzigen und aufwendigen Gebäudekomplexe schauen, / sagen: Die Herren jener Häuser haben gebaut, aber dein Herr weiß zu wohnen.

Lied: An Celia

Trink mir nur mit deinen Augen zu / und ich will mit meinen den Zutrunk erwidern; / oder laß nur einen Kuß im Becher / und ich werde nicht auf den Wein achten. / Der Durst, der aus der Seele kommt, / verlangt einen göttlichen Trunk. / Aber selbst wenn ich von Jupiters Nektar trinken dürfte – / ich würde ihn nicht für deinen eintauschen wollen.

Ich übersandte dir kürzlich ein Rosengebinde, / nicht so sehr um dich zu ehren, / als vielmehr um ihm eine Hoffnung zu geben, daß es / bei dir nicht verwelken würde. / Aber du hauchtest nur darauf / und sandtest es mir zurück: / Seither wächst es und duftet, ich schwör's, / nicht nach sich selber, sondern nach dir.

Der Triumphzug der Charis

Sieh, der Wagen der Liebe ist da, / auf dem meine Herrin heranfährt! / Was immer da zieht, ist Schwan oder Taube, / und Amor weiß den Wagen wohl zu lenken. / Wie sie so

As she goes, all hearts do duty
                Unto her beauty;
And enamour'd, do wish, so they might
                But enjoy such a sight,
  That they still were to run by her side,
Through swords, through seas, whether she would ride.

Do but look on her eyes, they do light
  All that Love's world compriseth!
Do but look on her hair, it is bright
  As Love's star when it riseth!
Do but mark, her forehead's smoother
                Then words that soothe her!
And from her arched brows, such a grace
                Sheds itself through the face,
  As alone there triumphs to the life
All the gain, all the good of the elements' strife.

Have you seen but a bright lily grow,
  Before rude hands have touch'd it?
Have you mark'd but the fall o'the snow
  Before the soil hath smudg'd it?
Have you felt the wool o'the beaver?
                Or swan's down ever?
Or have smelt o'the bud o'the brier?
                Or the nard i'the fire?
Or have tasted the bag o'the bee?
O so white! O so soft! O so sweet is she!

Song: That Women are but Men's Shadows

Follow a shadow, it still flies you;
  Seem to fly it, it will pursue:
So court a mistress, she denies you;
  Let her alone, she will court you.

dahinzieht, zahlen alle Herzen / ihrer Schönheit Tribut / und wünschen, von Liebe erfaßt, / wenn ihnen nur der Genuß dieses Anblicks verstattet wird, / auf ewig ihr zur Seite mitlaufen zu dürfen / durch Schwerter, durch Meere – wohin sie auch fährt.

Schaut allein auf ihre Augen: sie erhellen / alles, was Amors Welt in sich schließt! / Seht bloß auf ihr Haar: es glänzt / wie der Stern der Liebe im Aufgehen! / Achtet auf ihre Stirn: sie ist glatter / als die Worte, die sie umschmeicheln! / Und von den Bögen ihrer Brauen ergießt sich eine solche Grazie / über ihr Gesicht, / daß allein an diesem einzigen Ort aller Gewinn, / alles Gute aus dem Streit der Elemente in sieghaftes Leben ausbricht.

Hast du je eine weißglänzende Lilie wachsen sehn, / bevor rohe Hände sie berührten? / Hast du den Schnee im Fallen bestaunt, / bevor ihn die Erde beschmutzte? Hast du je die Wolle des Bibers / oder Schwanendaunen befühlt? / Oder hast du den Duft der Heckenrosenknospe gekostet / oder den der Narde im Feuer? / Oder hast du die Beute der Biene versucht? / O so weiß, o so weich, o so süß ist sie!

Lied: Darüber, daß die Frauen nur die Schatten der Männer sind

Geh einem Schatten nach: er läuft immer davon; / tu so, als ob du vor ihm fliehen wolltest, und er wird dir nachfolgen. / Genauso: wenn du eine Geliebte umwirbst, versagt sie sich dir; / wenn du sie links liegen läßt, umwirbt sie dich. / Sagt,

    Say, are not women truly then, 5
       Styled but the shadows of us men?

    At morn and even, shades are longest;
       At noon, they are or short, or none:
    So men at weakest, they are strongest,
       But grant us perfect, they're not known. 10
    Say, are not women truly then
       Styled but the shadows of us men?

An Ode: To Himself

Where dost thou careless lie,
   Buried in ease and sloth?
Knowledge that sleeps, doth die;
And this security,
   It is the common moth, 5
That eats on wits, and arts, and ... destroys them both.

Are all th'*Aonian* springs
   Dri'd up? Lies *Thespia* waste?
Doth *Clarius'* harp want strings,
That not a nymph now sings? 10
   Or droop they as disgrac'd,
To see their seats and bowers by chatt'ring pies defac'd?

If hence thy silence be,
   As 'tis too just a cause,
Let this thought quicken thee: 15
Minds that are great and free
   Should not on fortune pause;
'Tis crown enough to virtue still her own applause.

What though the greedy frie
   Be taken with false baits 20

werden da die Weiber nicht mit Recht / als bloße Schatten von uns Männern bezeichnet?

Morgens und abends sind die Schatten am längsten; /mittags sind sie entweder kurz oder gar nicht da. / Genauso sind die Frauen dann am stärksten, wenn die Männer am schwächsten sind; / aber wenn wir die Vollkommenheit erreichen, dann spricht man gar nicht mehr von ihnen. / Sagt, werden da die Weiber nicht mit Recht / als bloße Schatten von uns Männern bezeichnet?

Eine Ode: An sich selbst

Wo liegst du gleichgültig herum, / vergraben in Wohlbehagen und Trägheit? / Wissen, das schläft, stirbt ab. / Und diese Art von Sorglosigkeit / ist die Motte, die alles bedroht: / Sie nagt am Intellekt und am künstlerischen Vermögen, und sie ruiniert beides.

Sind alle Musenquellen ausgetrocknet? / Ist Thespia zur Wüste geworden? / Fehlen der Harfe Apollos die Saiten? – / daß nicht eine Nymphe mehr singt! / Oder lassen sie den Kopf aus Scham darüber hängen, / daß ihre Wohnsitze und Lauben von geschwätzigen Dohlen verunziert werden?

Wenn dein Schweigen darin seinen Grund hat / – und das ist fürwahr ein allzu triftiger Grund –, / dann laß dich von diesem Gedanken beleben: / Geister, die groß sind und frei, / sollten nicht auf das Glück warten; / für die Rechtschaffenheit ist die Zustimmung, die sie bei sich selber findet, eine ausreichende Krone.

Was verschlägt's, wenn ruhmgierige Dichterlinge / sich von den falschen Ködern / wortreichen Balladengeklingels ein-

Of worded balladry,
And think it poesy?
   They die with their conceits,
And only pitious scorn upon their follies waits.

Then take in hand thy lyre, 25
   Strike in thy proper strain,
With *Japheth's* line, aspire
Sol's chariot for new fire
   To give the world again:
Who aided him will thee, the issue of Jove's brain. 30

And since our dainty age,
   Cannot endure reproof,
Make not thyself a page
To that strumpet the stage,
   But sing high and aloof, 35
Safe from the wolf's black jaw and the dull ass's hoof.

fangen lassen / und meinen, das sei Poesie? / Sie sterben mit ihren eitlen Einfällen ab / und auf ihre Torheiten wartet nichts als kläglicher Spott.

So nimm denn deine Leier zur Hand, / schlag die Saiten in der richtigen Weise / und trachte mit Japhets Sproß, / der Welt Helios' Sonnenwagen / als neues Feuer zu geben: / Die ihm half, wird auch dir helfen – die aus Jupiters Haupte Geborene.

Und da unser verwöhntes Zeitalter / keinen Tadel vertragen kann, / mach dich nicht selbst zum Laufburschen / der Kurtisane Theater – / nein, sing laut und unabhängig, / in sicherer Entfernung von dem schwarzen Rachen des Wolfes und von des dummen Esels Huf.

RICHARD CORBETT

Fairford Windows

Tell me, you Anti-Saints, why glass
With you is longer liv'd then brass?
And why the saints have 'scap'd their falls
Better from windows than from walls?
Is it because the Brethrens' fires   5
Maintain a glass-house at Blackfriars?
Next which the church stands North and South,
And East and West the preacher's mouth.
Or is't because such painted ware
Resembles something what you are,   10
So pied, so seeming, so unsound
In manners, and in doctrine, found
That, out of emblematic wit,
You spare yourselves in sparing it?
If it be so, then, Fairford, boast   15
Thy church hath kept what all have lost;
And is preserved from the bane
Of either war or Puritan;
Whose life is colour'd in thy paint:
The inside dross, the outside saint.   20

A Non Sequitur

Mark, how the lanterns cloud mine eyes!
See, where a moon-drake 'gins to rise!
Saturn crawls much like an *Iron Cat*
To see the naked moon in a slipshod hat.

RICHARD CORBETT

Auf die Fenster der Kirche von Fairford

Sagt mir, ihr Heiligen-Gegner und Gegenheilige: / warum lebt Glas bei euch länger als Erz? / Und warum konnten die Heiligen in den Fenstern ihrem Fall / eher entgehen als die Heiligen an den Wänden? / Kommt das daher, daß der Feuereifer der puritanischen Brüder / eine Glasfabrik in der Gegend von Blackfriars unterhält, / neben der auch die Kirche steht, in Nordsüdrichtung – / während der Mund des Predigers nach Ost und West gerichtet ist? / Oder ist es, weil solch gemaltes Material / dem, was ihr seid, so ähnlich ist – / die ihr euch als so buntscheckig, so bloßer Schein, so gebrechlich / im moralischen Verhalten und in der Theologie erwiesen habt, / daß ihr, wenn ihr die Glasfenster verschont, / emblematisch gesprochen, / euch selbst verschont? / Wenn dem so ist, dann, Fairford, sei stolz darauf, / daß deine Kirche behalten hat, was alle anderen verloren haben, / und daß sie vor dem Fluch / sowohl des Krieges als auch der Puritaner bewahrt geblieben ist. / *Ihr* Leben ist in deinem Farbglas metaphorisch abgebildet: / Das Innere ist wert- und glanzloses Zeug, der äußere Schein – Heiligkeit.

Ein Non Sequitur

Sieh, wie die Lampen mein Auge verdunkeln! / Schau, wie ein Mond-Erpel langsam ersteht! / Saturn kriecht ganz wie eine Eisenkatze, / da er des nackten Mondes in einem schlampigen Hut ansichtig geworden ist. / Mordsmäßig donnernde

Thunder-thumping toadstools crock the pots 5
  To see the mermaids tumble;
Leather cat-a-mountains shake their heels
  To hear the gosh-hawk grumble.
      The rustic thread
      Begins to bleed 10
    And cobwebs' elbows itches;
      The putrid skies
      Eat mulsack pies
    Baked up in logic breaches.

Munday trenchers make good hay, 15
  The lobster wears no dagger;
Meal-mouth'd she-peacocks pole the stars
  And make the low-bell stagger.
Blue crocodiles foam in the toe,
Blind meal-bags do follow the doe; 20
    A rib of apple-brain spice
    Will follow the Lancashire dice.
Hark, how the chime of Pluto's pisspot cracks,
To see the rainbow's wheel ganne, made of flax.

Nonsense

Like to the thund'ring tone of unspoke speeches,
Or like a lobster clad in logic breeches,
Or like the gray freeze of a crimson cat,
Or like a moon-calf in a slipshoe hat,
Or like a shadow when the sun is gone, 5
Or like a thought that ne'er was thought upon,
    Even such is man, who never was begotten
    Until his children were both dead and rotten.

Pilze zerdebbern die Pötte, / damit sie die Meerweiber straucheln sehn. / Lederne Pardeln schütteln die Fersen, / weil sie den Gänsehabicht murren hören. / Der Kälberstrick / fängt zu bluten an / und die Spinnweben juckt's an den Ellenbogen. / Der faulige Himmel / frißt Metmost-Pasteten, / die in Brüchen der Logik herausgebacken sind.

Montagsmesser machen gutes Heu, / der Krebs trägt keinen Dolch; / kleinlaute Pfauhennen pfählen die Sterne / und lassen die Kuhglocken taumeln. / Blaue Krokodile schäumen an den Zehen, / blinde Mehlsäcke laufen der Rehgeiß nach, / eine Rippe von Apfelhirn-Gewürz / wird die Lancashire-Würfel verfolgen. / Horch, wie das Geläute von Plutos Pißpott kracht, / weil er das Regenbogenrad, das aus Flachs gemacht ist, wie einen Fuchs bellen sieht.

Nonsens

Gleich dem donnernden Ton ungesagter Reden; / oder gleich einem Krebs, der logische Hosen anhat; / oder wie der graue Pelz einer roten Katze; / oder wie ein Mondkalb in einem schlampigen Hut; / oder wie ein Schatten, wenn die Sonne untergegangen ist; / oder wie ein nie gedachter Gedanke – / so ist der Mensch, der nie gezeugt wurde, / ehe denn seine Kinder tot und verfault waren.

Like to a fiery touchstone of a cabbage,
Or like a crablouse with his bag and baggage, 10
Or like th'abortive issue of a fizzle,
Or like the bag-pudding of a plowman's whistle,
Or like the four-square circle of a ring,
Or like the singing of hey down a ding,
    Even such is man, who, breathless without doubt, 15
    Spake to small purpose when his tongue was out.

Like to the green fresh fading withered rose,
Or like to rhyme or verse that runs in prose,
Or like the mumbles of a tinder-box,
Or like a man that's sound, yet hath the pox, 20
Or like a hobnail coin'd in single pence,
Or like the present preterperfect tense,
    Even such is man, who died and then did laugh
    To see such strange lines writ on's epitaph.

Wie der feurige Prüfstein eines Krautkopfs / oder wie eine
Filzlaus mit Kind und Kegel; / oder wie die Totgeburt eines
Zischens; / oder wie der Dampfpudding aus der Pfeife eines
Pflügers; / oder wie der Viereckkreis eines Rings; / oder wie
wenn jemand Tralalalera singt – / so ist der Mensch, der,
ohne Zweifel außer Atem, / mit wenig Wirkung redete, als
seine Zunge heraus war.

Wie die grün-frische welk-verdorrte Rose; / oder wie Reim
oder Vers in Prosa; / oder wie das Mümmeln eines Feuersteins; / oder wie ein gesunder Mann, der die Lustseuche
hat; / oder wie ein Schuhnagel, der in einzelne Pfennige ausgemünzt ist; / oder wie das Präsens-Präterperfekt – / so ist
der Mensch, der starb und nachher lachte, / als er so sonderbare Zeilen auf seinen Grabstein geschrieben sah.

AURELIAN TOWNSHEND

On his Hearing Her Majesty Sing
(On his Mistress Singing)

I have been in heav'n, I think,
For I heard an angel sing;
Notes my thirsty ears did drink,
Never any earthly thing
Sung so true, so sweet, so clear;   5
I was then in heav'n, not here.

But the blessed feel no change,
So I may mistake the place;
But mine eyes would think it strange
Should that be no angel's face.   10
Pow'rs above, it seems, design
Me still mortal, her divine.

Till I tread the Milky Way,
And I lose my senses quite
All I wish is that I may   15
Hear that voice, and see that sight:
Then in types and outward show
I shall have a heav'n below.

To Charles I: 1632

Sir,
'Tis but a while since in a vestal flame,
Barren, but bright, the Tudors' royal name
Belov'd expir'd; then God a Steward sent
With many talents, fit for government.   5

AURELIAN TOWNSHEND

Als er Ihre Majestät singen hörte
(Auf den Gesang seiner Geliebten)

Mich dünkt, ich bin im Himmel gewesen; / denn ich habe einen Engel singen hören. / Meine durstigen Ohren tranken Noten ein. / Nie noch hat etwas Irdisches / so wahr, so süß, so rein gesungen. / Da war ich im Himmel, nicht hier.

Doch die Seligen fühlen keinen Wandel ⟨keine Modulation⟩ – / es kann also sein, daß ich mich doch im Ort irre. / Aber meinen Augen würde es seltsam erscheinen, / wenn dies kein Engelsgesicht wäre. / Höhere Mächte bestimmen offenbar, / daß ich weiterhin sterblich sein muß, sie dagegen göttlich.

Bis ich soweit sein werde, daß ich auf der Milchstraße wandle / und meine Sinne ganz verloren habe, / ist alles, was ich wünsche, dies: / daß ich diese Stimme hören und diesen Anblick genießen darf. / Dann habe ich, symbolisiert und als Erscheinung sichtbar gemacht, / einen Himmel auf Erden.

An Karl I.: 1632

Sir,
es ist erst eine kurze Weile her, daß der geliebte königliche Name der Tudor in einer vestalischen Flamme unfruchtbar, aber strahlend verkörpert, / erlosch. Dann sandte Gott einen Reichsverwalter / mit mannigfachen Begabungen, der zur Regierung befähigt war. / Dieser Patriarch zeugte nur zwei

This patriarch did but two sons beget,
Whereof one shines, the other sun is set.
Father and son did their first fruits restore
Unto the Giver, and he gave them more:
The hopeful Charles and Mary full of grace; 10
And it were courtship out of time and place
To praise them yet, till men and women grown,
Giving them praise, we give them but their own.
Get us a Black Prince to the white we have,
A Henry Monmouth, and a Richard brave 15
As Coeur de Lion, lineally plac't
On thy throne, Charles the fearless, and the chaste.
And when great Britain males enow have seen
To be our kings, get each land else a queen,
Lovely, and loving as your matchless bride, 20
Misfortune-free; or else, if seven times tried,
Out of that furnace may they come and shine
Like the pure golden Princess Palatine.
Meanwhile, what chosen vessels must they be
That cannot wish (viewing their pedigree) 25
An active virtue or a passing grace
But may be found in their own stock and race.
May every branch of thine a scepter grow,
And from thy source a sea of virtues flow
About the world, till Fame with outstrech'd wings 30
Style Charles the pattern and the root of kings.

Söhne, / von denen der eine leuchtet, während die andere Sonne untergegangen ist. / Wie der Vater, so mußte auch der Sohn den Erstling dem Geber zurückerstatten, / und dieser gab ihm dafür mehr: / den hoffnungsvollen Karl und Maria voll Grazie. / Und es wäre eine höfische Verehrung, die unangebracht und auch zeitlich nicht am Platze wäre, / wenn wir die beiden über das Gesagte hinaus jetzt preisen wollten, vor dem Zeitpunkt, an dem sie zum Mann und zur Frau herangereift sein werden: / Wenn wir sie dann preisen, geben wir ihnen nur das, was ihnen sowieso zusteht. / Gib uns einen Schwarzen Prinzen zu dem weißen, den wir haben, hinzu: / einen Henry Monmouth und einen Richard, so tapfer / wie Coeur de Lion – und sie sollen in direkter Nachfolge / auf deinen Thron kommen, du Karl der Furchtlose und Sittenreine. / Und wenn Großbritannien genug männliche Nachkommen für die Thronanwartschaft gesehen hat, / dann zeuge noch für jedes andere Land eine Königin, / so lieblich und liebend wie deine unvergleichliche Braut. / Und sie mögen vor allem Unglück bewahrt bleiben oder wenn sie siebenmal vom Leid geprüft worden sind, / aus diesem Feuerofen so strahlend hervorgehen / wie die reine, goldene Fürstin von der Pfalz. / Und was für auserwählte Geschöpfe müssen sie sein; / sie können, wenn sie auf ihren Stammbaum schauen, / keine tätige Tugend und keine überragende Begabung nennen, / die nicht in ihrer eigenen Familie und Abstammung zu finden wäre. / Möge jeder Zweig, der aus dir wächst, ein Szepter hervorsprießen lassen, / und möge aus deiner Quelle ein Meer von Tugenden die ganze Welt umfließen, / bis Fama mit ausgebreiteten Flügeln / Karl als das Vorbild und die Wurzel von Königen preist.

EDWARD, LORD HERBERT OF CHERBURY

Kissing

Come hither, womankind and all their worth,
Give me thy kisses as I call them forth.
Give me the billing kiss, that of the dove,
        A kiss of love;
The melting kiss, a kiss that doth consume 5
        To a perfume;
The extract kiss, of every sweet a part,
        A kiss of art;
The kiss which ever stirs some new delight,
        A kiss of might; 10
The twacking, smacking kiss, and when you cease,
        A kiss of peace;
The music-kiss, crotchet and quaver time,
        The kiss of rhyme,
The kiss of eloquence, which doth belong 15
        Unto the tongue;
The kiss of all the sciences in one,
        The kiss alone.
So 'tis enough.

The first Meeting

As sometimes with a sable cloud
    We see the heavens bow'd
    And dark'ning all the air
Until the lab'ring fires they do contain
        Break forth again, 5
Ev'n so from under your black hair

EDWARD, LORD HERBERT OF CHERBURY

Das Küssen

Komm herbei, holde Weiblichkeit, und alles was sie wert ist! / Gib mir deine Küsse, wie ich sie der Reihe nach abrufe! / Gib mir den schnäbelnden Kuß, den Kuß der Taube: / einen Kuß aus Liebe; / den schmelzenden Kuß, einen Kuß, der sich in Duft auflöst; / den Elixier-Kuß: aus jeder Süßigkeit ein Element – / einen Kuß, der ein Kunstwerk ist; / den Kuß, der immer neues Entzücken erregt: / einen Kuß, der Kraft hat; / den schmatzenden, knallenden Kuß – und wenn du aufhörst, / noch einen Friedenskuß; / den Musik-Kuß im Viertel- und Achtelrhythmus, / den reimenden Kuß; / den Kuß der Beredsamkeit, die eine Sache / der Zunge ist; / den Kuß, der alle Wissenschaften in eine zusammenfaßt, / den Inbegriff des Kusses. / So ist's genug.

Die erste Begegnung

So wie wir manchmal den Himmel / von einer schwarzen Wolke niedergedrückt sehen, / die die ganze Luft verdüstert, / bis die Feuer, die er kreißend enthält, / daraus hervorbrechen, / so sah ich unter deinem schwarzen Haar /

>   I saw such an unusual blaze
>   Light'ning and sparkling from your eyes
>   And with such unused prodigies
>   Forcing such terrors and amaze
>   That I did judge your empire here
>   Was not of love alone, but fear.
>
>   But as all that is violent
>   Doth by degrees relent,
>   So when that sweetest face,
>   Growing at last to be serene and clear,
>   Did now appear
>   With all its wonted heav'nly grace,
>   And your appeased eyes did send
>   A beam from them so soft and mild
>   That former terrors were exil'd
>   And all that could amaze did end,
>   Darkness in me was changed to light,
>   Wonder to love, love to delight.
>
>   Nor here yet did your goodness cesse
>   My heart and eyes to bless,
>   For being past all hope
>   That I could now enjoy a better state,
>   An orient gate
>   (As if the Heav'ns themselves did ope)
>   First form'd in thee, and then disclos'd
>   So gracious and sweet a smile
>   That my soul ravished the while
>   And wholly from itself unloos'd
>   Seem'd hov'ring in your breath to rise,
>   To feel an air of Paradise.
>
>   Nor here yet did your favours end,
>   For, whilst I down did bend
>   As one who now did miss

ein so ungewöhnliches Leuchten / aus deinen Augen hervorblitzen und -funkeln / und mit ganz unheimlicher Drohung / ein solches Erschrecken und Staunen mir aufzwingen, / daß ich zu der Ansicht kam, deine Herrschaft allhier / sei nicht nur ein Imperium der Liebe, sondern auch eine Tyrannis der Furcht.

Doch so wie jeder gewaltige Ausbruch / langsam nachläßt, begab es sich auch hier. / Und als dann dieses süßeste Antlitz / schließlich heiter und aufgehellt / sich zeigte / in all seiner gewohnten himmlischen Grazie / und deine besänftigten Augen / einen so sanften und milden Strahl entsandten, / daß alle vorhergegangenen Schrecken gebannt waren / und alle Verblüffung vorbei: / da ward das Dunkel in mir zu Licht, / Staunen verkehrte sich in Liebe, Liebe wurde in Wonne verwandelt.

Und auch damit hörte deine Güte noch nicht auf, / mein Herz und meine Augen zu beglücken: / nein – während ich es noch für undenkbar hielt, / mir Hoffnungen auf einen noch besseren Zustand zu machen, / formte sich, als ob der Himmel selbst sich öffnete, / in dir ein schimmerndes Tor / und tat sich auf / über einem so zarten und süßen Lächeln, / daß meine Seele, ganz entrückt / und aus sich selbst gelöst, / schwebend in deinem Atem hochzufliegen schien, / um Paradiesesluft zu fühlen.

Und auch damit endete deine Gunst noch nicht. / Denn als ich in mich zusammensank / wie einer, der eben seine Seele ausgehaucht hat / – die, da sie viel glücklicher als vorher ge-

> A soul, which grown much happier than before, 40
> Would turn no more,
> You did bestow on me a kiss,
> And in that kiss a soul infuse
> Which was so fashioned by your mind
> And which was so much more refin'd 45
> Than that I formerly did use
> That, if one soul found joys in thee,
> The other fram'd them new in me.
>
> But as those bodies which dispense
> Their beams, in parting hence 50
> Those beams do recollect
> Until they in themselves resumed have
> The forms they gave,
> So when your gracious aspect
> From me was turned once away 55
> Neither could I thy soul retain
> Nor you gave mine leave to remain
> To make with you a longer stay,
> Or suffer'd ought else to appear
> But your hair, night's hemisphere. 60
>
> Only as we in loadstones find
> Virtue of such a kind
> That, when they once do give,
> Being neither to be chang'd by any clime
> Or forc'd by time, 65
> Doth ever in its subjects live,
> So though I be from you retir'd,
> The power you gave yet still abides,
> And my soul ever so guides,
> By your magnetic touch inspir'd, 70
> That all it moves or is inclin'd
> Comes from the motions of your mind.

worden ist, / nie mehr zurückkehren wird –, / da küßtest du mich / und gabst mir eine ganze Seele in diesem Kuß / – eine Seele, die so sehr von deinem Geist geformt / und so viel sublimer war / als die, mit der ich vorher gelebt hatte, / daß ich sagen kann: Wenn die erste Seele in dir ⟨himmlische⟩ Freuden gefunden hatte, / so schuf diese andere die gleichen Freuden neu in mir.

Doch wie jene Himmelskörper, / die uns ihre Strahlen senden, wenn sie fortgehen, / diese Strahlen wieder einholen, / bis sie die Formen, die sie erstehen ließen, / wieder in sich zurückgenommen haben, / so konnte ich, als du dann dein gütiges Antlitz / von mir abwendetest, / weder deine Seele zurückhalten, / noch erlaubtest du meiner Seele, / noch länger bei dir wohnen zu dürfen. / Und du ließest nichts von dir für meine Augen zurück / als dein Haar – die Hemisphäre, auf der die Nacht regiert.

Aber wie wir in Magneten / eine Kraft von der Art finden, / die, einmal auf andere Gegenstände übertragen, / weder durch ein anderes Klima / noch durch die Zeit verändert werden kann, / sondern für immer in diesen Gegenständen lebt, / so bleibt die Kraft, die du mir gabst, / wenn ich mich gleich von dir entfernt habe, / weiterhin in mir erhalten und lenkt, / inspiriert von deinem magnetischen Einfluß, / meine Seele so, daß alle Richtungen, die sie einschlägt, / und alle Tendenzen, die sie zeigt, von den Bewegungen deines Geistes ihren Ausgang nehmen.

The Thought

1.

If you do love as well as I,
Then every minute from your heart
    A thought doth part,
And winged with desire doth fly
Till it hath met in a streight line
    A thought of mine
So like to yours, we cannot know
Whether of both doth come or go
    Till we define
Which of us two that thought doth owe.

2.

I say, then, that your thoughts which pass
Are not so much the thoughts you meant,
    As those I sent:
For as my image in a glass
Belongs not to the glass you see,
    But unto me,
So when your fancy is so clear
That you would think you saw me there,
    It needs must be
That it was I did first appear.

3.

Likewise, when I send forth a thought,
My reason tells me 'tis the same
    Which from you came,
And which your beauteous image wrought;
Thus while our thoughts by turns do lead,
    None can precede;
And thus while in each other's mind
Such interchanged forms we find,
    Our loves may plead
To be of more than vulgar kind.

Edward, Lord Herbert of Cherbury

Der Gedanke

1.

Wenn du so stark liebst, wie ich, / dann geht in jeder Minute / ein Gedanke aus deinem Herzen hervor / und fliegt, beflügelt von der Sehnsucht, / in einer geraden Linie dahin, / bis er auf einen Gedanken von mir trifft, / der dem deinigen so ähnlich ist, daß wir nicht unterscheiden können, / welcher von beiden der ankommende oder der hinausziehende ist, / bis wir genau definieren, / wer von uns beiden nun den Gedanken hervorgebracht hat.

2.

Dann sage ich, daß die Gedanken, die von dir ausgehen, / nicht so sehr die Gedanken sind, die du mir zugedacht hast, / als vielmehr diejenigen, die ich abgesandt habe. / Denn genauso, wie mein Bild in einem Spiegel / nicht dem Glase zugehört, das du siehst, / sondern mir, / muß – wenn deine Liebe so klar ist, / daß du vermeinst, mich darin gespiegelt zu sehen – ich es sein, / der zuerst da war ⟨und nicht dein Gedanke von mir⟩.

3.

Genauso ist es, wenn ich einen Gedanken losschicke: / da sagt mir mein Verstand, daß es derjenige ist, / der von dir kam / und den dein schönes Bild entstehen ließ. / So kann, während unsere Gedanken abwechselnd den Vorrang haben, / keiner gegenüber dem anderen im Übergewicht sein. / Und so darf unser beider Liebe, solange wir jeder im Denken des anderen / solche auswechselbare Formen finden, / für sich in Anspruch nehmen, / von einer Art zu sein, die höher steht als das, was man gemeinhin Liebe nennt.

4.

May you then often think on me,
And by that thinking know, 'tis true:
    I thought on you;
I in the same belief will be,
While by this mutual address   35
    We will possess
A love must live when we do die,
Which rare and secret property
    You will confess,
If you do love as well as I.   40

4.
Mögest du denn oft an mich denken / und durch dieses Meingedenken wissen: Es ist wahr, / daß ich an dich gedacht habe. / Und ich will in demselben Glauben bleiben, / solange wir durch dieses beiderseitige Aneinander-Denken / eine Liebe besitzen, / die fortleben muß, wenn wir sterben. / Dieses seltene und geheime Besitztum / wirst du einbekennen, / wenn du so stark liebst, wie ich.

SIR FRANCIS KYNASTON

To Cynthia: On her Looking-Glass

Give me leave (fairest *Cynthia*) to envy
Thy looking-glass far happier than I,
To which thy naked beauties every morn
Thou show'st so freely, while thou dost adorne
Thy richer hair with gems, and neatly deck 5
With oriental pearl thy whiter neck,
Which takes the species of thy naked breast,
So white, I doubt if it can be express'd
By the reflection of the purest glass;
Which swans, snows, ceruses doth so surpass 10
As, in comparison of it, these may,
Rather than white, be termed hoar or gray;
Besides, all whites but thine may take a spot,
Thine, the first matter of all whites, cannot.
May be thou trusts thy glass's secrecy 15
With dainties yet unseen by any eye;
All these thy favours I will well allow
Unto my rival glass; but so that thou
Wilt not permit it justly to reflect
Thy eye upon itself: I shall suspect, 20
And jealous grow that such reflex may move
Thee (fair *Narcissus*-like) to fall in love
With thine own beauty's shadow. Love's sharp dart,
Shot 'gainst a stone, may bound and wound thy heart;
Which if it should, alas how sure were I 25
To be past hope and then past remedy.
This to prevent, may'st thou, when thou dost rise,
Vouchsafe to dress thy beauties in mine eyes.
If these shall be too small, may for thy sake
Hypochondriac melancholy make 30

SIR FRANCIS KYNASTON

An Cynthia: Über ihren Spiegel

Verstatte, schönste Cynthia, daß ich deinen Spiegel beneide: / er ist viel glücklicher als ich. / Denn jeden Morgen zeigst du ihm ganz freigebig / deine nackte Schönheit, während du mit edlen Steinen / dein edleres Haar schmückst und mit milchweißen Perlen / deinen weißeren Hals köstlich umwindest, / der das Vorbild für seine Farbe von deiner nackten Brust genommen hat; und die ist so weiß, daß ich zweifle, ob ihr Weiß / durch den Widerschein des reinsten Spiegels ausgedrückt werden kann: / Es übertrifft das Weiß von Schwänen, Schneeflocken, Bleiweiß so sehr, / daß diese Dinge daneben / silbern wie Reif oder grau aussehen anstatt weiß. / Im übrigen kann jedes Weiß außer dem deinen einen Flecken bekommen: / deines aber, die materia prima allen Weißes, kann das nicht. / Vielleicht vertraust du der Verschwiegenheit deines Spiegels / Kostbarkeiten an, die noch kein Auge erblickt hat. / Alle diese Vergünstigungen will ich dem Spiegel, / meinem Rivalen, zugestehen, aber nur unter der Bedingung, / daß du ihm nicht erlaubst, dein Auge naturgetreu / auf sich selbst zurückzuspiegeln. Dann freilich werde ich argwöhnisch / und eifersüchtig werden aus Angst, daß eine solche Reflexion / dich – gleich dem schönen Narziss – dazu verleiten könnte, / dich in das schattenhafte Abbild deiner eigenen Schönheit zu verlieben: Der scharfe Pfeil Amors / könnte, wenn er auf einen Stein aufträfe, abprallen und dein Herz verwunden. / Wenn das einträfe, ach! – wie sicher / wäre dann für mich jede Hoffnung verloren, jede Rettung dahin. / Um das zu verhüten bitte ich: Schmücke, wenn du morgens aufstehst, / deine Schönheit im Spiegel meiner Augen! / Wenn die für diesen Zweck zu klein sind, dann möge um deinetwillen / die hypochondrische Melan-

My body all of glass, all which shall be
So made and so constellated by thee
That, as in chrystal mirrors many a spot
Is by infection of a look begot,
This glass of thine, if thou but frown, shall fly   35
In thousand shivers, broken by thine eye.
Since then it hath this sympathy with thee,
Let me not languish in a jealousy
To think this wonder may be brought to pass,
Thy fair looks may inanimate thy glass   40
And make it my competitor. 'Tis all one
To give life to a glass, as make me stone.

To Cynthia: On Being one with her

When pure refined gold is made in coin,
And silver is put to't as the allay,
Unless they both do melt, they will not join,
There being to mix them both no other way.
So bars of iron in like kind will not   5
Be piec'd together nor be made in one
Unless they both be made alike red-hot:
Then join they as they had together grown.
By this I find, there is no hope for me
Ever to be united as a part   10
Of thy sweet self, or to be mix'd with thee;
Breast join'd to breast and heart commix'd with heart;
For that thy hard-congeal'd and snow-white breast,
Cold as the north that sends forth frosty weather,
And mine, with flames of love warm as the west,   15
Will ne'er admit that we should lie together
Unless my tears like showers of April rain
Do thaw thy ice to water back again;

cholie / meinen ganzen Leib zu einem Spiegelglas werden lassen. Und dieses Glas soll / so beschaffen und so gegossen sein auf Grund deines Einwirkens, / daß dieser dein Spiegel – genauso wie in Kristallspiegeln / durch die Infektion eines einzigen Blickes mancher Fleck entstehen kann –, / wenn du nur einmal die Stirn runzelst, / von deinen Augen zertrümmert in tausend Stücke zerspringen soll. / Da er nun also dieses Mit-Fühlen mit dir hat, / laß mich nicht in Eifersucht schmachten / bei dem Gedanken, daß folgendes Wunder eintreten könnte: / Deine Schönheitsblicke könnten deinen Spiegel beseelen / und so zu meinem Nebenbuhler machen. / Wer mich zu Stein werden lassen kann, der kann auch einem Spiegelglas Leben einflößen.

An Cynthia: Über das Einssein mit ihr

Wenn reines, geläutertes Gold zum Münzmachen verwendet wird / und ihm Silber zur Legierung zugesetzt wird, / dann verbinden sich die beiden Metalle nicht, wenn sie nicht beide geschmolzen werden. / Es gibt kein anderes Mittel, sie zu mischen. / Ähnlich ist es mit Eisenstangen: Sie lassen sich nicht / zusammenfügen und in eins zusammenschweißen, / wenn sie nicht beide auf den gleichen Grad der Rotglut gebracht werden; / dann aber verbinden sie sich, als ob sie zusammengewachsen wären. / Daraus ersehe ich, daß ich keine Hoffnung haben kann, / mich jemals als ein Teil deines schönen Selbst / mit dir verbunden zu sehen oder mit dir vermischt zu werden – / Brust an Brust gedrückt und Herz mit Herz zusammenschlagend. / Denn deine hartgefrorene und schneeig weiße Brust – / kalt wie der Nord, der frostiges Wetter sendet – / und mein Busen – warm wie der West von den Flammen der Liebe – / werden es niemals möglich machen, daß wir zusammen liegen – / es sei denn, meine Tränen tauten wie Aprilschauer / dein Eis wieder zu Wasser

Or else unless my naked breasts being laid
On thine, and alike cold, it may be said 20
Of both our bosoms being joined so,
That alabaster frozen was in snow;
That so, what heat together could not hold,
Should be combin'd, and made one by thy cold.

auf; / oder aber – wenn meine nackte Brust auf deiner liegt /
und genauso kalt wird wie sie – / daß man über unsere beiden so vereinigten Busen sagen kann: / Alabaster gefror im
Schnee, / damit das, was die Hitze nicht zusammenhalten
konnte, / also verbunden würde und in eins geformt durch
die Kälte.

FRANCIS QUARLES

On the Ploughman

I hear the whistling *Ploughman* all day long,
Sweet'ning his labour with a cheerful song.
His bed's a pad of *straw*, his diet, coarse;
In both he fares not better than his *horse*;
He seldom slacks his thirst but from the *pump*,   5
And yet his heart is blithe, his visage plump;
His thoughts are ne'er acquainted with such things
As *griefs* or *fears*; he only sweats, and sings. –
Whenas the landed *Lord* – that cannot dine
Without a qualm if not refresh'd with *wine*;   10
That cannot judge that controverted case
'Twixt meat and mouth without the *bribe* of sauce;
That claims the service of the purest linnen
To pamper and to shrowd his dainty skin in –
Groans out his days in lab'ring to appease   15
The rage of either *business* or *disease*.
Alas, his silken *robes*, his costly *diet*
Can lend a little pleasure, but no *quiet*;
The untold sums of his descended wealth
Can give his body plenty, but no *health*.   20
The one, in pains and want, possesses all;
T'other, in plenty, finds no peace at all.
'Tis strange! And yet the cause is eas'ly known:
T'one's at *God*'s finding, t'other at his *own*.

FRANCIS QUARLES

Der Pflüger

Den ganzen Tag lang höre ich den *Pflüger*; / er pfeift und versüßt seine Arbeit mit einem frohen Lied. / Sein Bett ist ein Ballen *Stroh*, seine Mahlzeit ist einfach: / in beidem ist er nicht besser daran als sein *Pferd*. / Seinen Durst stillt er selten anderswo als an der *Wasserpumpe*. / Und doch ist sein Herz froh, und pausbäckig sein Gesicht. / Seine Gedanken kennen solche Dinge / wie *Kummer* oder *Furcht* gar nicht. Sein Leben ist nur Schweiß – und Gesang. / Der adelige *Grundbesitzer* dagegen hält keine Mahlzeit / ohne ein Unwohlsein durch, wenn er sich nicht mit *Wein* erfrischen kann. / Den schwierigen Rechtsstreit zwischen Mahlzeit und Mund / kann er nur schlichten, wenn die Soße *Schmiergeld* zahlt. / Er fordert die Dienstleistung des feinsten Linnens, / um seine verwöhnte Haut darin zu verhätscheln und einzuwickeln. / Und er verbringt seine Tage mit Stöhnen ob der Anstrengung, / die es ihm verursacht, den Sturm seiner *Geschäfte* oder seiner *Krankheiten* zu beschwichtigen. / Ach! – seine *Seidengewänder* und sein kostspieliges *Essen* / können ihm zwar ein bißchen Genuß bringen, aber keinen *Seelenfrieden*; / die unzählbaren Summen seines ererbten Reichtums / können seinem Leib zwar Hülle und Fülle geben, nicht aber *Gesundheit*. / Der eine, der in Mühsal und Armut lebt, besitzt alles; / der andere in seinem Überfluß findet keinen Frieden. / Es ist seltsam – und doch ist der Grund dafür leicht einzusehen: / Der eine bezieht seinen Unterhalt von *Gott*, der andere lebt auf seine *eigenen Kosten*.

On a Tennis-Court

Man is a *tennis-court*: His flesh, the *wall*;
The gamesters *God* and *Satan*; th'heart's the *ball*.
The higher and the lower *hazards* are
Too bold *presumption* and too base *despair*.
The *rackets* which our restless *balls* make fly,　　　5
Adversity and sweet *prosperity*.
The angels keep the *court*, and mark the place
Where the *ball* falls, and chalk out ev'ry *chase*.
The *line*'s a civil life we often cross
Or which, the *ball* not flying, makes a *losse*.　　　10
Detractors are like *standers-by*, and bet
With charitable men: our life's the *set*.
Lord, in this *conflict*, in these fierce *assaults*,
Laborious *Satan* makes a world of *faults*;
Forgive them, Lord, although he ne'er implore　　　15
For favour: They'll be set upon our *score*.
O take the *ball* before it come to th'ground,
For this base *court* has many a *false rebound*.
Strike, and strike hard, but strike above the *line*:
Strike where thou please, so as the *set* be thine.　　　20

On the Story of Man

The *word* was spoke, and what was *nothing* must
Be made a *chaos* of confused *dust*.
The word was spoke: The *dust* began to thicken
To a firm clay; the *clay* began to quicken;
The grosser substance of that *clay* thought good　　　5
To turn to *flesh*; the moister turn'd to *blood*,
Received *organs*, and those organs, *sense*;
It was embellish'd with the excellence

Francis Quarles

Der Tennisplatz

Der Mensch ist ein *Tennisplatz*. Sein Fleisch ist die *Umgrenzungsmauer*, / die Spieler sind *Gott* und der *Satan*; sein Herz ist der *Ball*. / Die beiden *Gefahren*, zu hoch oder zu tief geschlagen zu werden, / sind zu hohe *Anmaßung* oder zu tiefe *Verzweiflung*. / Die *Tennisschläger*, die unsere ruhelosen *Bälle* fliegen lassen, / sind *Unglück* und süßes *Glück*. / Die Engel sind die *Platzwarte*, und sie achten auf die Stelle, / wo der *Ball* niederfällt, und schreiben jede *Schasse* mit Kreide auf. Die *Grenzlinie* ist ein rechtschaffenes Leben, und wir gehen oft darüber hinweg / oder ernten einen *Minuspunkt*, wenn der *Ball* nicht fliegt. / Unsere *Verleumder* sind wie die *Umstehenden*: sie gehen mit denen, / die uns wohlgesonnen sind, Wetten ein. Und unser Leben ist der ⟨*Ein-*⟩ *Satz*. / Herr, in diesem *Turnier*, bei diesen wilden *Attacken* / macht der schwerfällige *Satan* eine ganze Welt von *Fehlern*. / Vergib sie, Herr, wenngleich *er* niemals / um Pardon bittet. Sie werden *uns* als *Pluspunkte* angerechnet werden. / O nimm den *Ball* an, bevor er zur Erde fällt, / denn dieses üble *Spielfeld* hat viele Stellen mit *falschem Rückprall*. / Schlage – und schlag' hart zu! aber schlag' über das *Netz*. / Schlag', wohin du willst, wenn nur du den *Satz* gewinnst.

Die Geschichte des Menschen

Das *Wort* war gesprochen; und was vorher *Nichts* war, / mußte nun zu einem *Chaos* aus verwirrtem *Staub* werden. / Das Wort war gesprochen. Der *Staub* fing an, / sich zu einem festen Lehm zu verdichten; der *Lehm* begann zu leben. / Die festeren Substanzen dieses *Lehms* entschieden sich dafür, / zu *Fleisch* zu werden, die feuchteren wurden zu *Blut*, / empfingen *Organe*, und die Organe wurden mit *Sinneswahrnehmung* ausgestattet; / dann kam als Verschönerung die aus-

Of *reason*; it became the *height* of *nature*,
Being *stamp'd* with th'image of the great creator. 10
But, Lord, that glorious *image* is defac'd:
Her beauty's *blasted* and her tablets *raz'd*.
This height of nature has committed *treason*
Against itself: declin'd both *sense* and *reason* –
Mere *flesh* and *blood*, containing but a *day* 15
Of painted pleasure, and but *breathing clay*,
Whose moisture, dry'd with his own sorrow, must
Resolve, and leave him to his former *dust*;
Which dust, the utter object of our loathing,
Small time consumes, and brings to his first *nothing*. 20
Thus from this *nothing*, from this *dust*, began
This *something*, turn'd to *dust*, to *nothing*: Man.

zeichnende Gabe / der *Vernunft* hinzu – sie stand diesem *Höhepunkt* der *Natur*, / der doch nach dem Bilde des großen Schöpfers *geprägt* ist, wohl an. / Aber, Herr, dieses glorreiche *Bildnis* ist verunziert: / Seine Schönheit ist *verdorben* und die Tafel ist *verkratzt*. / Diese Krone der Natur hat gegen sich selbst *Verrat* begangen, / hat *Sinn* und *Verstand* in den Wind geschlagen, / ist jetzt nur mehr *Fleisch* und *Blut*, das nur einen kurzen *Tag* / eines bloß gemalten ⟨geschminkten⟩ Genießens zur Verfügung hat, und ist dann nur mehr *atmender Lehm*, / dessen Feuchtigkeit sich, da sie von dem eigenen Kummer ausgedörrt wird, / verflüchtigen muß, so daß allein der ursprüngliche *Staub* zurückbleibt. / Und diesen Staub, der für uns ein Gegenstand äußersten Ekels ist, / zehrt eine kurze Zeitspanne auf und bringt ihn wieder zu seinem anfänglichen *Nichts* zurück. / So begann dieses *Etwas* von jenem *Nichts*, von jenem *Staub* / und wurde wieder zu *Staub*, zu *Nichts* – und das ist der Mensch.

HENRY KING

Sic Vita

Like to the falling of a star;
Or as the flights of eagles are;
Or like the fresh spring's gaudy hue;
Or silver drops of morning dew;
Or like a wind that chafes the flood;   5
Or bubbles which on water stood;
Ev'n such is Man, whose borrow'd light
Is streight call'd in, and paid to night.

    The wind blows out; the bubble dies;
The spring entomb'd in autumn lies;   10
The dew dries up; the star is shot;
The flight is past; and Man forgot.

Sonnet
The Double Rock

Since thou hast view'd some Gorgon, and art grown
        A solid stone:
To bring again to softness thy hard heart
        Is past my art.
Ice may relent to water in a thaw,   5
But stone made flesh Love's chimistry ne'er saw.

Therefore by thinking on thy hardness, I
        Will petrify:
And so within our double quarry's womb
        Dig our love's tomb.   10

HENRY KING

Sic Vita

Wie das Fallen eines Sterns / oder wie der Flug von Adlern ist, / oder wie die leuchtenden Farben des frischen Frühlings, / oder wie Silbertropfen des Morgentaus, / oder wie ein Wind, der die Flut aufwühlt, / oder Blasen, die auf dem Wasser steh'n – / so ist der Mensch, dessen geborgtes Licht / mit einem Male zurückgefordert und an die Nacht bezahlt wird.

Der Wind verweht, die Blase zergeht, / der Frühling liegt im Grab des Herbstes; / der Tau trocknet weg, der Stern ist herabgeschossen; / der Flug ist vorüber und der Mensch vergessen.

Sonett
Der Doppelfelsen

Du scheinst irgendeine Gorgone gesehen zu haben, / denn du bist zu einem harten Stein geworden. / Dein Herz nun wieder zu erweichen, / übersteigt mein Vermögen. / Eis kann im Tauwetter zu weichem Wasser werden; / aber eine Verwandlung von Stein in Fleisch hat die Chemie der Liebe noch nie gesehen.

Darum werde ich bei dem Gedanken an deine Härte / selber versteinert werden / und dann in der Tiefe des doppelten Steinbruchs, der wir geworden sind, / das Grab unserer Liebe

Thus strangely will our difference agree
And, with ourselves, amaze the world, to see
How both Revenge and Sympathy consent
To make two rocks each other's monument.

Love's Harvest

Fond lunatic, forbear! Why dost thou sue
For thy affection's pay ere it is due?
Love's fruits are legal use, and therefore may
Be only taken on the marriage day.
    Who for this interest too early call,   5
    By that exaction loose the principal.

Then gather not those immature delights
Until their riper automn thee invites.
He that abortive corn cuts off his ground,
No husband, but a ravisher is found.   10
    So those that reap their love before they wed
    Do in effect but cuckold their own bed.

Being Waked out of my Sleep by a Snuff of Candle which Offended me, I thus Thought

Perhaps 'twas but conceit. Erroneous sense,
Thou art thine owne distemper and offence.
Imagine then that thick, unwholesome steam
Was thy corruption, breath'd into a dream.

aushauen. / So wird unser Zwist auf eine seltsame Weise zum Einklang kommen / ⟨so wird der Unterschied zwischen uns auf seltsame Weise aufgehoben werden⟩ und die Welt wird nicht weniger als wir selbst verblüfft sein zu sehen, / wie Rache und Mitleid übereinkommen konnten, / zwei Felsen einander zum Grabmal zu machen.

Liebesernte

Du irrer Tor, halt ein! Warum forderst du / den Lohn für deine Liebe, bevor er fällig ist? / Die Früchte der Liebe sind ein durch Gesetz geschützter Kapitalertrag; sie dürfen daher / nur am Tag der Hochzeit abgehoben werden. / Wer diesen Zins zu früh fordert, / zehrt sein Kapital auf, indem er fordert.

Pflücke also diese unreifen Früchte nicht eher, / als bis ein reiferer Herbst dich dazu einlädt. / Wer unausgereiftes Korn von seinen Äckern abmäht, / ist kein sparsamer Wirtschafter ⟨kein wirklicher Ehemann⟩, sondern er wird zum Räuber an seinem Eigentum ⟨zum Schänder der eigenen zukünftigen Ehefrau⟩. / Drum machen die, die ihre Liebe vor der Hochzeit abernten, / in der Tat sich selber zum Hahnrei.

Als ich aus dem Schlaf geweckt wurde durch einen qualmenden Kerzendocht, dessen Geruch mir widerwärtig in die Nase stieg

Vielleicht war's nur Einbildung. O Täuschung der Sinne! / Du bist an dir selber krank und ekelst dich vor dir selbst. / Stell' dir vor, dieser üble, ungesunde Geruch / war der Duft deiner Verwesung, der in deinen Traum hineinwehte! / Es ist

Nor is it strange, when we in charnels dwell, 5
That all our thoughts of earth and frailty smell.

Man is a candle whose unhappy light
Burns in the day, and smothers in the night.
And as you see the dying taper waste,
By such degrees does he to darkness haste. 10

Here is the diff'rence: when our body's lamps,
Blinded by age, or chok'd with mortal damps,
Now faint and dim and sickly, 'gin to wink
And in their hollow sockets lowly sink;
When all our vital fires, ceasing to burn, 15
Leave nought but snuff and ashes in our urn:
   God will restore those fallen lights again,
   And kindle them to an eternal flame.

To a Lady who Sent me a Copy of Verses on my Going to Bed

Lady, your art, or wit, could ne'er devise
To shame me more than in this night's surprise.
Why, I am quite unready, and my eye,
Now winking like my candle, doth deny
To guide my hand, if it had ought to write; 5
Nor can I make my drowsy sense indite,
Which by your verses' music (as a spell
Sent from the Sybillean Oracle)
Is charm'd and bound in wonder and delight
Faster than all the leaden chains of night. 10

gar nichts Ungewöhnliches, da wir doch in Beinhäusern leben, / daß alle unsere Gedanken nach Erde und Vergänglichkeit riechen.

Der Mensch ist eine Kerze, deren armseliges Licht / bei Tage brennt und bei Nacht in Qualm erstickt. / Und wie man die sterbende Kerzenflamme sich stetig verzehren sieht, / so eilt er Schritt für Schritt auf die Dunkelheit zu.

Aber hier ist der Unterschied: Wenn die Lampen unseres Leibes ⟨Augen⟩, / erblindet vom Alter oder erstickt vom tödlichen Überfließen der Körpersäfte, / schwach und trübe geworden sind und zu flimmern anfangen / und dann langsam tief in ihre Höhlen ⟨Kerzenstutzen im Leuchter⟩ hineinsinken; / wenn also unser Lebensfeuer aufhört zu brennen / und nichts als verkohlte Reste und Asche in unserer Urne zurückläßt, / dann wird Gott diese in sich zusammengefallenen ⟨der Sünde verfallenen⟩ Lichter wiederherstellen / und zu einer ewigen Flamme entzünden.

*An eine Dame, die mir ein Blatt mit Versen schickte,
als ich gerade zu Bett ging*

Madame, Euer Kunstverstand oder Euer Witz könnte kein raffinierteres Mittel ersinnen / mich zu beschämen als diese Überraschung von heute abend. / Nun, ich bin völlig außerstande zu reagieren. Und da meine Augen / schon flimmern wie meine Kerze, weigern sie sich, / meiner Hand Führer zu sein, falls ich etwas zu schreiben hätte. / Außerdem bringe ich meine schlaftrunkenen Sinne nicht zum Dichten, / denn sie sind durch die Musik Euerer Verse – gleichwie durch einen Spruch / des Orakels der Sibylle – / berückt, und von Staunen und Entzücken stärker gefesselt / als von all den bleiernen Ketten der Nacht.

What pity is it then you should so ill
Employ the bounty of your flowering quill
As to expend on him your bedward thought
Who can acknowledge that large love in nought
But this lean wish: that Fate soon send you those
Who may requite your rhymes with midnight prose?

Meantime, may all delights and pleasing themes
Like masquers revel in your maiden dreams,
Whilst dull to write, and to do more unmeet,
I (as the night invites me) fall asleep.

Wie schade ist es also, daß Ihr die Freigebigkeit / Eures überfließenden Federkiels zu so schlechtem Zwecke einsetzt, / nämlich auf denjenigen Eure auf das Bett gerichteten Gedanken hinzulenken, / der diese großzügige Liebe in nichts erwidern kann / als in diesem mageren Wunsch: Daß das Schicksal Euch bald solche Männer zusenden möge, / die in der Lage sind, Eure Reime mit Prosa um Mitternacht zu belohnen.

Inzwischen mögen alle Wonnen und angenehmen Gedanken / wie Maskenspieler in Euren jungfräulichen Träumen Freudenfeste halten, / während ich, zu blöd zum Schreiben und zu anderem Tun noch ungeeigneter, / der Einladung der Nacht Folge leiste und in Schlaf versinke.

GEORGE HERBERT

The Windows

Lord, how can man preach thy eternal word?
    He is a brittle, crazy glass.
Yet in thy temple thou dost him afford
    This glorious and transcendent place,
    To be a window through thy grace.   5

But when thou dost anneal in glass thy story,
    Making thy life to shine within
The holy Preachers; then the light and glory
    More rev'rend grows, and more doth win,
    Which else shows wat'rish, bleak, and thin.   10

Doctrine and life, colours and light, in one
    When they combine and mingle, bring
A strong regard and awe; but speech alone
    Doth vanish like a flaring thing,
    And in the ear, not conscience, ring.   15

Prayer (I)

Prayer, the church's banquet, angels' age,
    God's breath in man returning to his birth,
    The soul in paraphrase, heart in pilgrimage,
The Christian plummet sounding heav'n and earth;
Engine against th'Almighty, sinner's tower,   5
    Reversed thunder, Christ-side-piercing spear,
    The six-days' world transposing in an hour,
A kind of tune which all things hear and fear;

GEORGE HERBERT

Kirchenfenster

Herr, wie kann denn der Mensch dein ewiges Wort predigen? / Er ist ein sprödes, zerbrechliches Glas: / Dennoch gewährst du ihm in deinem Tempel / den glorreichen und hochgestellten Platz, / durch deine Gnade ein Fenster sein zu dürfen.

Doch wenn du deine Geschichte in Farben ins Glas brennst / und damit dein Leben leuchten läßt / in den heiligen Predigern, dann werden das Licht und die Herrlichkeit / um so verehrungswürdiger und gewinnen um so mehr, / während sie sonst wässerig, dunkel und dünn aussähen.

Erst wenn sich Doktrin und Leben, Farben und Licht / zu einem Ganzen vereinen und vermischen, rufen sie / eine starke Verehrung und heilige Scheu hervor: Worte allein / verwehen wie ein schnell aufflackerndes Etwas / und hallen nur im Ohr, nicht im Gewissen wider.

Gebet (I)

Gebet, des Himmels Festbankett; Ewigkeit der Engel; / in den Menschen gehauchter Atem Gottes, der zu seinem Ursprung zurückkehrt; / die Seele in deutender Umschreibung; das Herz auf Pilgerfahrt; / das christliche Senkblei, das Himmel und Erde auslotet. / Auf Gott gerichtetes Geschütz; Turm des Sünders; / Donner von unten; Speer, der Christi Flanke durchdringt / und die in sechs Tagen geschaffene Welt in einer Stunde verändert. / Eine Art von Melodie, die

Softness, and peace, and joy, and love, and bliss,
    Exalted manna, gladness of the best,
    Heaven in ordinary, man well drest,
The milky way, the bird of Paradise,
    Church-bells beyond the stars heard, the soul's blood,
    The land of spices; something understood.

The Star

Bright spark, shot from a brighter place,
    Where beams surround my Saviour's face,
        Canst thou be anywhere
        So well as there?

Yet, if thou wilt from thence depart,
    Take a bad lodging in my heart;
        For thou canst make a debter,
        And make it better.

First with thy fire-work burn to dust
    Folly, and worse than folly, lust:
        Then with thy light refine,
        And make it shine.

So disengag'd from sin and sickness,
    Touch it with thy celestial quickness,
        That it may hang and move
        After thy love.

Then with our trinity of light,
    Motion, and heat let's take our flight
        Unto the place where thou
        Before didst bow.

alle Dinge hören und fürchten; / Sanftheit und Frieden, und
Freude, und Liebe, und Seligkeit. / Emporgehobnes Manna;
Frohlocken der Besten; / der Himmel als tägliches Mahl;
der Mensch in schöner Kleidung; / die Milchstraße; der
Paradiesvogel; / Kirchenglocken, die bis jenseits der Sterne
gehört werden; Blut der Seele; / Land der Spezereien – etwas, das verstanden wird.

Der Stern

Glänzender Funke, herabgeschossen von einem glanzreicheren Ort – / von dort, wo Strahlen das Antlitz meines Heilands umgeben: / Kann es dir irgendwo / so wohl ergehen
wie dort?

Aber wenn du dich schon von dort entfernen willst, / dann
nimm mein Herz als eine schlechte Wohnung an; / denn du
kannst mich damit zu deinem Schuldner machen, / wenn du
es besserst.

Brenne zuerst mit deinem Feuerwerk die Torheit darin zu
Asche / und – schlimmer als die Torheit – die Weltlust; /
dann läutere es mit deinem Licht / und laß es erglänzen:

Das so von Sünde und Krankheit befreite Herz / berühre
mit deiner himmlischen Lebenskraft, / daß es von dem Einfluß deiner Liebe / angezogen und durch sie gelenkt dahinziehen möge.

Dann laß uns mit dieser unserer Dreiheit – Licht, / Bewegung
und Wärme – auffliegen / zu dem Ort, an dem du / vordem
angebetet hast.

> Get me a standing there and place
>   Among the beams which crown the face
>   Of him who died to part
>   Sin and my heart:
>
> That so among the rest I may
>   Glitter, and curl, and wind as they:
>   That winding is their fashion
>   Of adoration.
>
> Sure thou wilt joy by gaining me
>   To fly home like a laden bee
>   Unto that hive of beams
>   And garland streams.

Heaven

> O who will show me those delights on high?
>   ECHO: *I.*
> Thou Echo, thou art mortal, all men know.
>   ECHO: *No.*
> Wert thou not born among the trees and leaves?
>   ECHO: *Leaves.*
> And are there any leaves that still abide?
>   ECHO: *Bide.*
> What leaves are they? impart the matter wholly.
>   ECHO: *Holy.*
> Are holy leaves the echo then of bliss?
>   ECHO: *Yes.*
> Then tell me, what is that supreme delight?
>   ECHO: *Light.*
> Light to the mind: what shall the will enjoy?
>   ECHO: *Joy.*

Erbitte mir einen Standplatz dort und eine Position / unter den Strahlen, welche das Gesicht dessen umkränzen, / der starb, / um die Sünde und mein Herz voneinander zu scheiden,

Damit ich so unter den anderen Strahlensternen / funkeln und dies Antlitz umgleißen und umkreisen kann: / Denn dieses Umkränzen ist ihre Form / der Anbetung.

Sicherlich wirst du dich freuen, wenn du es erreichst, / daß ich heimfliege wie eine beladene Biene / zu jenem Bienenkorb der Strahlen / und Girlandenströme aus Licht.

Himmel

O wer wird mir die Seligkeit da oben zeigen?
                ECHO: Ich.
Du, Echo, bist vergänglich; alle Menschen wissen es.
                ECHO: Nein.
Bist du nicht unter Bäumen und Blättern geboren?
                ECHO: Blättern.
Und gibt es Blätter, die dauern und ewig sind?
                ECHO: Dauern.
Was für Blätter sind das? sag uns die ganze Wahrheit!
                ECHO: Heilige.
Sind heilige Blätter dann das Echo der Seligkeit?
                ECHO: Ja.
Dann sag' mir doch: Was ist diese höchste Seligkeit?
                ECHO: Licht.
Licht für den Geist? Und was wird der Wille genießen?
                ECHO: Freude.

But are there cares and business with the pleasure?
        ECHO: Leisure.
Light, joy, and leisure; but shall they persever?
        ECHO: Ever.   20

The Altar

A broken ALTAR, Lord, thy servant rears,
Made of a heart, and cemented with tears:
  Whose parts are as thy hand did frame;
  No workman's tool hath touch'd the same.
        A HEART alone   5
        Is such a stone,
        As nothing but
        Thy power doth cut.
        Wherefore each part
        Of my hard heart   10
        Meets in this frame,
        To praise thy name:
  That, if I chance to hold my peace,
  These stones to praise thee may not cease.
O let the blessed SACRIFICE be mine,   15
And sanctifie this ALTAR to be thine.

A Wreath

A wreathed garland of deserved praise,
Of praise deserved, unto thee I give,
I give to thee, who knowest all my ways,
My crooked ways, wherein I live,
Wherein I die, not live: for life is straight,   5
Straight as a line, and ever tends to thee,

Aber hat man mit der Freude auch Sorgen und Mühen?
ECHO: Muße.
Licht, Freude und Muße. Aber werden sie dauern?
ECHO: Für immer.

Der Altar

Einen zerbrochenen Altar, Herr, baut dir dein Knecht, / aus einem Herzen errichtet, und mit Tränen zementiert: / Seine Teile sind so, wie deine Hand sie bildete: / Kein Werkzeug eines Handwerkers hat ihn berührt. / Ein Herz allein / ist solch ein Stein, / daß keine Kraft als / deine ihn schneiden kann. / Daher vereinigt sich / jeder Teil meines / harten Herzens / in diesem Aufbau, um / deinen Namen zu loben: / Damit, wenn ich einmal schweigen sollte, / diese Steine nicht aufhören, dich zu preisen. / O gib, daß dein gebenedeites Opfer zu meinem Besitz wird, / und heilige diesen Altar, indem du ihn als dein Eigentum annimmst.

Ein Kranz

Ein Kranzgebinde von verdientem Lobe, / von Lobe, das verdient ist, geb ich dir. / Dir geb ich es, der alle meine Wege kennt, / meine krummen Wege, auf denen ich lebe, / auf denen ich sterbe, nicht lebe: denn Leben ist geradlinig, / gerade wie eine Linie, und immer auf dich gerichtet, / auf dich,

> To thee, who art more far above deceit,
> Then deceit seems above simplicity.
> Give me simplicity, that I may live,
> So live and like, that I may know thy ways,
> Know them and practice them: then shall I give
> For this poor wreath, give thee a crown of praise.

Love (III)

> Love bade me welcome: yet my soul drew back,
>   Guilty of dust and sin.
> But quick-ey'd Love, observing me grow slack
>   From my first entrance in,
> Drew nearer to me, sweetly questioning
>   If I lack'd anything.
>
> 'A guest,' I answer'd, 'worthy to be here.'
>   Love said: 'You shall be he.'
> 'I, the unkind, ungrateful? Ah, my dear,
>   I cannot look on thee.'
> Love took my hand, and smiling did reply:
>   'Who made the eyes but I?'
>
> 'Truth, Lord; but I have marr'd them. Let my shame
>   Go, where it doth deserve.'
> 'And know you not,' says Love, 'who bore the blame?'
>   'My dear, then I will serve.'
> 'You must sit down,' says Love, 'and taste my meat.'
>   So I did sit and eat.

der du weit höher über den Trug erhaben bist, / als der Trug über der Einfalt zu stehen scheint. / Gib mir Einfalt, damit ich lebe, / so lebe und liebe, daß ich um deine Wege weiß, / um sie weiß und ihnen gemäß handle. Dann werde ich als Gabe / anstelle dieses armen Kranzgebinds dir geben eine Krone des Preises.

Liebe (III)

Die Liebe hieß mich willkommen. Aber meine Seele wich zurück, / mit Staub beladen und Sünde. / Die scharfsichtige Liebe aber bemerkte, daß – nach meinem entschlossenen Eintreten – / meine Schritte zögernd wurden, / und sie kam zu mir heran und fragte freundlich, / ob ich irgend etwas vermißte.

»Einen Gast«, erwiderte ich, »der würdig ist, hier sein zu dürfen.« / Die Liebe sprach: »Du sollst dieser Gast sein.« / – »Ich, der Lieblose, Undankbare? Ach, liebe Liebe, / ich vermag nicht, dich anzusehen.« / – Die Liebe nahm mich bei der Hand und entgegnete lächelnd: / »Wer anders als ich hat denn die Augen gemacht?«

»Wahr, Herr; doch ich habe sie verdorben. Laß meine Schande / an den Ort gehen, den sie verdient hat.« / – »Und weißt du nicht«, sagt die Liebe, »wer die Schuld dafür übernahm?« / – »Liebe Liebe, dann will ich deiner Weisung folgen.« / – »Du mußt dich setzen«, sagt die Liebe, »und mein Fleisch essen.« / Also setzte ich mich und aß.

Decay

Sweet were the days when thou didst lodge with Lot,
Struggle with Jacob, sit with Gideon,
Advise with Abraham, when thy power could not
Encounter Moses' strong complaints and moan:
    Thy words were then: *'Let me alone.'*   5

One might have sought and found thee presently
At some fair oak, or bush, or cave, or well.
'Is my God this way?' 'No,' they would reply,
'He is to Sinai gone, as we heard tell:
    List, ye may hear great Aaron's bell.'   10

But now thou dost thyself immure and close
In some one corner of a feeble heart,
Where yet both Sin and Satan, thy old foes,
Do pinch and straiten thee, and use much art
    To gain thy thirds and little part.   15

I see the world grows old, whenas the heat
Of thy great love, once spread, as in an urn
Doth closet up itself, and still retreat,
Cold Sin still forcing it, till it return
    And, calling 'Justice', all things burn.   20

George Herbert

Verfall

Schön waren die Tage, als du bei Lot Wohnung nahmst, / mit Jakob kämpftest, saßest mit Gideon, / mit Abraham Rat pflegtest; als deine Kraft / den starken Klagen und Seufzern Moses' nicht widerstehen konnte. / Deine Worte damals waren: »Laß mich!«

Man hätte dich jederzeit suchen und finden können / bei irgendeinem schönen Eichbaum oder Busch, bei einer Höhle oder Quelle. / – »Ist mein Gott hier?« »Nein«, hätten sie erwidert, / »er ist auf den Sinai gegangen«, wie wir haben sagen hören. / Horch, du kannst die Glocken des großen Aaron hören!«

Doch nun mauerst du dich ein und verschließest dich / in einem Winkel eines schwachen Herzens, / wo die Sünde und der Satan, deine beiden alten Feinde, / dich auch noch einengen und dir Raum abzwacken und viel List aufwenden, / um dir dein Drittel-Pflichtteil und schmales Erbe abzugewinnen.

Ich sehe, daß die Welt alt wird, wenn die Hitze / deiner großen Liebe, die sich einst weit verbreitete, sich wie in einer Urne / abschließt und immer weiter auf dem Rückzug ist, / vergewaltigt von der kalten Sünde – bis sie dereinst zurückkehrt / und mit dem Ruf »Gerechtigkeit!« alle Dinge verbrennt.

THOMAS CAREW

A Rapture

I will enjoy thee now, my *Celia*, come
And fly with me to Love's Elysium.
The giant, Honour, that keeps cowards out,
Is but a masquer, and the servile rout
Of baser subjects only bend in vain   5
To the vast idol; whilst the nobler train
Of valient lovers daily sail between
The huge colossus' legs, and pass unseen
Unto the blissful shore. Be bold and wise,
And we shall enter: the grim Swiss denies   10
Only tame fools a passage, that not know
He is but form, and only frights in show
The duller eyes that look from far. Draw near,
And thou shalt scorn what we were wont to fear.
We shall see how the stalking pageant goes   15
With borrow'd legs, a heavy load to those
That made, and bear him: not, as we once thought,
The seed of gods, but a weak model, wrought
By greedy men, that seek to enclose the common,
And within private arms impale free Woman.   20

Come then and mounted on the wings of love
We'll cut the flitting air, and soar above
The monster's head, and in the noblest seats
Of those blest shades quench and renew our heats.
There shall the Queen of Love and Innocence,   25
Beauty and Nature, banish all offence
From our close ivy twines; there I'll behold

THOMAS CAREW

Eine Ekstase

Jetzt will ich mich deiner erfreuen, meine Celia; komm / und flieh mit mir ins Elysium des Liebesgottes! / Der Riese Ehre, der Feiglinge draußen hält, / ist nur ein maskierter Popanz, und die sklavische Rotte / unwürdiger Untertanen verneigt sich grundlos / vor diesem gewaltigen Idol, während der edlere Troß / der unerschrocknen Liebenden täglich zwischen den Beinen / des ungeheuren Kolosses durchsegelt und ungesehen / an den wonnereichen Strand gelangt. Sei dreist und klug, / dann werden auch wir dort eintreten: Der grimmige Wächter wehrt / nur zahmen Narren den Eingang – solchen, die nicht wissen, / daß er bloß leere Form ist und nur durch Schein / die blöderen Augen, die von ferne auf ihn blicken, abschreckt. Geh näher hin, / und du wirst lachen über das, was wir immer gefürchtet haben. / Und wir werden sehen, daß der steifbeinig stolzierende Protz / auf geborgten Beinen geht, eine schwere Last für diejenigen, / die ihn gemacht haben und tragen müssen: Nicht, wie wir einst glaubten, / ein Abkömmling der Götter, sondern eine schwache Puppe, / von eigensüchtigen Männern hergestellt, die das öffentliche Weideland einzäunen wollen / und das freie Weibervolk innerhalb privater Arme ⟨Wappenpfähle⟩ festpflocken möchten.

Komm nun also, und wir wollen auf den Flügeln der Liebe / die flüchtige Luft durchschneiden, uns / über das Haupt jenes Ungeheuers emporschwingen und an der schönsten Stelle / jenes glücksreichen Schattenortes unser Feuer löschen und wieder erneuern. / Dort soll die Königin der Liebe und der Unschuld, / der Schönheit und der Natur alles Anstößige / von unseren engen Efeu-Umschlingungen verbannen. Dort

Thy bared snow and thy unbraided gold.
There my enfranchised hand on every side
Shall o'er thy naked polish'd ivory slide. 30
No curtain there, though of transparent lawn,
Shall be before thy virgin treasure drawn;
But the rich mine, to the enquiring eye
Expos'd, shall ready still for mintage lie:
And we will coin young *Cupids*. There a bed 35
Of roses and fresh myrtles shall be spread
Under the cooler shades of cypress groves;
Our pillows, of the down of *Venus'* doves,
Whereon our panting limbs we'll gently lay
In the faint respites of our active play; 40
That so our slumbers may in dreams have leisure
To tell the nimble fancy our past pleasure,
And so our souls, that cannot be embrac'd,
Shall the embraces of our bodies taste.
Meanwhile the bubbling stream shall court the shore, 45
Th'enamour'd chirping wood-choir shall adore
In varied tunes the Deity of Love;
The gentle blasts of Western winds shall move
The trembling leaves, and through their close boughs
                                                              breathe
Still music, whilst we rest ourselves beneath 50
Their dancing shade; till a soft murmur, sent
From souls entranc'd in amorous languishment,
Rouse us, and shoot into our veins fresh fire,
Till we in their sweet ecstasy expire.

Then, as the empty bee, that lately bore 55
Into the common treasure all her store,
Flies 'bout the painted field with nimble wing,
Deflow'ring the fresh virgins of the spring,
So will I rifle all the sweets that dwell
In my delicious Paradise, and swell 60
My bag with honey, drawn forth by the power

will ich / auf deinen unverdeckten Schnee und auf dein entflochtenes Gold blicken. / Dort soll meine freigelassene Hand auf beiden Seiten / über dein nacktes, blankes Elfenbein gleiten. / Kein Vorhang, und wäre er aus durchsichtigem Batist, / soll dort vor deine jungfräuliche Schatzkammer gezogen werden – / nein, die reiche Goldmine soll, für das erkundende Auge / bloßgelegt und stets zur Münzprägung bereit, offenliegen. / Und wir wollen junge Cupidonen prägen. Dort soll ein Lager / aus Rosen und jungen Myrten ausgebreitet sein / unter dem kühlenden Schatten der Zypressenhaine. / Unsere Pfühle: Daunen von den Tauben der Venus; / darauf wollen wir in den erschöpften Atempausen unseres Liebesspiels / sanft unsere schwer atmenden Glieder betten, / damit unser Schlummer in Gestalt von Träumen Gelegenheit hat, / der flinken Phantasie unsere gehabten Freuden wiederzuerzählen. / Und so werden unsere Seelen, die sich ja nicht umarmen können, / Kostproben von den Umarmungen unserer Leiber empfangen. / Währenddessen soll der plätschernde Bach das Ufer umbuhlen; / der liebestrunkene, zwitschernde Chor der Waldsänger soll / in abwechslungsreichen Melodien die Gottheit der Liebe anbeten; / die sanften Wellen des Westwinds sollen / die zitternden Blätter bewegen und durch die dichten Zweige leise Musik / hertönen lassen, während wir uns / unter den tanzenden Schatten ausruhen, bis uns ein sanftes Murmeln – / aus Seelen klingend, die von Liebesmattheit umfangen sind – / weckt und in unsere Adern frisches Feuer gießt / so lange, bis wir in ihrem ekstatischen Überfließen vergehen.

Wie die leere Biene, die eben ihren Vorrat / in das gemeinsame Schatzhaus eingebracht hat, / mit hurtigem Flügel auf dem buntfarbigen Feld herumfliegt / und dabei die frischjungfräulichen Blüten des Frühlings defloriert, / so will ich dann alle Süßigkeiten, / die in deinem köstlichen Paradies zu finden sind, durchwühlen und ausplündern / und meinen Vorratsbeutel mit Honig schwellen lassen, der durch die

Of fervent kisses from each spicy flower.
I'll seize the rose-buds in their perfum'd bed,
The violet knots, like curious mazes spread
O'er all the garden; taste the ripen'd cherry,   65
The warm, firm apple, tipp'd with coral berry.
Then will I visit with a wand'ring kiss
The vale of lillies, and the bower of bliss;
And where the beauteous region doth divide
Into two milky ways, my lips shall slide   70
Down those smooth allies, wearing as I go
A tract for lovers on the printed snow;
Thence climbing o'er the swelling *Apennine*,
Retire into thy grove of eglantine,
Where I will all those ravish'd sweets distil   75
Through Love's alembic, and with chymic skill
From the mix'd mass one sov'reign balm derive,
Then bring that great *Elixir* to thy hive.
Now in more subtle wreaths I will entwine
My sinewy thighs, my legs and arms, with thine.   80
Thou like a sea of milk shalt lie display'd
Whilst I the smooth, calm ocean invade
With such a tempest, as when *Jove* of old
Fell down on *Danae* in a storm of gold;
Yet my tall pine shall in the *Cyprian* straight   85
Ride safe at anchor, and unload her freight:
My rudder with thy bold hand, like a tried
And skillful pilot, thou shalt steer, and guide
My bark into Love's channel, where it shall
Dance, as the bounding waves do rise or fall.   90
Then shall thy circling arms embrace and clip
My willing body, and thy balmy lip
Bathe me in juice of kisses, whose perfume
Like a religious incense shall consume,
And send up holy vapours to those powers   95
That bless our loves, and crown our sportful hours;

Macht / heißer Küsse aus jeder würzigen Blüte hervorgelockt worden ist. / Die Rosenknospen in ihrem duftenden Beet will ich greifen, / die Veilchenpolster, die wie wunderliche Irrgärten / über den ganzen Garten verstreut sind. Ich will die reifen Kirschen kosten, / den warmen, festen Apfel mit der korallenen Beerenspitze. / Dann will ich mit einem wandernden Kuß / das Liliental und die Lustlaube besuchen; / und wo die liebliche Landschaft sich teilt in zwei Milchstraßen, / sollen meine Lippen / diese sanften Alleen hinuntergleiten und in ihrem Fortschreiten / einen Pfad für Liebende im niedergedrückten Schnee hinterlassen. / Dann aber, wenn sie über den hochgewölbten Apennin geklettert sind, / sollen sie sich in den Heckenrosenhain zurückziehen: / Dort will ich alle Süßigkeiten, die man da rauben kann, herausdestillieren / mit dem Destillierkolben der Liebe, und mit Alchimistengeschick / aus dem Gemenge einen höchst vortrefflichen Balsam herausläutern – / und dann das Große Elixier in den Bienenstock einbringen. / Dann will ich in noch raffinierteren Windungen / meine muskulösen Glieder, meine Arme und Beine, mit den deinen verschlingen. / Du sollst wie ein Meer von Milch hingebreitet liegen, / indes ich den glatten, ruhigen Ozean / mit einem solchen Orkan überfallen will, wie einst der war, in dem Jupiter / auf Danae als Goldschauer herabregnete. / Aber meine lange Barkasse soll in der cyprischen Meerenge / sicher vor Anker liegen und ihre Fracht abladen; / mein Ruder sollst du mit kühner Hand wie ein erfahrener / und geschickter Lotse steuern / und meine Barke in den Kanal der Liebe lenken, wo sie tanzen soll, / je nachdem wie die hüpfenden Wellen steigen und fallen. / Dann sollen deine umschlingenden Arme meinen nackten Leib / umklammern und umarmen und deine balsamische Lippe / soll mich im Seim der Küsse baden, deren Duft / sich wie der Weihrauch in der Kirche verschwenderisch ausbreiten / und heiligen Dampf emporsenden soll zu den Mächten, / die unsere Liebe segnen und die von uns im Spiel verbrachten Stunden mit einer Krönung versehen, / die

That with such Halcyon calmness fix our souls
In steadfast peace, as no affright controls.
There no rude sounds shake us with sudden starts,
No jealous ears, when we unrip our hearts,   100
Suck our discourse in; no observing spies
This blush, that glance traduce; no envious eyes
Watch our close meetings, nor are we betray'd
To rivals, by the bribed chamber-maid.
No wedlock bonds unwreath our twisted loves;   105
We seek no midnight arbour, no dark groves
To hide our kisses; there the hated name
Of husband, wife, lust, modest, chaste, or shame
Are vain and empty words, whose very sound
Was never heard in the Elysian ground.   110
All things are lawful there that may delight
Nature or unrestrained appetite.
Like and enjoy, to will and act is one:
We only sin when Love's rites are not done.

The Roman *Lucrece* there reads the divine   115
Lectures of Love's great master, *Aretine*,
And knows as well as *Lais* how to move
Her pliant body in the act of love.
To quench the burning ravisher, she hurls
Her limbs into a thousand winding curls,   120
And studies artful postures, such as be
Carv'd on the bark of every neighbouring tree
By learned hands, that so adorn'd the rind
Of those fair plants, which, as they lay entwin'd,
Have fann'd their glowing fires. The Grecian dame 125
That, in her endless web, toil'd for a name
As fruitless as her work, doth there display
Herself before the youth of *Ithaca*,
And th'amorous sport of gamesome nights prefer
Before dull dreams of the lost Traveller.   130

mit so halkyonischer Stille unsere Seelen / in dauerhaften Frieden versetzt, daß kein Verdruß hierüber je Gewalt gewinnt. / Dort erschreckt uns kein roher Lärm mit plötzlichem Auffahren. / Kein mißgünstiges Ohr schlürft unsere Gespräche ein, / wenn wir unsere Herzen voreinander bloßlegen. Keine spähenden Spione / verleumden dieses Erröten und jenen verstohlenen Blick. Keine neidischen Augen / beobachten unsere geheimen Zusammenkünfte ⟨unsere Nahkämpfe⟩, noch werden wir / von der bestochenen Kammerfrau an Rivalen verraten. / Keine Ehefesseln lösen unsere Liebesverschlingungen auf. / Wir suchen keine mitternächtliche Laube, kein dunkles Gehölz, / um unsere Küsse zu verbergen. Dort sind die verhaßten Namen / Ehemann, Gattin, keusch, sittsam, Wollust oder Schande / bloße leere Wörter, deren eitler Schall / in diesem elysischen Gefilde nie gehört worden ist. / Alles ist dort erlaubt und legitim, / was die Natur oder das ungehemmte Verlangen entzückt: / eine Neigung verspüren und genießen, Wollen und Handeln sind eins; / wir sündigen nur, wenn das Zeremoniell der Liebe nicht vollzogen wird.

Die Römerin Lucretia liest dort die göttlichen / Lektionen des großen Liebesmeisters Aretino / und weiß so gut wie Lais, / wie man den geschmeidigen Leib im Liebesakt bewegen muß. / Um das Feuer des lodernden Schänders zu löschen, wirft sie / ihm ihre Glieder in tausend Schlangenwindungen hin / und studiert kunstreiche Stellungen, so wie sie / in die Borke jedes Baumes in der Nachbarschaft / von kundigen Händen eingeschnitzt sind. Diese Hände haben die Rinde / jener schönen Pflanzen deshalb so geschmückt, weil die Bäume, als sie dort umschlungen lagen, / ihre Feuerglut fächelnd angefacht hatten. Die griechische Dame, / die sich mit ihrem endlosen Gewebe um einen Ruf abmühte, / der so fruchtlos war wie ihre Arbeit, stellt sich nun / vor der männlichen Jugend Ithakas zur Schau / und zieht den verliebten Sport fröhlicher Nächte / den eintönigen Träumen

Daphne hath broke her bark, and that swift foot
Which th'angry gods had fasten'd with a root
To the fixt earth, doth now unfetter'd run
To meet th'embraces of the youthful Sun:
She hangs upon him, like his Delphic lyre, 135
Her kisses blow the old, and breathe new, fire;
Full of her God, she sings inspired lays,
Sweet odes of love, such as deserve the bays
Which she herself was. Next her, *Laura* lies
In Petrarch's learned arms, drying those eyes 140
That did in such sweet smooth-pac'd numbers flow,
As made the world enamour'd of his woe.
These, and ten thousand beauties more, that died
Slave to the Tyrant, now enlarg'd, deride
His cancell'd laws, and for their time mis-spent 145
Pay unto Love's exchequer double rent.

Come then, my *Celia*, we'll no more forbeare
To taste our joye, struck with a Panic fear,
But will depose from his imperious sway
This proud *Usurper*, and walk free as they, 150
With necks unyok'd; nor is it just that he
Should fetter your soft sex with chastity,
Which nature made unapt for abstinence;
When yet this false Imposter can dispense
With human justice and with sacred right, 155
And, maugre both their laws, command me fight
With rivals, or with emulous loves, that dare
Equal with thine their mistress' eyes or hair:
If thou complain of wrong, and call my sword
To carve out the revenge, upon that word 160
He bids me fight and kill, or else he brands
With marks of infamy my coward hands.

von dem verlorenen Vielgereisten vor. / Daphne ist aus ihrer Rinde ausgebrochen und jener schnelle Fuß, / den die zürnenden Götter mit einer Wurzel / an die feste Erde geheftet hatten, läuft nun ungebunden davon, / um der Umarmung des jungen Sonnengottes entgegenzueilen. / Sie hängt an ihm wie seine delphische Leier; / ihre Küsse beleben das alte, und entfachen neues Feuer; / von ihrem Gott erfüllt, singt sie begeisterte Lieder, / süße Liebesoden, welche die Beeren von dem Baum verdienen, / der sie selber war. Nahebei liegt Laura / in Petrarkas gelehrten Armen und trocknet die Augen, / die in so süßen, sanft hingleitenden Versen überlaufen, / daß sie die ganze Welt in seinen Schmerz verliebt gemacht haben. / Diese und zehntausend Schönheiten mehr, / die als Sklavinnen des Tyrannen Ehre starben, verlachen nun befreit / seine abgeschafften Gesetze und zahlen für ihre wertlos verbrachte Zeit / der Schatzkammer der Liebe doppelten Zins.

Komm also, meine Celia! Wir wollen nicht länger / von panischer Angst befallen zögern, unsere Freuden zu genießen, / sondern wir wollen diesen stolzen Usurpator / seiner herrscherlichen Macht entkleiden und wie jene frei wandeln, / mit nicht mehr unterjochtem Nacken. Es ist auch ungerecht, daß er / euer zartes Geschlecht mit Keuschheit fesseln darf, / euch, die die Natur ganz ungeeignet zum Enthaltsamsein gemacht hat; / wo doch er, dieser falsche Betrüger, / sich über menschliche Gerechtigkeit und heiliges Gesetz hinwegsetzen kann / und – trotz dieser beiden Codices des Rechts – mir vorschreiben darf, / mit Rivalen zu kämpfen oder mit eifrigen Galanen, die es wagen, / die Augen oder Haare *ihrer* Geliebten mit den deinen zu vergleichen. / Wenn du dich über eine Beleidigung beklagst und meinen Degen hervorrufst, / um dir Genugtuung zu erkämpfen, / befiehlt *er* mir, auf dieses eine Wort hin, zu fechten und zu töten; widrigenfalls zeichnet er / meine feigen Hände mit den Brandmalen der Ehrlosigkeit. / Und das, obwohl die Reli-

And yet religion bids from bloodshed fly,
And damns me for that act. Then tell me why
This goblin Honour, which the world adores, 165
Should make men atheists, and not women whores.

Song: Eternity of Love Protested

How ill doth he deserve a lover's name,
    Whose pale weak flame,
    Cannot retain
His heat in spite of absence or disdain;
But doth at once, like paper set on fire, 5
    Burn, and expire!
True love can never change his seat,
Nor did he ever love, that could retreat.

That noble flame, which my breast keeps alive,
    Shall still survive, 10
    When my soul's fled;
Nor shall my love die, when my body's dead,
That shall wait on me to the lower shade,
    And never fade:
My very ashes in their urn 15
Shall like a hallowed lamp forever burn.

Boldness in Love

Mark how the bashful morn in vain
Courts the amorous marigold
With sighing blasts and weeping rain;
Yet she refuses to unfold.
But when the planet of the day 5
Approacheth with his powerful ray,

gion gebietet, daß man sich des Blutvergießens enthalte, / und mich für eine solche Tat verdammt. Dann sag mir, warum / sollte dieser Kobold Ehre, den die Welt anbetet, / zwar die Männer zu Atheisten machen dürfen, aber nicht die Frauen zu Huren.

Lied: Bekenntnis zur Ewigkeit der Liebe

Wie wenig verdient der die Bezeichnung Liebender, / dessen bleiche, schwache Flamme ihre Hitze / nicht aufrechterhalten kann / trotz Trennung oder Abweisung, / sondern der – wie angezündetes Papier – in einem Nu / brennt und verlöscht! / Wahre Liebe kann niemals ihren Wohnsitz ändern, / und der, der sich zurückzieht, hat nie geliebt.

Die edle Flamme, die mein Busen am Leben erhält, / wird noch weiterleben, / wenn meine Seele entflohen ist; / und meine Liebe wird nicht sterben, wenn mein Leib tot ist – / sie wird mir folgen zu den Schatten dort unten / und niemals schwinden: / Selbst meine Asche wird in ihrer Urne / wie eine heilige Lampe auf ewig brennen.

Dreistigkeit in der Liebe

Sieh, wie der schüchterne Morgen vergebens / die liebesbereite Ringelblume umwirbt / mit seufzenden Winden und tränendem Regen; / und doch will sie sich nicht entfalten. / Aber wenn das Tagesgestirn / mit seinem starken Strahl er-

>   Then she spreads, then she receives
>   His warmer beams into her virgin leaves.
>   So shalt thou thrive in love, fond boy;
>   If thy tears, and sighs discover
>   Thy grief, thou never shalt enjoy
>   The just reward of a bold lover:
>   But when with moving accents thou
>   Shalt constant faith and service vow,
>   Thy Celia shall receive those charms
>   With open ears, and with unfolded arms.

A Pastoral Dialogue
Shepherd. Nymph. Chorus.

SH. This mossy bank they pressed. N. That aged oak
   Did canopy the happy pair
     All night from the damp air.
   CH. Here let us sit and sing the words they spoke,
  Till the day breaking, their embraces broke.

SH. See love, the blushes of the morn appear,
   And now she hangs her pearly store
     (Robb'd from the Eastern shore)
   I'th' cowslip's bell, and rose's ear:
  Sweet, I must stay no longer here.

N. Those streaks of doubtful light usher not day,
   But show my sun must set: no morn
     Shall shine till thou return,
   The yellow planets, and the gray
  Dawn, shall attend thee on thy way.

scheint, / dann öffnet sie sich, dann empfängt sie / seine wärmeren Strahlen in ihre jungfräulichen Blätter. / So wirst du in der Liebe Erfolg haben, dummer Junge! / Wenn deine Tränen und Seufzer deinen Kummer verraten, / wirst du niemals / den gerechten Lohn eines dreisten Liebenden ernten. / Aber wenn du mit bewegender Stimme / auf ewig Treue und Vasallentum schwörst, / dann wird deine Celia diese Zauberworte / mit offenen Ohren empfangen und mit ausgebreiteten Armen.

Ein ländliches Gespräch
Schäfer. Nymphe. Chor.

SCH. Dieses Moospolster haben sie niedergedrückt. N. Die alte Eiche / beschirmte das glückliche Paar / die ganze Nacht hindurch vor der feuchten Luft. / CH. Hier laßt uns sitzen und die Worte singen, die sie sprachen, / bis, da der Tag anbrach, ihre Umarmungen ein Ende fanden.

SCH. Sieh, Liebste, das Erröten Auroras steigt auf / und nun hängt sie ihren Perlenschatz / – geraubt von Gestaden des Ostens – / in die Glocke der Schlüsselblume und als Ohrgehänge in die Rose. / Süße, ich darf hier nicht länger verweilen.

N. Die Streifen unbestimmten Lichtes dort, sie bringen nicht den Tag, / sondern zeigen, daß *meine* Sonne untergehen muß. Kein Morgen / soll leuchten, bis du zurückkehrst; / der gelbe Planet und die graue / Dämmerung sollen dich auf deinem Wege begleiten.

SH. If thine eyes gild my paths, they may forbear
   Their useless shine. N. My tears will quite
     Extinguish their faint light.
  SH. Those drops will make their beams more clear,
Love's flames will shine in every tear.

CH. They kissed, and wept, and from their lips and eyes,
   In a mixed dew of briny sweet,
     Their joys and sorrows meet,
  But she cries out. N. Shepherd arise,
The sun betrays us else to spies.

SH. The winged hours fly fast, whilst we embrace,
   But when we want their help to meet,
     They move with leaden feet.
  N. Then let us pinion Time, and chase
The day for ever from this place.

SH. Hark! N. Aye me stay! SH. Forever. N. No, arise,
  We must be gone. SH. My nest of spice.
     N. My soul. SH. My Paradise.
  CH. Neither could say farewell, but through their eyes
Grief, interrupted speech with tears supplies.

To a Lady that Desired I would Love her

1.

Now you have freely given me leave to love,
    What will you do?
  Shall I your mirth, or passion move
    When I begin to woe;
Will you torment, or scorn, or love me too?

sch. Wenn deine Augen meine Wege vergolden, mögen jene / ihr nutzloses Leuchten sein lassen. N. Meine Tränen werden / das schwache Licht meiner Augen ganz zum Erlöschen bringen. / sch. Diese Tropfen werden ihre Strahlen nur noch heller machen; / die Flammen der Liebe leuchten dann in jeder einzelnen Träne.

ch. Sie küßten sich und weinten, und von ihren Lippen und Augen / fließen in *einem* vermischten Tau salziger Süßigkeit / ihre Freuden und Schmerzen zusammen. / Doch sie ruft aus: N. Schäfer, steh auf! / Die Sonne verrät uns sonst an Neider und Aufpasser.

sch. Die geflügelten Stunden fliegen rasch dahin, dieweil wir uns in den Armen liegen; / doch wenn wir ihre Hilfe brauchen, um bald wieder zusammenzukommen, / dann gehen sie auf bleiernen Füßen. / N. Dann laß uns die Zeit fesseln / und den Tag für immer von diesem Orte verjagen!

sch. Horch! N. Weh' mir, bleibe! sch. Auf ewig! N. Nein, steh' auf! / Wir müssen geh'n. sch. Mein Nest von Spezereien! / N. Meine Seele! sch. Mein Paradies! / ch. Keines von beiden konnte Lebewohl sagen; aber der Kummer unterbrach vermittels ihrer Augen / ihre Reden immer aufs neue mit strömendem Nachschub von Tränen.

*An eine Dame, die den Wunsch geäußert hatte,
ich möge sie lieben*

1.

Da du mir nun freimütig die Erlaubnis erteilt hast, dich zu lieben, / was wirst du jetzt tun? / Soll ich deine Heiterkeit erregen oder deine Leidenschaft erwecken, / wenn ich mit meinem Werben beginne; / wirst du mich quälen oder verächtlich behandeln, oder wirst du mich wiederlieben?

2.

Each petty beauty can disdain, and I
    'Spite of your hate
  Without your leave can see, and die;
    Dispense a nobler fate,
'Tis easy to destroy, you may create.   10

3.

Then give me leave to love, and love me too,
    Not with design
  To raise, as Love's cursed rebels do,
    When puling poet's whine,
Fame to their beauty, from their blubber'd eyne.   15

4.

Grief is a puddle, and reflects not clear
    Your beauty's rays,
  Joys are pure streams, your eyes appear
    Sullen in sadder lays,
In cheerful numbers they shine bright with praise.   20

5.

Which shall not mention to express you fair
    Wounds, flames, and darts,
  Storms in your brow, nets in your hair
    Suborning all your parts,
Or to betray, or torture captive hearts.   25

6.

I'll make your eyes like morning suns appear,
    As mild, and fair;
  Your brow as crystal smooth, and clear,
    And your dishevell'd hair
Shall flow like a calm region of the air.   30

2.

Jede Dutzendschönheit kann ihren Hochmut hervorkehren; und ich / kann trotz deiner Ablehnung / und unabhängig von deiner Erlaubnis sehen und sterben; / erteile mir ein edleres Geschick: / leicht ist's zu zerstören, du kannst dich als schöpferisch erweisen.

3.

So erlaube mir, dich zu lieben, und liebe mich wieder, / nicht mit der Absicht, / so zu tun wie die fluchwürdigen Rebellinnen gegen den Liebesgott, / die dann, wenn winselnde Dichter ihren Liebesjammer vorbringen, / sich aus den flennenden Augen dieser Dichter Ruhm für ihre Schönheit auferbauen.

4.

Kummer ist eine Pfütze und vermag nicht / die Strahlen deiner Schönheit klar zu spiegeln. / Freuden sind reine Bäche; deine Augen erscheinen / trübe in traurigen Liedern, / in hoffnungsfrohen Versen erglänzen sie hell von dem Leuchten der Rühmung; in Versen

5.

die, um deine Schönheit auszudrücken, nicht / Wunden, Flammen und Pfeile erwähnen sollen, / nicht Stürme auf deiner Stirn und Netze in deinen Haaren, / womit alle Teile deines Körpers mit falschen Beschuldigungen bezichtigt würden, / als ob sie gefangene Herzen entweder verrieten oder marterten.

6.

Ich will deine Augen wie Morgensonnen erscheinen lassen, / so mild und schön; / deine Stirn so glatt und klar wie Kristall, / und dein aufgelöstes Haar / soll fließen wie eine ruhige Luftregion.

7.

Rich Nature's store, (which is the poet's treasure)
    I'll spend, to dress
Your beauties, if your mine of pleasure
    In equal thankfulness
You but unlock, so we each other bless.   35

7.
Den ganzen Vorrat der reichen Natur – der des Dichters Schatz ist – / will ich verausgaben, / um deine Schönheit zu schmücken, wenn du mir nur / in gleichwertiger Dankbarkeit dein Bergwerk der Lust / aufschließest, damit wir einander beglücken.

WILLIAM STRODE

Of *Death and Resurrection*

Like to the rolling of an eye,
Or like a star shot from the sky,
Or like a hand upon a clock,
Or like a wave upon a rock,
Or like a wind, or like a flame, 5
Or like false news which people frame,
Even such is Man, of equal stay,
Whose very growth leads to decay.
   The eye is turn'd, the star down bendeth,
   The hand doth steal, the wave descendeth, 10
   The wind is spent, the flame unfir'd,
   The news disprov'd, Man's life expir'd.

Like to an eye which sleep doth chain,
Or like a star whose fall we fain,
Or like the shade on Ahaz' watch, 15
Or like a wave which gulfs do snatch,
Or like a wind or flame that's past,
Or smother'd news confirm'd at last;
Even so Man's life, pawn'd in the grave,
Waits for a rising it must have. 20
   The eye still sees, the star still blazeth,
   The shade goes back, the wave escapeth,
   The wind is turn'd, the flame reviv'd,
   The news renew'd, and Man new liv'd.

WILLIAM STRODE

Tod und Auferstehung

Wie das Rollen eines Auges; / oder wie eine Sternschnuppe vom Himmel; / oder wie ein Zeiger auf der Uhr; / oder wie eine Welle an einem Felsenriff; / oder wie ein Wind oder eine Flamme; / oder wie falsche Gerüchte, die die Leute sich ausdenken – / so ist der Mensch, und so lang ist seines Bleibens allhier: / Selbst sein Wachsen führt zur Verwesung hin. / Das Auge bricht, der Stern schießt herab, / der Zeiger rückt leise weiter, die Woge stürzt nieder, / der Wind verweht, die Flamme verlöscht, / das Gerücht wird widerlegt, das Menschenleben geht zu Ende.

Wie ein Auge, das der Schlaf in Ketten legt; / oder wie ein Stern, über dessen Niederschießen wir uns freuen; / oder wie der Schatten auf Ahaz' Sonnenuhr; / oder wie eine Welle, die der Abgrund verschlingt; / oder wie ein Wind oder eine Flamme, die vorbeigegangen sind; / oder unterdrückte Nachrichten, die sich zuletzt doch bestätigen – / so ist das Menschenleben: im Grabe verpfändet, / wartet es auf eine Auferstehung, die kommen muß. / Das Auge sieht in Ewigkeit, der Stern glänzt für alle Zeit, / der Schatten weicht, die Welle entrinnt, / der Wind dreht sich, die Flamme belebt sich, / die Botschaft wird erneut und dem Menschen wird ein neues Leben geschenkt.

Upon the Blush of a Fair Lady

Stay, hasty blood! where canst thou seek
So bless'd a seat as in her cheek?
How canst thou from the place retire
Where beauty doth command desire?
But if thou wilt not stay, then flow   5
Down to her panting paps below:
Flow like a deluge from her breast
Where Venus' swans have built their nest,
And so take glory to distain
With azure blue each swelling vein.   10
From thence run boiling through each part
Till thou hast warm'd her frozen heart;
But if from love she would retire,
Then martyr her with gentle fire
And, having search'd each secret place,   15
Fly back again into her face,
Where blessed live in changing those
White lillies to a ruddy rose.

On a Gentlewoman Walking in the Snow

I saw fair Chloris walk alone
Where feather'd rain came softly down,
And Jove descended from his tower
To court her in a silver shower;
The wanton snow flew to her breast   5
Like little birds into their nest,
And overcome with whiteness there
For grief it thaw'd into a tear,
Thence falling on her garment's hem,
For grief it freez'd into a gem.   10

William Strode

Auf das Erröten einer schönen Dame

Bleib, rasches Blut! Wo willst du einen / so seligen Wohnsitz finden, wie es ihre Wangen sind? / Wie kannst du dich von dem Platz zurückziehen wollen, / auf dem die Schönheit dem Begehren gebietet? / Doch wenn du nicht bleiben willst, dann fließe / hinunter zu ihren atmenden Brüsten; / und ströme weiter wie eine Sintflut, von ihrer Brust hinab / – der Brust, wo die Schwäne der Venus ihr Nest gebaut haben! / Und mach es dir zur Ehre, / jede schwellende Ader mit blauem Azur üppig zu füllen! / Von dort fließe kochend durch jeden Teil ihres Körpers, / bis du ihr gefrorenes Herz aufgewärmt hast. / Doch wenn sie sich der Liebe entziehen will, / dann martre sie mit einem leisen Feuer; / und wenn du jede geheime Stelle durchstöbert hast, / dann fliehe wieder zurück in ihr Gesicht: / Dort lebe beglückt, daß du diese / weißen Lilien in eine rote Rose verwandeln darfst.

Auf eine Dame, die durch den Schnee ging

Ich sah die schöne Chloris einsam wandeln, / dort wo gefiederter Regen leise herniederkam. / Jupiter schien von seinem Wolkenturm herabzusteigen, / um sie in einem Silberschauer zu umbuhlen. / Der lose Schnee flog auf ihre Brust, / wie Vöglein in ihr Nest fliegen. / Und überwältigt von all dem Weiß, das er dort fand, / taute er vor Liebesweh in eine Träne. / Doch als diese dann von dort auf den Saum ihres Kleides hinabfiel, / da gefror sie vor Schmerz zu einem Edelstein.

Jack-on-Both-Sides
(The Church Papist)

I hold as faith
What Rome's Church saith
Where the king's head
That flock's mislead
Where th'altar's dress'd
That people's bless'd
Who shuns the mass
He's but an ass
Who charity preach
They Heav'n soon reach
On faith t'rely,
'Tis heresy

What England's Church allows
My conscience disavows
That church can have no seam
That holds the Pope supreme
There's service scarce divine
With table, bread and wine
He's catholic and wise
Who the Communion flies
That church with schism's fraught
Where only faith is taught
No matter for good works
Makes Christians worse than Turks.

William Strode

Der Opportunist
(Der anglikanische Papist)

Ich glaube fest
    was Englands Kirche erlaubt
was Roms Kirche sagt
    das lehnt mein Gewissen ab
Wo der König das Haupt der Kirche ist
    die Kirche kann keinen Makel haben
die Gemeinde ist in die Irre geführt
    die den Papst als Oberhaupt anerkennt
Wo der Altar geschmückt ist
    da gibt es kaum einen rechten Gottesdienst
das Volk ist gesegnet
    wo man nur Tisch, Brot und Wein hat
Wer die Messe verachtet
    der ist wahrhaft katholisch und weise
der ist nur ein Esel
    der vor dem protestantischen Abendmahl davonläuft
Die nur Liebe predigen
    deren Kirche ist dauernd vom Schisma bedroht
die werden den Himmel am ehesten erreichen
    bei denen die einzige Grundlage der Glaube ist
Bloß auf den Glauben zu bauen
    gute Werke für nichts zu achten
ist Ketzertum
    macht Christen schlimmer als Türken.

Love Compar'd to a Game of Tables

Love is a game at tables where the die
Of maids' affections doth by fancy fly:
If once you catch their fancy in a blot,
It's ten to one if then you enter not;
You being a gamester then may boldly venter,
And if you find the point lie open, enter:
But mark them well, for by false playing then,
Do what you can, they will be bearing men.

William Strode

Vergleich der Liebe mit einem Brettspiel

Die Liebe ist ein Brettspiel, bei dem der Würfel / der weiblichen Zuneigung nach der Laune des Zufalls fällt: / Wenn du einmal *ihre* Laune in einer ungedeckten ⟨nackten⟩ Position erwischst, / dann steht es zehn zu eins, daß du in ihre Gunst eintreten ⟨dein Spiel machen⟩ darfst. / Da du ja ein Spieler bist, darfst du dann ruhig etwas aufs Spiel setzen; / und wenn du das Spielquadrat ⟨punctum saliens⟩ frei und offen findest, dann zieh getrost dort ein. / Doch nimm dich vor den Spielpartnern wohl in acht: Denn wenn du dann einen falschen Zug tust, / dann kannst du machen, was du willst: sie werden deine Spielfiguren wegnehmen ⟨sie werden Knäblein gebären⟩.

ANONYMOUS

Tom-a-Bedlam

From the Hag and hungry Goblin
    That into rags would rend ye
        All the spirits that stand
        By the Naked Man
    In the Book of Moons defend ye. 5
That of your five sound senses
    You never be forsaken,
        Nor travel from
        Yourselves with *Tom*
    Abroad to beg your bacon. 10

CHORUS
Nor never sing, any food and feeding,
Money, drink, or clothing;
    Come, dame or maid,
    Be not afraid,
For *Tom* will injure nothing. 15

Of thirty bare years have I
    Twice twenty been enraged,
        And of forty been
        Three times fifteen
    In durance soundly caged 20
In the lovely lofts of *Bedlam*,
    In stubble soft and dainty;
        Brave bracelets strong,
        Sweet whips, ding dong,
    And a wholesome hunger plenty. 25

CHORUS
Still do I sing, any food, any feeding, etc.

ANONYM

Tom, der Tollhäusler

Vor der Hex' und dem hungrigen Elf, / die euch in Fetzen zerreißen möchten, / mögen euch alle Geister, / die dem nackten Mann beisteh'n / und bei ihm steh'n im Buch der Monde, bewahren; / daß euch eure fünf gesunden Sinne / niemals verlassen, / und daß ihr nicht vor euch selber davonreist / mit Tom / und hinauszieht, um euren Speck zu erbetteln.

CHOR
Und niemals singt: Habt ihr Essen und Futter, / Geld, Trank oder Kleider? / Kommt, Frau oder Maid, / habt keine Angst; / denn Tom tut niemand weh.

Von dreißig Jahren war ich / zweimal zwanzig verrückt, / und von vierzig war ich / dreimal fünfzehn / fest hinter Schloß und Riegel / in dem hübschen Taubenschlag von Bedlam, auf weichem und leckerem Häcksel – / schön starke Armbänder, / süße Peitschen ding-dong – / und einen Haufen gesunden Hunger.

CHOR
Und immer sing ich: Habt ihr ...

With a thought I took for *Maudlin*,
    And a cruise of cockle pottage,
        And a thing thus – tall,
        Sky bless you all,   30
    I fell into this dotage;
I slept not till the Conquest,
    Till then I never waked,
        Till the Roguish Boy
        Of Love where I lay   35
    Me found and stripped me naked.

CHORUS
    And made me sing, any food, any feeding, etc.

When short I have shorn my sow's face,
    And swigg'd my horned barrel,
        In an oaken inn   40
        Do I pawn my skin
    As a suit of guilt apparel;
The moon's my constant mistress
    And the lovely owl my marrow,
        The flaming drake   45
        And the night crow make
    Me music to my sorrow,

CHORUS
    While there I sing, etc.

The palsy plague these pounces,
    When I prig your pigs or pullen,   50
        Your culvers take,
        Or mateless make
    Your Chanticleer or sullen;
When I want provant, with *Humphrey* I sup;
    And when I am benighted,   55
        To repose in *Paul's*

Mit einem Narren, den ich an Maudlin gefressen hatte, / und einem Topf Muschelsuppe / und einem Ding, das so – groß war, / der Himmel segne euch alle! – / verfiel ich diesem Wahnsinn. / Seit der Eroberung ⟨1066⟩ hab ich nicht mehr geschlafen, / bis dahin war ich nie wach, / bis der schurkische Bub, / der Liebesgott, mich fand, wo ich lag, / und mich ganz nackt ausgezogen hat.

CHOR
Und ließ mich singen: Habt ihr ...

Wenn ich mein Schweinsgesicht kurzgeschoren habe / und mein gehörntes Fäßchen ausgesoffen, / dann versetz' ich meine Haut / in einem eichenen Wirtshaus / als ein goldenes Staatsgewand. / Der Mond ist mein treues Gespons / und die liebliche Eule mein Friedel; / der feurige Erpel / und die Nachtkrähe machen / für mich Musik, zur Begleitung für meinen Kummer.

CHOR
Dieweil ich sing: Habt ihr ...

Die Wassersucht plage meinen Pulsschlag, / wenn ich eure Säue oder Hennen, / eure Tauben klau' / oder euren Chanteclair zum Witwer / oder bösartigen Hagestolz mache. / Wenn ich Proviant brauche, dann speis ich mit Humphrey zur Nacht, / und wenn mich die Nacht überrascht, / dann hab ich

With walking souls
I never am affrighted;

CHORUS
For still I do sing, etc.

I know more than *Apollo*,
    For oft, when he lies sleeping,
        I behold the stars
        At mortal wars
    And the wounded welkin weeping.
The Moon embraces her Shepherd,
    And the Queen of Love her Warrior,
        While the first doth horn
        The stars of the morn
    And the next the Heavenly Farrier.

CHORUS
For still I do sing, etc.

The Gipsy, *Snap*, and *Pedro*
    Are none of *Tom's* comradoes;
        The punk I scorn
        And the cutpurse sworn
    And the roaring boys' bravadoes;
The meek, the white, the gentle
    Me trace or touch and spare not;
        But those that cross
        Tom rhinoceros
    Do what the panther dare not –

CHORUS
Although I sing, etc.

With a host of furious fancies,
    Whereof I am commander,
        With a burning spear
        And a horse of air

keine Angst davor, / in St. Paul's / mit den ruhelos nachtwandelnden Seelen zu schlafen.

CHOR
Denn immer sing ich: Habt ihr ...

Ich weiß mehr als Apollo; / denn oft, wenn er im Schlaf liegt, / seh ich die Sterne / in tödlichem Krieg / und seh den verwundeten Himmel weinen; / Luna umarmt ihren Schäfer / und die Göttin der Liebe ihren Krieger, / wobei der erstere / die Morgensterne hört / und der letztere den himmlischen Hufschmied.

CHOR
Denn immer sing ich: Habt ihr ...

Der Zigeuner, Schnapphahn und Pedro / sind keine Kameraden für Tom; / ich verachte die Huren / und die eingeschworenen Taschendiebe / und den Bravado der Raufbolde. / Die Milden, die Weißen und Sanften / fassen mich an, berühren mich und schonen mich nicht; / aber die, / die Tom Rhinozeros in die Quere kommen, / tun, was der Panther nicht zu tun wagt.

CHOR
Obgleich ich sing: Habt ihr ...

Mit einem Heer von wilden Träumen, / deren Obrist ich bin; / mit einem brennenden Speer / und einem Roß aus Luft /

        To the wilderness I wander,
With a knight of ghosts and shadows
    I summoned am to tourney,
        Ten leagues beyond
           The wide world's end –
    Methinks it is no journey.

CHORUS
All the while I sing, any food, any feeding,
    Money, drink, or clothing;
        Come, dame or maid,
        Be not afraid,
    Poor *Tom* will injure nothing.

Mad Maulkin

      From forth th'*Elysian* fields,
      A place of restless souls,
Mad *Maulkin* is come to seek her naked *Tom*;
      Hell's fury she controls,
      The damned laugh to see me,
      Grim *Pluto* scolds and frets,
Charon is glad to see poor *Maulkin* mad,
    And away his boat he gets.
Through the earth, through the sea, through unknown isles,
      Through the lofty skies
      I have sought with sobs and cries
For my hungry *Tom*, and my naked sad *Tom*,
    Yet I know not whether he lives or dies.

      My plaints make satyrs civil,
      The nymphs forget their singing,
The fairies have left their gambols and their theft,
    The plants and the trees their springing.

wandere ich in die Wildnis. / Ich bin zum Turnier geladen / mit einem Ritter der Geister und Schatten: / zehn Meilen hinter / dem Ende der weiten Welt – / mir scheint, 's ist keine weite Reise.

CHOR
Alldieweil ich sing: Habt ihr Essen und Futter, / Geld, Trank oder Kleider? / Kommt, Frau oder Maid, / habt keine Angst; / denn Tom tut niemand weh.

Das irre Malchen

Von des Elysiums Gefilden herauf – / einem Ort für ruhelose Seelen – / ist die irre Malkin gekommen, um ihren nackten Tom zu suchen. / Über das Toben der Hölle gebietet sie: / Die Verdammten lachen, wenn sie mich sehen; / der grimmige Pluto schimpft und ist wütend; / Charon freut sich, die arme Malkin verrückt zu sehen, / und rudert sein Boot davon. / Durch die Erde, durch das Meer, / durch unbekannte Inseln, / durch die hohen Himmelsräume / hab ich mit Seufzen und Weinen / nach meinem hungrigen Tom gesucht, meinem nackten, traurigen Tom – / doch ich weiß nicht, wo er lebt oder stirbt.

Mein Klagen läßt die Satyrn höflich sein; / die Nymphen vergessen ihr Singen, / die Feen haben ihre Luftsprünge und Diebstähle aufgegeben, / die Pflanzen und Bäume ihr Sprie-

Mighty *Leviathan* took a consumption,
    Triton broke his organ;
      Neptune despised the ocean,
    Floods did leave their flowing,
    Churlish winds their blowing,
And all to see poor *Maudlin*'s action;
    The torrid zone left burning,
    The deities stood a-striving,
Despised *Jove* from *Juno* took a glove
    And struck down *Pan* from whistling.

    Mars for fear lay couching,
    Apollo's cap was fired;
Poor *Charles's Wain* was thrown in the main,
    The nimble Post lay tired.
    Saturn, Silenus, Vulcan, Venus –
    All lay hushed and drunk;
    Hell's fire through heaven was seen,
    Fates and men remorseless
    Hated our grief and hoarseness,
And yet no one could tell of *Tom*.

    Whither shall I wander,
    Whiter shall I fly?
The heavens do weep, the earth, the air, and the deep
    Are wearied with my cry.
Let me up and steal the Trumpet
    That summons all to Doom:
At one poor blast the elements shall cast
    All creatures from their womb.
Pluto with his *Proserpine*, Death with Destruction,
    Stormy clouds and weather
    Shall cast all souls together,
Against I find my *Tomkin*, I'll provide a pumpkin
And we will both be blithe together.

ßen. / Den mächtigen Leviathan hat die Schwindsucht erfaßt, / Tritons Mundharmonika ist zerbrochen. / Neptun schmähte den Ozean, / die Fluten ließen das Fließen sein / und die tückischen Winde das Blasen: / all das um zu sehn, was das arme Malchen tut. / Die heiße Zone brannte nicht mehr, / die Götter lagen im Streit: / der geschmähte Jupiter nahm von Juno einen Handschuh / und schlug den pfeifenden Pan zu Boden.

Mars lag vor Angst auf der Erde, / Apollos Mütze hatte Feuer gefangen; / der Wagen des armen ⟨Kaisers⟩ Karl ⟨der Große Bär⟩ wurde ins Meer geschleudert, / der flinke ⟨Götter-⟩Bote ⟨Merkur⟩ war völlig erschöpft. / Saturn, Silen, Vulkan und Venus – / alle lagen schweigend und betrunken herum. / Das Feuer der Hölle wurde durch den ganzen Himmel sichtbar. / Die Parzen und die gefühlskalten Menschen / haßten unseren Gram und unser heiseres Schreien – / und dennoch konnte keiner etwas über Tom sagen.

Wohin soll ich wandern, / wohin soll ich fliehn? / Die Himmel weinen, Erde, Luft und tiefe See / sind meines Schreiens müde. / Laßt mich hinauf und die Trompete stehlen, / die alles zum Gericht ruft! / Auf einen armseligen Ton hin sollen die Elemente / alle Kreatur aus ihrem Schoße werfen: / Pluto mit seiner Proserpina, der Tod zusammen mit der Vernichtung, / stürmische Wolken und Wetter / sollen alle Seelen zusammenschmeißen: – / Bis ich meinen kleinen Tom finde, will ich mir einen Kürbis besorgen, / und wir wollen zusammen recht lustig sein.

OWEN FELLTHAM

The Sympathy

    Soul of my soul! it cannot be
That you should weep, and I from tears be free.
    All the vast room between both poles
    Can never dull the sense of souls
        Knit in so fast a knot.   5
    Oh! can you grieve, and think that I
    Can feel no smart, because not nigh,
        Or that I know it not?

    Th'are heretic thoughts. Two lutes are strung
And on a table tun'd alike for song;   10
    Strike one, and that which none did touch
    Shall sympathizing sound as much
        As that which touch'd you see.
    Think then this world (which heaven enrolls)
    Is but a table round, and souls   15
        More apprehensive be.

    Know they that in their grossest parts
Mix by their hallowed loves entwined hearts
    This privilege boast that no remove
    Can e'er infringe their sense of love.   20
        Judge hence then our estate,
    Since when we lov'd, there was not put
    Two earthen hearts in one breast, but
        Two souls co-animate.

OWEN FELLTHAM

Sympathie ⟨Einklang⟩

Seele meiner Seele! Es kann nicht geschehen, / daß du weinst und ich ohne Tränen bin. / Der ganze weite Raum zwischen den beiden Polen / kann nicht die Sinne von zwei Seelen, / die ein so fester Knoten zusammenbindet, abstumpfen und betäuben. / O, kannst du traurig sein und dabei glauben, / ich bliebe vom Kummer verschont, weil ich ja nicht in deiner Nähe sei / oder weil ich nichts davon wisse?

Das sind ketzerische Gedanken. Zwei Lauten sind / mit Saiten bespannt und liegen, zum Zwecke des Zusammenspiels gleich gestimmt, auf einem Tisch. / Schlag die eine an, und die, die niemand berührt hat, / wird aus Sympathie genauso stark tönen / wie die, die angeschlagen worden ist. / Denke doch: diese Welt, die der Himmel umschließt, / ist nur ein runder Tisch, und Seelen / sind noch viel feiner reagierende Instrumente als Lauten.

Wisse: diejenigen, die mit den gröberen Teilen ihrer Natur / miteinander vermischt sind, nämlich durch die Verbindung und Verschlingung der beiden Herzen, die die Träger ihrer geheiligten Liebe sind – / die rühmen sich des Privilegs, / daß keine räumliche Trennung das sichere Bewußtsein ihrer Liebe stören kann. / Schließe davon auf unsere Lage – / wo doch bei uns, als unsere Liebe entstand, nicht / zwei erdverhaftete Herzen in einer Brust zusammenkamen, sondern / zwei gleichgestimmte Seelen.

Song

Now (as I live) I love thee much,
    And fain would love thee more,
Did I but know thy temper such
    As could give o'er.

But to engage thy virgin heart,
    Then leave it in distress,
Were to betray thy brave desert,
    And make it less.

Were all the Eastern treasures mine,
    I'd pour them at thy feet;
But to invite a prince to dine
    With air's not meet.

No, let me rather pine alone,
    Then if my fate prove coy,
I can dispense with grief my own
    While thou hast joy.

But if through my too niggard fate
    Thou should'st unhappy prove,
I should grow mad and desperate
    Through grief and love.

Since then though more I cannot love
    Without thy injury,
As saints that to an altar move
    My thoughts shall be.

And think not that the flame is less
    For 'tis upon this score:
Were't not a love beyond excess,
    It might be more.

Owen Felltham

Lied

Bei meinem Leben, ich liebe dich sehr / und würde dich mit Freuden noch mehr lieben, / wenn ich sicher sein könnte, daß dein Charakter / zum Verzichten befähigt ist.

Aber dein jungfräuliches Herz zuerst an mich zu binden / und es dann in Not leben zu lassen, / wäre ein Verrat an dem, was du verdienst, / und würde dem, was dir zukommt, nicht entsprechen.

Wären alle Schätze des Orients mein, / ich würde sie dir vor die Füße schütten. / Aber einen Fürsten zum Essen einzuladen, / wenn man bloß Luft servieren kann, das ist unpassend.

Nein, laß mich lieber allein schmachten; / dann brauch ich – wenn mein Schicksal sich abweisend zeigt – / nur mit meinem eigenen Kummer fertigzuwerden, / indes deine Freude ungetrübt bleibt.

Aber wenn du mein allzu knauseriges Los / als Unglück mitempfinden solltest, / dann würde ich verrückt werden und verzweifeln / vor Schmerz und Liebe.

Da ich dich nun also nicht mehr lieben kann, / ohne dich zu schädigen, / sollen meine Gedanken wie Heilige sein, / die zum Altar schreiten.

Und denke nicht, meine Flamme ist weniger heiß, / weil ich sie so sparsam brennen lassen muß: / Wäre meine Liebe nicht eine solche, die über alles Maß hinausgeht, / dann könnte sie vielleicht mehr sein ⟨wäre meine Liebe nicht über die Begierde nach Ausschweifung erhaben, dann würde sie vielleicht weiter gehen⟩.

Song: Upon a Breach of Promise

I am confirm'd in my belief
   No woman hath a soul;
They but delude, that is the chief
   To which their fancies roll.

Else how could bright Aurelia fail
   When she her faith had given,
Since vows that others' ears assail
   Recorded are in heaven.

But as the alch'mist's flattering fires
   Swell up his hopes of prize
Till the crack'd spirit quite expires,
   And with his fortune dies,

So though they seem to cheer and speak
   Those things we most implore,
They do but flame us up to break –
   Then never mind us more.

Owen Felltham

Lied: Auf einen Wortbruch

Ich finde mich in meinem Glauben bestärkt, / daß keine Frau eine Seele hat. / Sie sind nur der Vor-Täuschung fähig ⟨als ob sie eine hätten⟩ – das ist das Äußerste, / wozu sich ihre Fantasie versteigt ⟨das ist die Hauptrichtung, in die ihre Laune zielt⟩.

Wie könnte sonst die strahlende Aurelia / das Wort, das sie gegeben hat, brechen? / Da doch Schwüre, die einmal an das Ohr eines andren gedrungen sind, / im Himmel registriert werden.

Doch wie die trügenden Feuer eines Alchimisten / bei ihm die Hoffnung auf den Lohn seiner Tätigkeit schwellen lassen, / bis der Geist explodiert und verraucht ist / und mit ihm die Hoffnung auf das Vermögen begraben werden muß – so ist es mit den Frauen:

Obwohl es den Anschein hat, als ob sie uns aufmuntern und / die Dinge sagen würden, um die wir am inständigsten bitten, / schrauben sie unsere Flamme bloß hoch, um dann die Lampe zu zerbrechen ⟨um dann das Wort zu brechen und mit uns zu brechen⟩ – / und kümmern sich dann nie mehr um uns.

THOMAS RANDOLPH

Song

Music, thou queen of souls, get up and string
Thy pow'rful lute, and some sad requiem sing,
Till rocks requite thy echo with a groan,
And the dull clifts repeat the duller tone.
Then on a sudden with a nimble hand   5
Run gently o'er the chords, and so command
The pine to dance, the oak his roots forego,
The holm and aged elm to foot it too;
Myrtles shall caper, lofty cedars run,
And call the courtly palm to make up one;   10
Then, in the midst of all their jolly train,
Strike a sad note, and fix 'em trees again.

On the Death of a Nightingale

Go, solitary wood, and henceforth be
Acquainted with no other harmony
Than the pies' chattering, or the shrieking note
Of boding owls and fatal raven's throat.
Thy sweetest chanter's dead, that warbled forth   5
Lays that might tempests calm, and still the north,
And call down angels from their glorious sphere
To hear her songs, and learn new anthems there.
That soul is fled, and to Elysium gone;
Thou a poor desert left. Go, then, and run;   10
Beg there to stand a grove, and if she please
To sing again beneath thy shadowy trees,

THOMAS RANDOLPH

Lied

Musik, du Königin der Seelen, erhebe dich und greif / in deine mächtige Laute! Und sing ein trauriges Requiem, / bis die Felsen dein Echo mit einem Stöhnen belohnen / und die tauben Klippen den dumpfen Ton wiederholen! / Dann streich auf einmal mit einer flinken Hand / leise über die Saiten und befiehl damit / der Tanne zu tanzen, der Eiche, mit ihren Wurzeln loszulassen, / und der Steineiche und betagten Ulme, sich in den Reigen einzureihen. / Myrten sollen springen, hohe Zedern herbeilaufen! / Und ruf auch die höfische Palme, damit sie mit dabei sein kann! / Dann schlage mitten in dem munteren Treiben / einen traurigernsten Akkord an – und laß sie wieder als Bäume festgewachsen stehn!

Auf den Tod einer Nachtigall

Geh, einsamer Wald, und kenne hinfort / keine andere Harmonie mehr / als Elsterngezeter, Kreischen / von übelkündenden Eulen und der todbringenden Raben Gekrächz! / Deine süßeste Sängerin ist tot, sie, die Lieder singen konnte, / daß die Stürme sich stillten und der Nordwind in Schweigen verfiel. / Ruf die Engel herab aus ihrer Glanzessphäre, / damit sie *ihre* Lieder hören und daran neue Hymnen lernen. / Ihre Seele ist geflohen und ins Elysium eingegangen. / Du bleibst als arme Wüste zurück. Geh denn und laufe! / Bitte, daß du dort als Gehölz stehen darfst! Und wenn sie sich herbeiläßt, / dann wieder unter deinen schattigen Bäumen zu singen, / dann werden die Seelen glücklicher

The souls of happy lovers crown'd with blisses
Shall flock about thee, and keep time with kisses.

*An Eclogue Occasioned by Two Doctors Disputing
upon Predestination*

CORYDON

Ho! jolly Thyrsis, whither in such haste?
Is't for a wager that you run so fast?
Or past your hour, below yon hawthorntree
Does longing Galatea look for thee?

THYRSIS

No, Corydon, I heard young Daphnis say 5
Alexis challenged Tityrus today,
Who best shall sing of shepherd's art and praise –
But hark! I hear'em: listen to their lays.

TITYRUS

Alexis aread, what means this mystic thing? –
An ewe I had two lambs at once did bring, 10
Th'one black as jet, the other white as snow;
Say in just providence how it could be so?

ALEXIS

Will you Pan's goodness therefore partial call,
That might as well have given thee none at all?

TITYRUS

Were they not both ean'd by the selfsame ewe? 15
How could they merit then so different hue?
Poor lamb, alas! and couldst thou (yet unborn)
Sin to deserve the guilt of such a scorn!

Liebender / um dich herum sich versammeln und mit Küssen den Takt halten zu ihren Melodien.

Eine Ekloge, veranlaßt durch den Disput zweier Theologen über die Prädestination

CORYDON

He, fröhlicher Thyrsis, wohin in solcher Eile? / Willst du eine Wette gewinnen, daß du so schnell rennst? / Oder hält jetzt, nach deiner Ruhestunde unter dem Weißdorn dort, / die sehnsüchtige Galatea nach dir Ausschau?

THYRSIS

Nein, Corydon. Aber ich habe den jungen Daphnis sagen hören, / Alexis habe Tityrus heute herausgefordert, um zu entscheiden, / wer besser über das Hirtenamt singen und seinen Preis formulieren kann. / Doch horch – ich höre sie: lausche auf ihre Lieder!

TITYRUS

Alexis, rate: Was bedeutet dieses mystische Ereignis? / Ein Mutterschaf, das ich hatte, warf zwei Lämmer auf einmal, / das eine schwarz wie Achat, das andere weiß wie Schnee. / Sag – nach gerechter Überlegung: Wie konnte das geschehn?

ALEXIS

Willst du Pans Güte deshalb parteiisch nennen, / der dir doch ebensogut überhaupt keines hätte geben können?

TITYRUS

Wurden nicht beide von ein und demselben Schaf geboren? / Wie konnten sie es da verdienen, so verschiedene Farben zu haben? / Ach, armes Lämmlein! konntest du als Ungeborenes sündigen / und durch diese Schuld eine solche Zurücksetzung

Thou hadst not yet foul'd a religious spring,
Nor fed on plots of hollowed grass, to bring 20
Stains to thy fleece; nor browsed upon a tree
Sacred to Pan or Pales' deity.
The gods are ignorant, if they not foreknow,
And (knowing) 'tis unjust to use thee so.

ALEXIS

Tityr, with me contend, or Corydon; 25
But let the gods, and their high wills alone:
For in our flocks that freedom challenge we:
This kid is sacrific'd, and that goes free.

TITYRUS

Feed where you will, my lambs; what boots it us
To watch and water, fold and drive you thus? 30
This on the barren mountains flesh can glean;
That, fed in flow'ry pastures, will be lean.

ALEXIS

Plough, sow, and compass: nothing boots at all,
Unless the dew upon the tilths do fall.
So labour, silly shepherds, what we can: 35
All's vain, unless a blessing drop from Pan.

TITYRUS

I'll thrive thy ewes, if thou these lies maintain!

ALEXIS

And may thy goats miscarry, saucy swain!

verdienen? / Du hast doch keine geweihte Quelle beschmutzt / noch auf Wiesen mit zu magerem Graswuchs geweidet / und dadurch dein Vlies befleckt. Und du hast auch nicht an einem Baum geknabbert, / der Pan oder der Herdenschutzgöttin Pales geweiht ist. / Die Götter sind unwissend, wenn sie nicht in die Zukunft sehen können; / und wenn sie vorauswissen, ist es ungerecht, dich so zu behandeln.

ALEXIS

Tityrus, streite mit mir oder mit Corydon, / aber laß die Götter und ihren heiligen Willen aus dem Spiel. / Wir nehmen uns bei unseren Herden ja auch die Freiheit heraus, / das eine Zicklein zu opfern und das andere laufen zu lassen.

TITYRUS

Grast, wo ihr wollt, meine Lämmer! Was nützt es uns, / wenn wir euch hüten, tränken, einpferchen und auf die Weide treiben: / Das eine Lamm bringt es fertig, auf dem kahlen Gebirge Fleisch anzusetzen, / das andere wird selbst in der blumigen Weide mager bleiben.

ALEXIS

Pflügen, Säen, Düngen – nichts davon hat den geringsten Nutzen, / wenn nicht der Tau auf die Felder fällt. / So können wir einfältigen Hirten uns plagen, wie wir wollen: / Alles ist umsonst, wenn nicht der Segen von Pan kommt.

TITYRUS

Wenn du an diesen Lügen festhältst, dann will ich dafür sorgen, daß deine Schafe gedeihen!

ALEXIS

Und deine Ziegen sollen verwerfen und mißraten, unverschämter Hirte!

THYRSIS

Fie, shepherds, fie! while you these strifes begin,
Here creeps the wolf, and there the fox gets in.
To your vain piping on so deep a reed
The lambkins listen, but forget to feed.
It gentle swains befits of love to sing,
How love left heaven and heaven's immortal King,
His coeternal Father. O, admire,
Love is a son as ancient as his sire.
His mother was a virgin: how could come
A birth so great, and from so chaste a womb?
His cradle was a manger; shepherds see
True faith delights in poor simplicity.
He press'd no grapes, nor prun'd the fruitful vine,
But could of water make a brisker wine.
Nor did he plough the earth, and to his barn
The harvest bring, nor thresh and grind the corn.
Without all these love could supply our need,
And with five loaves five thousand hungers feed.
More wonders did he, for all which suppose
How he was crown'd, with lily or with rose?
The winding ivy, or the glorious bay,
Or myrtle, with the which Venus (they say)
Girts her proud temples? Shepherds, none of them:
But wore (poor head) a thorny diadem.
Feet to the lame he gave, with which they run
To work their surgeon's last destruction.
The blind from him had eyes; but us'd that light,
Like basilisks, to kill him with their sight.
Lastly, he was betray'd – O, sing of this –
How love could be betray'd! 'twas with a kiss.
And then his innocent hands and guiltless feet
Were nail'd unto the cross, striving to meet
In his spread arms his spouse, so mild in show
He seem'd to court th'embraces of his foe.

THYRSIS

Pfui, ihr Schäfer, pfui über euch! Während ihr diesen Streit ausfechtet, / kriecht hier der Wolf herein, und dort schleicht sich der Fuchs ein. / Wenn ihr auf eueren Hirtenflöten so eine mindere Musik macht ⟨so tief spielt⟩, / dann horchen die Lämmer zwar auf, aber sie vergessen zu grasen. / Sanften Hirten steht es an, von der Liebe zu singen, / und wie die Liebe aus dem Himmel hervorkam. Und vom unsterblichen Himmelskönig, / ihrem ebenso-ewigen Vater. O Wunder: / Die Liebe ist ein Sohn, der ebenso alt ist wie sein Vater. / Seine Mutter war eine Jungfrau: Wie konnte / eine so große Geburt aus ihr und aus einem so unbefleckten Schoß kommen? / Seine Wiege war eine Krippe: Schäfer mögen daraus sehen, / daß wahrer Glaube an Armut und Einfachheit Freude findet. / Er preßte keine Trauben, pfropfte nicht den fruchtbaren Weinstock: / aber er konnte aus Wasser einen feurigeren Wein machen. / Er pflügte auch nicht die Erde, noch brachte er die Ernte in seine Scheuer ein, / noch drosch er und mahlte das Korn. / Die Liebe konnte unseren Bedarf ohne all dies erfüllen / und mit fünf Laiben Brot Fünftausend ernähren. / Er tat noch mehr Wunder, und glaubt ihr, daß er für das alles / mit Lilien und Rosen gekrönt wurde, / mit dem rankenden Efeu oder der Beere des Ruhms; / oder mit Myrte, mit der, wie man sagt, Venus / ihre stolzen Schläfen schmückt? Nichts von all dem, ihr Schäfer. / Nein, er trug – das arme Haupt! – eine Dornenkrone. / Den Lahmen gab er Füße, auf denen sie hinlaufen / und den endgültigen Untergang ihres Arztes betreiben. / Die Blinden empfingen Augen von ihm, aber sie benutzten dieses Licht, / um ihn wie Basilisken mit ihren Blicken zu töten. / Am Ende wurde er verraten – o singt darüber, / wie die Liebe verraten werden konnte. Es geschah mit einem Kuß. / Und dann wurden seine schuldlosen Hände und unschuldigen Füße an das Kreuz genagelt; / und als er sich mühte, / mit seinen ausgestreckten Armen seine Braut zu empfangen, da sah er so mild aus, / daß er um die Umarmung seiner

Through his pierc'd side, through which a spear was sent,
A torrent of all-flowing balsam went.
Run, Amaryllis, run! one drop from thence   75
Cures thy sad soul, and drives all anguish hence.
Go, sunburnt Thestylis; go, and repair
Thy beauty lost, and be again made fair.
Lovesick Amyntas, get a philtrum here,
To make thee lovely to thy truly dear.   80
But, coy Licoris, take the pearl from thine,
And take the bloodshot from Alexis' eyne.
Wear this, an amulet 'gainst all Syrens' smiles,
The stings of snakes, and tears of crocodiles,
Now love is dead. O no, he never dies;   85
Three days he sleeps, and then again doth rise
(Like fair Aurora from the Eastern bay),
And with his beams drives all our clouds away.
This pipe unto our flocks, this sonnet get –
But o, I see the sun ready to set.   90
Good night to all, for the great night is come;
Flocks, to your folds, and shepherds, hie you home:
Tomorrow morning, when we all have slept,
Pan's cornet's blown, and the great sheepshear's kept.

The Milkmaid's Epithalamion

Joy to the bridegroom and the bride,
That lie by one another's side!
O, fie upon the virgin-beds,
No loss is gain but maidenheads.
Love, quickly send the time may be,   5
When I shall deal my rosemary!

I long to simper at a feast,
To dance and kiss, and do the rest.

Feinde zu werben schien. / Aus seiner durchbohrten Seite, in die ein Speer gestochen war, / floß ein Strom reich quellenden Balsams heraus. / Lauf, Amaryllis, lauf! Ein Tropfen davon / heilt deine kummervolle Seele und treibt aus ihr alle Not. / Geh, sonnenverbrannter Testylis, geh und gewinne / deine verlorene Schönheit wieder und laß dir deine Jugendfrische zurückgeben! / Liebeskranker Amyntas, hol dir dort einen Liebestrank, / der dich für deine wahre Freundin liebreizend macht! / Doch du, keusche Lycoris, heile damit das Gerstenkorn an deinem / und den Bluterguß an Alexis' Auge! / Nimm sie hinweg und trage sie als Amulett gegen alles Sirenenlächeln, / alle Schlangenbisse und Krokodilstränen! Nun ist die Liebe tot. O nein, sie stirbt niemals. / Drei Tage schläft sie und ersteht dann wieder / – wie die schöne Aurora aus der Bucht des Ostens – / und treibt mit ihren Strahlen all unsere Wolken hinweg. / *Dies* Lied und dies Sonett sollt ihr eurer Herde bringen! / Doch halt! ich seh, die Sonne will sich neigen. / Euch allen eine gute Nacht! Denn die große Nacht ist da. / Herden, in eure Pferche! und Schäfer, eilt nach Haus! / Morgen früh, wenn wir alle ausgeschlafen haben, / wird Pans Trompete blasen, und dann wird die große Schafschur gehalten.

Epithalamion des Milchmädchens

Freude dem Bräutigam, Freude der Braut! / Ihnen, die nun Seit' an Seite beieinanderliegen! / O pfui über die jungfräulichen Betten! / Der einzige Verlust, bei dem man gewinnt, ist der Verlust der Jungfernschaft. / Amor, wenn es sein kann, so laß rasch den Zeitpunkt kommen, / an dem ich meinen Rosmarin verteilen darf!

Ich möchte bei einem Fest herumkokettieren, / tanzen und küssen und alles übrige. / Wenn ich heirate und zu Bett ge-

When I shall wed, and bedded be,
O, then the qualm comes over me, 10
And tells the sweetness of a theme
That I ne'er knew but in a dream.

You ladies have the blessed nights,
I pine in hope of such delights:
And (silly damsel) only can 15
Milk the cow's teats, and think on man,
And sigh and wish to taste and prove
The wholesome sillibub of love.

Make haste at once: twin-brothers bear;
And leave new matter for a star. 20
Women and ships are never shown
So fair, as when their sails are blown.
Then when the midwife hears your moan,
I'll sigh for grief that I have none.

And you, dear knight, whose every kiss 25
Reaps the full crop of Cupid's bliss,
Now you have found, confess and tell
That single sheets do make up hell.
And then so charitable he
To get a man to pity me. 30

Anagram. Virtue alone thy Bliss

Descent of birth is a vain good,
Doubtfully sprung from others' blood;
Wealth, though it be the wordling's bait,
Wise men but use to make up weight.
Wit in a woman: I scarce know 5
Whether it be a praise, or no;

bracht werde, / oh, dann kommt ein Schwächeanfall über mich / und erzählt mir von der Süßigkeit eines Themas, / das ich nur im Traum gekannt habe.

Ihr verheirateten Damen habt gesegnete Nächte, / aber ich schmachte in der Hoffnung auf solche Freuden / und – dummes Mädchen! – kann nur / die Kühe melken und dabei an die Männer denken: / und seufzen und wünschen, ich dürfte kosten und naschen / von dem gesunden Sirup der Liebe.

Beeil dich, Braut! Bring gleich beim ersten Mal Zwillingsbrüder zur Welt / und liefere damit neuen Stoff für ein Sternbild. / Weiber und Schiffe sehen nie / so gut aus, als wenn ihre Segel gebläht sind. / Wenn dich die Hebamme stöhnen hört, / dann werde ich seufzen darüber, daß ich nichts zu stöhnen habe.

Und du, lieber Ritter, dessen Küsse / alle die volle Ernte von Cupidos Seligkeit einbringen – / nun, da du es beurteilen kannst, gesteh und sag es frei: / Ein einsames Bett ist eine Hölle. / Und dann zeig soviel Nächstenliebe, / daß du mir einen Mann findest, der Mitleid mit mir hat.

Anagramm: Tugend allein ist deine Seligkeit

Hohe Abstammung ist ein nichtiges Gut – / nie ganz zweifelsfrei, und aus dem Blute anderer entsprungen. / Reichtum, ob er gleich der Köder für das Weltkind ist, / wird von Weisen nur als eine Zuwaage angesehen. / Geist in einer Frau – ich weiß kaum, / ob er eine wünschenswerte Sache ist

Beauty's a glorious flow'r, but gone
And wither'd ere the spring be done.
All these thou dost as jewels wear,
But more thy own perfections are: 10
For thine a nobler blood shall be,
Whose pure descent flows but from thee.
Thy wealth is goodness – such a store
As is more precious than the ore
That loads the yearly fleets of Spain,   15
For which the naked Indian's slain.
Thy wit so chaste, thou might'st have been,
Not Sappho, but the Sheba queen!
A beauty thou thyself hast made
Whose rose and lilly shall not fade.   20
Set in the soul, not in the face –
That garden is a fading place.
In thee both soul and body are
Equally noble, rich, and fair;
Outward and inward graces kiss   25
'Cause Virtue is alone thy bliss;
Nor is this stol'n or borrow'd fame:
Thy praise is all thine own, – thy name.

oder nicht. / Schönheit ist eine wunderbare Blume; aber sie ist fort / und verwelkt, ehe denn der Frühling vorüber ist. / All dies trägst du als deine Juwelen, / aber deine eigene Vollkommenheit ist viel mehr wert. / Denn das Blut, das du an deine Nachkommen weitergibst, wird ein edleres sein: / seine Reinheit besteht darin, daß es von dir kommt. / Dein Reichtum ist Güte in solcher Fülle, / daß sie kostbarer ist als das Edelmetall, / das die jährlich eintreffenden Flotten der Spanier füllt / und für das die nackten Indianer erschlagen werden. / Dein Geist ist so tugendhaft, daß du, / wenn nicht Sappho, so doch die Königin von Saba hättest sein können. / Du hast dich aus dir selbst zu einer Schönheit entwickelt, / deren Rose und Lilie nicht verwelken wird. / Sie sitzt in der Seele, nicht im Gesicht – / denn dieser Garten ist ein Ort des Verwelkens. / In dir sind Seele und Leib / gleichermaßen edel, reich und schön. / Äußere und innere Grazie küssen sich in dir, / denn die Tugend ist allein deine Seligkeit. / Und das ist kein gestohlener oder geborgter Ruhm: / Dein Preis gehört ganz dir, er liegt in deinem Namen.

WILLIAM HABINGTON

*Against them who Lay Unchastity
to the Sex of Women*

They meet but with unwholesome springs,
And summers which infectious are:
They hear but when the mermaid sings,
And only see the falling star:
      Who ever dare 5
Affirm no woman chaste and fair.

Go, cure your fevers, and you'll say
The Dog-days scorch not all the year;
In copper mines no longer stay,
But travel to the west, and there 10
      The right ones see:
And grant all gold's not alchemy.

What madman, 'cause the glow-worm's flame
Is cold, swears there's no warmth in fire?
'Cause some make forfeit of their name 15
And slave themselves to man's desire,
      Shall the sex free
From guilt, damn'd to the bondage be?

Nor grieve, *Castara*, though 'twere frail,
Thy virtue then would brighter shine 20
When thy example should prevail
And every woman's faith be thine;
      And were there none:
'Tis majesty to rule alone.

WILLIAM HABINGTON

*Gegen diejenigen, die dem weiblichen Geschlecht
notorische Untreue zuschreiben*

Sie erleben nur ungesunde Frühlinge und Sommer, / die Ansteckung brüten; / sie hören nur, wenn Nixen singen, / und sehen nur den fallenden Stern – / die Leute, die zu behaupten wagen, keine Frau sei zugleich keusch und schön.

Geht und kuriert euer Fieber aus; und ihr werdet zugeben, / daß die Hundstage nicht das ganze Jahr über sengen. / Bleibt nicht länger in Kupferbergwerken, / nein, macht euch auf nach dem Westen und seht dort / den Abbau von richtigem Edelmetall – / und gesteht dann ein, daß nicht alles Gold bloß Alchimistenschwindel ist.

Welcher Narr wird deshalb, weil das Flämmchen des Glühwurms / kalt ist, schwören, daß Feuer keine Hitze enthält? / Weil ein paar ihren guten Namen in den Wind schlagen / und sich zu Sklavinnen der Gier der Männer machen, / soll das ganze schuldlose übrige Geschlecht / der gleichen Hörigkeit geziehen werden?

Drum sei nicht traurig, Castara! Selbst wenn das weibliche Geschlecht schwach wäre, / deine Tugend würde in dem Falle nur noch heller strahlen. / Wenn dein Vorbild sich durchsetzte / und deine Treue von allen anderen Frauen nachgelebt würde / – und selbst wenn es keine andere treue Frau gäbe: / Es ist wahre Majestät, allein zu herrschen.

Nox Nocti Indicat Scientiam

When I survey the bright
    Celestial sphere,
So rich with jewels hung, that night
Doth like an Ethiop bride appear,

My soul her wings doth spread
    And heaven-ward flies
Th'Almighty's mysteries to read
In the large volumes of the skies.

For the bright firmament
    Shoots forth no flame
So silent, but is eloquent
In speaking the Creator's name.

No unregarded star
    Contracts its light
Into so small a character,
Remov'd far from our human sight.

But if we steadfast look,
    We shall discern
In it as in some holy book,
How man may heavenly knowledge learn.

It tells the conqueror,
    That far-strech'd power
Which his proud dangers traffic for
Is but the triumph of an hour.

That from the farthest north
    Some nation may,
Yet undiscover'd, issue forth
And o'er his new-got conquest sway.

William Habington

Nox Nocti Indicat Scientiam

Wenn ich über die helle / Himmelssphäre hinblicke, / wie sie so reich mit Juwelen behangen ist, daß die Nacht / aussieht wie eine äthiopische Braut:

dann breitet meine Seele ihre Flügel aus / und fliegt zum Himmel auf, / um die Geheimnisse des Allmächtigen / in dem großen Buch des Firmaments zu lesen.

Denn keine der Flammen, / die das funkelnde Himmelszelt herabblitzen läßt, / ist so schweigsam, daß sie nicht beredt / den Namen des Schöpfers kündete.

Kein unbeachteter Stern / zieht sein Licht / in einen so kleinen Buchstaben / – weit der Sicht unserer menschlichen Augen entrückt – zusammen,

daß wir nicht, wenn wir ganz fest hinschauen, / wie in einem heiligen Buch / entdecken können, / auf welchem Weg der Mensch zu himmlischem Wissen gelangen kann.

Es erzählt dem Eroberer, / daß die weitreichende Macht, / nach der sein stolzer Wagemut strebt, / nur der Triumph einer Stunde ist;

daß vielleicht aus dem fernsten Norden / irgendein noch unentdecktes Volk / hervorkommen / und über seine neugewonnenen Eroberungen herrschen wird:

                Some nation yet shut in
                    With hills of ice
            May be let out to scourge his sin,
            'Till they shall equal him in vice.

                And then they likewise shall
                    Their ruin have,
            For as yourselves, your empires fall
            And every kingdom hath a grave.

                Thus those celestial fires,
                    Though seeming mute,
            The fallacies of our desires
            And all the pride of life confute.

                For they have watch'd since first
                    The world had birth:
            And found sin in itself accurst,
            And nothing permanent on earth.

ein Volk, das jetzt noch von Eisbergen / eingeschlossen ist, / wird vielleicht herkommen, um seine Sünden zu geißeln, / bis es ihm dann schließlich an Laster gleich wird.

Und dann werden sie selber / ihren Untergang finden. / Denn eure Imperien fallen wie ihr selbst / und jedes Königreich findet sein Grab.

So widerlegen die Himmelsfeuer, / ob sie gleich stumm erscheinen, / unser irrendes Verlangen / und den ganzen Hochmut des Lebens.

Denn sie haben Wache gehalten, seit die Welt / ihren Anfang nahm, / und gefunden, daß die Sünde ihren Fluch in sich selber trägt / und daß nichts auf der Erde Dauer hat.

SIR WILLIAM DAVENANT

*To the Queen Entertain'd at Night
by the Countess of Anglesey*

Fair as unshaded light, or as the day
In its first birth when all the year was May;
Sweet as the altar smoke, or as the new
Unfolded bud, swell'd by the early dew;
Smooth, as the face of waters first appear'd   5
Ere tides began to strive, or winds were heard;
Kind as the willing saints, and calmer far
Than in their sleeps forgiven hermits are:
You that are more than our discreter fear
Dares praise with such full art – what make you here?   10
Here where the summer is so little seen
That leaves (her cheapest wealth) scarce reach at green.
You come as if the silver planet were
Misled a while from her much injured sphere,
And, t'ease the travails of her beams tonight,   15
In this small lanthorn would contract her light.

*The Countess of Anglesey Led Captive
by the Rebels, at the Disforesting
of Pewsam*
(Song)

O wither will you lead the fair
    And spicy daughter of the Morn?
Those manacles of her soft hair
    Princes, though free, would fain have worn.

SIR WILLIAM DAVENANT

*An die Königin, als sie eines Nachts von der Gräfin
von Anglesey gastlich aufgenommen wurde*

Schön wie ungedämpftes Licht oder wie der Tag / in seiner ersten Geburt, als noch das ganze Jahr über Mai war; / süß wie der Weihrauch vom Altar oder wie die neue, / unerschlossene Knospe, die der Morgentau schwellen läßt; / ungetrübt wie die Wasserflächen am Anfang aussahen, / bevor die Gezeiten ihren Kampf begannen oder Winde sich vernehmen ließen; / mild wie die demütigen Heiligen und viel friedlicher / als die Einsiedler, denen ihre Sünden im Schlaf vergeben werden: / Du, die du mehr bist, als unsere scheue Zurückhaltung / mit so vollem Einsatz der Kunstmittel zu preisen wagt: Was machst du hier? / Hier, wo der Sommer sich so wenig zeigt, / daß die Blätter – sein billigster Reichtum – kaum Zeit haben, grün zu werden? / Du kommst, als ob Luna, der silberne Planet, / aus seiner arg bedrängten Sphäre sich einen kurzen Augenblick verirrt hätte / und – um von der Mühe seines Strahlens heute einmal auszuruhn – / sein Licht in diese kleine Laterne zusammendrängen wollte.

*Die Gräfin von Anglesey als Gefangene der Rebellen bei der
Verwüstung des Forstes von Pewsam
(Lied)*

O wo wollt ihr die schöne / und balsamisch duftende Tochter Auroras hinführen? / Fürsten, obwohl sie reichsfrei sind, / hätten es sich zur Ehre angerechnet, diese weichen Haarflechten als Fesseln zu tragen.

What is her crime? what has she done? 5
  Did she, by breaking, Beauty slay,
Or from his course mislead the Sun,
  So robb'd your harvest of a day?

Or did her voice, divinely clear!
  (Since lately in your forest bred) 10
Make all the trees dance after her
  And so your woods disforested?

Run, run! Pursue this gothic rout,
  Who rudely Love in bondage keep.
Sure all old lovers have the gout, 15
  The young are overwatch'd and sleep.

The Soldier Going to the Field

Preserve thy sighs, unthrifty girl,
  To purify the air;
Thy tears do thrid instead of pearl
  On bracelets of thy hair!

The trumpet makes the echo hoarse, 5
  And wakes the louder drum;
Expense of grief gains no remorse
  When sorrow should be dumb.

For I must go where lazy Peace
  Will hide her drowsy head, 10
And, for the sports of kings, increase
  The number of the dead.

But first I'll chide thy cruel theft:
  Can I in war delight

Was für ein Verbrechen hat sie begangen? Was hat sie verschuldet? / Hat sie durch ihr Heraufziehen die Schönheit erschlagen, / oder die Sonne von ihrer Bahn abgebracht / und damit eure Erntezeit um einen Tag verkürzt?

Oder hat ihre göttlich reine Stimme, / die bis vor kurzem in eurem Walde ihre Heimstatt hatte, / alle Bäume tanzend hinter sich hergezogen / und so eure Forsten verwüstet?

Lauft, lauft – verfolgt die barbarische Rotte, / die die Liebe selbst in roher Knechtschaft hinwegschleppt! / Fast scheint's, als ob alle alten Kavaliere die Gicht haben / und die jungen übermüdet sind und schlafen.

Der Soldat beim Auszug ins Feld

Spar deine Seufzer, verschwenderisches Mädchen, / und atme lieber die Luft damit rein! / Deine Tränen fädle anstelle von Perlen / auf Armbänder aus deinem Haar.

Die Trompete läßt das Echo heiser werden / und weckt die noch lautere Trommel. / Ein allzugroßer Aufwand an Kummer findet kein Mitleid / in einer Zeit, in der der Schmerz stumm sein muß.

Denn ich muß dahin gehen, wo der träge Friede / sein schläfriges Haupt verbirgt, / und muß, Königen zum Zeitvertreib, / die Zahl der Toten vermehren.

Doch zuvor will ich deinen grausamen Diebstahl schelten: / Kann mir denn der Krieg Spaß machen, mir, / dem du sein

> Who being of my heart bereft
>   Can have no heart to fight?
>
> Thou know'st, the sacred laws of old
>   Ordain'd a thief should pay,
> To quit him of his theft, sev'nfold
>   What he had stol'n away.

15

20

An Altar

> *Cupid*, unto thy altar and thy laws
> like those twin doves thy mother's chariot draws
> we have been bound, yet can our service find
>   no recompense. *Cupid*, wilt ne'er be kind?
>   shall we still kneel, still pray, yet be
>   as far to seek, as we'd ne'er pray'd to thee?
>   why didst thou kindle fires
>   in our once cold desires,
>   or being kindled, why
>   do they not sympathy?
>   what credit can accrew, still
>   erring god, to you by our
>   contrary sufferings? Make her then
>   love with that heat as maidens should
>   love men: and by thy mother's name, *Cupid*,
> I vow, each day I'll to thine honour'd altar
> bow, and pay a daily off'ring; then recover
> for pity's sake this cold platonic lover.

5

10

15

Herz geraubt hast / und der daher kein Herz zu wohlbeherztem Kampfe haben kann?

Du weißt: Die geheiligten Gesetze der alten Zeit / bestimmten, daß ein Dieb, / um seinen Diebstahl zu sühnen, siebenfach zurückzahlen mußte, / was er gestohlen hatte.

Ein Altar

Cupido, an deinen Altar und deine Gesetze / sind wir gebunden, wie das Taubenpaar, das deiner Mutter Wagen zieht, / und doch findet unser Gottesdienst für dich / keine Belohnung; Cupido, willst du niemals gnädig sein? / Sollen wir fort und fort knien und beten, und dennoch / so weit vom Ziele entfernt sein, als hätten wir niemals gefleht? / Warum entfachtest du Flammen / in unserem einst kalten Verlangen, / oder warum, da sie nun einmal entfacht sind, / finden sie keine Gegenliebe? / Welchen Ruhm, du ewig irrender Gott, / versprichst du dir von unserem / nothaften Leiden? O gib denn, / daß sie mich liebt mit der heißen Erwiderung, mit der Mädchen Männer lieben sollten. / Und bei dem Namen deiner Mutter / schwöre ich, Cupido, jeden Tag mich vor deinem ehrenvollen Altar / zu neigen und eine tägliche Opfergabe zu spenden. So stimme denn, / um deiner Barmherzigkeit willen, die kalte platonische Spröde um.

EDMUND WALLER

The Fall

See, how the willing earth gave way,
To take th'impression where she lay.
See, how the mould, as loth to leave
So sweet a burden, still doth cleave
Close to the nymph's stain'd garment. Here   5
The coming spring would first appear
And all this place with roses strow,
If busy feet would let them grow.
Here Venus smil'd to see blind chance
Itself before her son advance   10
And a fair image to present
Of what the boy so long had meant.
'Twas such a chance as this, made all
The world into this order fall.
Thus the first lovers on the clay,   15
Of which they were composed, lay;
So in their prime, with equal grace,
Met the first patterns of our race.
Then blush not, fair, or on him frown,
Or wonder how you both came down;   20
But touch him, and he'll tremble straight,
How could he then support your weight?
How could the youth, alas! but bend,
When his whole heaven upon him lean'd?
If aught by him amiss were done,   25
'Twas that he let you rise so soon.

EDMUND WALLER

Die zu Fall Gekommenen

Sieh, wie die Erde bereitwillig nachgab, / um den Abdruck zu empfangen, wo sie gelegen hat! / Sieh, wie die Erde – als täte es ihr leid, / von einer so süßen Last lassen zu müssen – noch immer fest / an dem befleckten Gewand der Nymphe klebt. Hier / wird sich der nächste Frühling zuerst einstellen; / und er möchte die ganze Stelle mit Rosen übersäen, / wenn die eifrigen Füße ⟨der hierher Pilgernden⟩ sie wachsen lassen. / Hier lächelte Venus, als sie sah, wie der blinde Zufall / ihrem Sohn zuvorkam / und ein getreues Bild von dem darbot, / was der Knabe ⟨Cupido⟩ schon so lange im Sinn gehabt hatte. / Es war genau so ein Zu-Fall, der die ganze / Welt in diese ihre heutige Ordnung fallen ließ: / So lag das erste Liebespaar auf dem Lehm, / aus dem es gemacht worden war; / so, in der gleichen anmutigen Stellung, / erkannten sich in ihrem Anbeginn die ersten Exemplare unseres Geschlechtes. / Darum erröte nicht, du Holde! Und zürne nicht ihm ⟨der mit dir hinfiel⟩, / und grüble nicht darüber nach, wie ihr beide zu Fall gekommen seid. / Nein, berühre ihn vielmehr, und er wird alsbald zu zittern anfangen. / Wie hätte er da dein Gewicht aufhalten können? / Was konnte der Jüngling tun, als, ach! niedersinken, / als sich sein ganzer Himmel auf ihn stützte? / Wenn er etwas falsch gemacht hat, / dann war es, daß er dich so bald wieder aufstehen ließ.

To a Fair Lady Playing with a Snake

Strange! That such horror and such grace
Should dwell together in one place;
A fury's arm, an angel's face!

'Tis innocence and youth which makes
In *Chloris'* fancy such mistakes: 5
To start at love, and play with snakes.

By this and by her coldness barr'd,
Her servants have a task too hard;
The tyrant has a double guard!

Thrice happy snake! That in her sleeve   10
May boldly creep; we dare not give
Our thoughts so unconfin'd a leave.

Contented in that nest of snow
He lies, as he his bliss did know,
And to the wood no more would go.   15

Take heed, fair Eve, you do not make
Another tempter of this snake:
A marble one so warm'd would speak.

To a Lady,
from whom he Received a Silver Pen

Madam, intending to have tried
The silver favour which you gave,
In ink the shining point I dyed,
And drench'd it in the sable wave;

Edmund Waller

An eine Schöne, die mit einer Schlange spielte

Seltsam, daß solcher Graus und solche Grazie / an einem Ort zusammen zu finden sind: / der Arm einer Furie und das Gesicht eines Engels!

Das, was in den Launen der *Chloris* solche Inkonsequenzen zuläßt, / ist die Unschuld und Jugend: / sie schreckt vor der Liebe zurück, aber sie spielt mit Schlangen.

Da sie durch dieses Tier und durch ihre Kälte zugleich abgewehrt werden, / haben ihre Verehrer eine schwere Aufgabe: / die Tyrannin hat eine doppelte Schildwache.

Dreimal glückliche Schlange! die dreist in ihren Ärmel schlüpfen darf. / Wir erlauben nicht einmal / unseren Gedanken eine so ungehemmte Freiheit.

Zufrieden liegt die Natter in dem Nest aus Schnee, / als ob sie sich der beseligenden Vergünstigung bewußt wäre / und nie mehr in den Wald zurückkehren wollte.

Nimm dich in acht, du schöne Eva, daß du nicht / aus dieser Schlange einen zweiten Versucher machst: / selbst eine Schlange aus Marmor müßte, würde sie so erwärmt, zu reden anfangen.

*An eine Dame,
von der er eine silberne Schreibfeder erhalten hatte*

Madame! in der Absicht, die silberne Gabe, / die von Euch kam, auszuprobieren, / färbte ich die glänzende Spitze mit Tinte / und tauchte sie in die dunkle Flut. / Da fing sie – aus

When, griev'd to be so foully stain'd,
On you it thus to me complain'd:

'Suppose you had deserv'd to take
From her fair hand so fair a boon,
Yet how deserved I to make
So ill a change, who ever won
Immortal praise for what I wrought
Instructed by her noble thought?

I, that expressed her commands
To mighty lords, and princely dames,
Always most welcome to their hands,
Proud that I would record their names, –
Must now be taught a humble style,
Some meaner beauty to beguile!'

So I, the wronged pen to please,
Make it my humble thanks express,
Unto your ladyship, in these:
And now 'tis forced to confess
That your great self did ne'er indite,
Nor that, to one more noble write.

Zorn darüber, daß sie so häßlich befleckt wurde – an, / sich folgendermaßen bei mir über Euch zu beklagen:

»Selbst einmal angenommen, daß du es verdientest, / eine so schöne Gunstbezeugung von ihrer schönen Hand zu erhalten – / womit habe ich es verdient, / einen so üblen Wechsel meines Geschickes erfahren zu müssen, ich, die ich doch stets / unsterblichen Ruhm gewonnen hatte für das, / was ich – von ihren edlen Gedanken geleitet – niederschrieb.

Ich, die ich ihre Befehle / an mächtige Lords und ihre Empfehlungen an fürstliche Damen ausdrückte / – und diese Schriftstücke waren den Händen der Adressaten stets willkommen, / waren sie doch stolz darauf, daß ich ihre Namen zu Papier gebracht hatte –, / ich muß nun einen niederen Stil lernen, / um irgendeine geringere Schöne zu verführen!«

So ließ ich, um der beleidigten Feder einen Gefallen zu tun, / sie meinen untertänigsten Dank / an Euere Gnaden ausdrücken in diesen Zeilen. / Und nun muß die Feder zugeben, / daß Ihr, große Dame, selbst niemals an jemand Edleren geschrieben habt / und daß sie selber auch nie für einen edleren Adressaten verwendet worden ist.

SIR RICHARD FANSHAWE

The Ruby

Hail! whom the diamonds proclaim their king,
Crowning as peers, as guards environing;
Hail! whom the rising sun where thou wert born
Invested in the purple of the morn
And his own beams; whilst thee my verse displays,   5
Thou swell'st at once and blushest at thy praise.

Like a Red Sea thy trembling mount of blood
Stands off i'th'air and threats a crimson flood
Over the golden banks, whilst our dimm'd sight
Mistakes for flowing waves thy floating light.   10

Or as in wine the subtle spirits move,
Making ev'n Temperance herself in love, –
So rolls thy fiery and bewitching eye,
Able to shake a vow of poverty.

But oh, how like my cruel fair thou art!   15
Thy panting stone is her obdurate heart
Pegg'd in with diamonds; or signifies
Her lip, severely guarded by her eyes.

SIR RICHARD FANSHAWE

Der Rubin

Heil dir, den die Diamanten als ihren König proklamieren, / indem sie dich krönen wie Pairs und um dich stehen wie Wachen! / Heil dir, den die aufgehende Sonne – in der du geboren wurdest – / mit dem Purpur des Morgens bekleidet hat / und mit ihren eigenen Strahlen! Während dich mein Lied prunkhaft beschreibt, / schwillst du zugleich vor Stolz und errötest über das Lob.

Wie ein Rotes Meer türmt sich dein flimmernder Berg von Blut / in die Luft und droht, sich als karmesinrote Flut / über die goldenen Ufer zu ergießen, während unsere Augen geblendet / dein flüssiges Licht für fließende Wellen halten.

Oder wie im Wein sich der flüchtige Weingeist bewegt, / so daß selbst die Enthaltsamkeit sich in ihn verliebt, / so rollt dein feuriges und betörendes Auge mit einer Verführungskunst, / die sogar ein Gelübde ewiger Armut erschüttern könnte.

Doch ach! wie ähnlich bist du meiner grausamen Schönen! / Dein pulsierender Stein ist ihr hartes Herz, / das ringsum mit Diamanten gespickt ist; oder er bedeutet / ihre Lippen, die streng bewacht werden von ihren Augen.

SIR JOHN SUCKLING

The Constant Lover

Honest lover whosoever,
If in all thy love there ever
Was one wav'ring thought, if thy flame
Were not still even, still the same:
        Know this, 5
        Thou lov'st amiss,
        And, to love true,
Thou must begin again and love anew.

If, when she appears i'th'room,
Thou dost not quake, and art struck dumb, 10
And in striving this to cover,
Dost not speak thy words twice over,
        Know this,
        Thou lov'st amiss,
        And, to love true, 15
Thou must begin again, and love anew.

If fondly thou dost not mistake,
And all defects for graces take,
Persuad'st thyself that jests are broken,
When she hath little or nothing spoken, 20
        Know this,
        Thou lov'st amiss,
        And, to love true,
Thou must begin again, and love anew.

If when thou appear'st to be within, 25
Thou lett'st not men ask and ask again;

SIR JOHN SUCKLING

Der ehrlich Liebende

Liebender, der du es ehrlich meinst, wer immer du bist – /
wenn in all deiner Liebe je / ein wankelmütiger Gedanke
war, wenn deine Flamme / nicht immer gleich und immer
dieselbe war, / dann merk dir: / Du liebst falsch; / und um
richtig und treu zu lieben, / mußt du von neuem anfangen
und noch einmal lieben.

Solange du, sobald sie ins Zimmer tritt, / nicht bebst und mit
Stummheit geschlagen bist, / und solange du dann nicht, um
dies zu verdecken, / alle deine Worte zweimal sagst, / merk
dir: / Du liebst falsch ...

Solange du nicht in deinem Wahn alles verdrehst / und alle
Mängel für Vorzüge hältst; / solange du dir nicht einredest,
daß Witziges gesagt worden ist, / wenn *sie* wenig oder nichts
gesagt hat, / merk dir: / Du liebst falsch ...

Wenn du dann – im Falle, daß du glaubst, in ihre Gunst
Eingang gefunden zu haben – / nicht die Leute fragen und

And when thou answer'st, if it be,
To what was ask'd thee, properly,
    Know this,
      Thou lov'st amiss, 30
     And, to love true,
Thou must begin again, and love anew.

If, when thy stomach calls to eat,
Thou cutt'st not fingers 'stead of meat,
And, with much gazing on her face 35
Dost not rise hungry from the place,
    Know this,
      Thou lov'st amiss,
     And, to love true,
Thou must begin again, and love anew. 40

If by this thou dost discover
That thou art no perfect lover,
And, desiring to love true,
Thou dost begin to love anew:
    Know this, 45
      Thou lov'st amiss,
     And, to love true,
Thou must begin again, and love anew.

Song: Why so Pale and Wan

Why so pale and wan, fond lover?
    Prithee, why so pale?
Will, when looking well can't move her,
    Looking ill prevail?
    Prithee, why so pale? 5

immer wieder fragen läßt, / und wenn deine Antworten auf das zutreffen, / was gefragt worden ist, / dann merk dir: / Du liebst falsch ...

Und wenn du nicht in der Stunde, da dein Magen nach Essen verlangt, / dir in die Finger anstatt in das Fleisch schneidest; / und wenn du dann nicht vor lauter Starren auf ihr Gesicht / hungrig von deinem Platz aufstehst, / dann merk dir: / Du liebst falsch ...

Wenn du aus diesen Zeilen entnehmen mußt, / daß du kein vollkommener Liebhaber bist; / und wenn du, in dem Wunsch, treu zu lieben, / von neuem mit deiner Liebe beginnst, / dann merk dir: / Du liebst falsch, / und um richtig und treu zu lieben, / mußt du von neuem beginnen und noch einmal lieben.

Lied: Warum so bleich und matt

Warum so bleich und matt, törichter Verliebter, / ich bitte dich, warum so bleich? /Wenn du sie mit deinem gesunden Aussehen nicht günstig stimmen konntest, / wird es dir dann damit gelingen, daß du schlecht aussiehst? / Ich bitte dich, warum so bleich?

Why so dull and mute, young sinner?
    Prithee, why so mute?
Will, when speaking well can't move her,
    Saying nothing do't?
    Prithee, why so mute?   10

Quit, quit, for shame; this will not move:
    This cannot take her.
If of herself she will not love,
    Nothing can make her:
    The devil take her!   15

The Siege of a Heart

'Tis now since I sat down before
    That foolish fort, a heart;
(Time strangely spent!) a year and more,
    And still I did my part:

Made my approaches, from her hand   5
    Unto her lip did rise,
And did already understand
    The language of her eyes.

Proceeded on with no less art,
    (My tongue was engineer;)   10
I thought to undermine the heart
    By whispering in the ear.

When this did nothing, I brought down
    Great cannon-oaths, and shot
A thousand thousand to the town,   15
    And still it yielded not.

Sir John Suckling

Warum so geistlos und wortkarg, junger Sünder, / warum in aller Welt so stumm? / Wenn geistreiche Unterhaltung sie nicht gewinnen kann, / wird das dann dadurch gelingen, daß du gar nichts sagst? / Warum dann in aller Welt so stumm?

Hör auf, schäm dich und hör auf! Das alles kann nichts einbringen, / das wird sie nicht erobern. / Wenn sie nicht von sich aus lieben will, / dann kann nichts sie dazu bringen – / dann soll sie der Teufel holen.

Belagerung eines Herzens

Seit ich mich vor diesem dummen Fort, einem Herzen, / zur Belagerung niedergelassen habe, ist / – unerklärlich verbrachte Zeit! – ein Jahr und mehr vergangen, / und ich habe diese ganze Zeit über das getan, was der einmal gewählten Rolle zukam:

Ich habe meine Attacken ⟨Annäherungsversuche, Komplimente⟩ gemacht, ich habe mich von ihrer Hand / bis zu ihren Lippen vor- oder hochgearbeitet / und konnte schon / die Sprache ihrer Augen verstehen.

Beim weiteren Vorkämpfen wandte ich nicht weniger taktisch meine Kriegslisten an / – meine Zunge war dabei mein Pionierbataillon –: / Ich plante, unter ihr Herz Minen zu legen, / indes ich ihr ins Ohr flüsterte.

Als das nichts half, feuerte ich / große Kanonensalven von Schwüren ab und schoß / Tausende davon in die Stadt – / und noch immer ergab sie sich nicht.

I then resolv'd to starve the place
    By cutting off all kisses,
Praying and gazing on her face,
    And all such little blisses.

To draw her out, and from her strength
    I drew all batteries in:
And brought myself to lie at length,
    As if no siege had been.

When I had done what man could do,
    And thought the place mine own,
The enemy lay quiet too,
    And smil'd at all was done.

I sent to know, from whence, and where
    These hopes and this relief?
A spy inform'd, Honour was there,
    And did command in chief.

'March, march,' quoth I, 'the word straight give,
    Let's lose no time, but leave her;
That giant upon air will live,
    And hold it out for ever.

To such a place our camp remove,
    As will no siege abide;
I hate a fool that starves her love,
    Only to feed her pride.'

Dann beschloß ich, die Feste auszuhungern, / indem ich allen Nachschub an Küssen, / Bitten und schmachtenden Blicken auf ihr Gesicht hin, / und alle solche kleinen Seligkeiten abriegelte.

Um sie aus ihrer festen Stellung herauszulocken und zum Kampf im Freien zu bringen, / zog ich alle meine Batterien ein / und zwang mich dazu, in weiter Entfernung Stellung zu beziehen, / damit es so aussähe, als finde gar keine Belagerung mehr statt.

Nachdem ich dann alles Menschenmögliche getan hatte / und glaubte, die Festung werde sich nun ergeben, / lag der Feind immer noch ebenso still da / und lächelte zu allem, was ich unternahm.

Ich sandte Kundschafter aus, um herauszubringen, woher und worin / sie denn diese Hoffnung und Unterstützung in ihrem Kampf beziehe? / Ein Spion berichtete, die Ehre sei dort / und habe das Oberkommando inne.

»Auf, auf!« rief ich, »gebt unverzüglich den Befehl zum Abmarsch! / Laßt uns keine Zeit mehr verlieren, sondern flugs abziehen; / denn *der* Riese kann von der Luft leben / und kann eine Belagerung auf ewig aushalten.

Verlegen wir das Lager an einen solchen Ort, / der keiner Belagerung standhält. / Ich hasse eine Närrin, die ihren Liebhaber zu Tode hungern läßt, / nur um ihren Stolz zu füttern.«

The Metamorphosis

The little boy, to show his might and power,
Turn'd Io to a cow, Narcissus to a flower;
Transform'd Apollo to a homely swain,
And Jove himself into a golden rain.
These shapes were tolerable, but, by the mass, 5
He's metamorphosed me into an ass.

A Farewell to Love

Well-shadow'd landscape, fare ye well:
How I have lov'd you, none can tell
      At least so well
   As he that now hates more
   Than e'er he lov'd before. 5

But, my dear nothings, take your leave,
No longer must you me deceive,
      Since I perceive
   All the deceit, and know
   Whence the mistake did grow. 10

As he, whose quicker eye doth trace
A false star shot to a mark'd place,
      Does run apace,
   And thinking it to catch,
   A jelly up doth snatch, 15

So our dull souls tasting delight
Far off, by sense and appetite,
      Think that is right
   And real good; when yet
   'Tis but the counterfeit. 20

Sir John Suckling

Die Metamorphose

Um seine Macht zu beweisen und seine Kraft, / verwandelte der kleine Knabe ⟨Amor⟩ Io in eine Kuh, Narziß in eine Blume. / Er verwandelte Apoll in einen schlichten Hirten, / und sogar Jupiter in einen goldenen Regen. / Diese Gestalten waren alle tragbar; aber, beim Sakrament! / – mich hat er in einen Esel verwandelt.

Abschied von der Liebe

Du trüb gewordne Landschaft, lebe wohl! / Wie sehr ich dich geliebt habe, kann keiner / nur entfernt so gut ermessen / wie der, der jetzt mehr haßt / als er je vorher liebte.

Meine teuren Nichtigkeiten, verabschiedet euch nun! / Nicht länger sollt ihr mich betrügen, / da ich doch jetzt / all die Täuschung sehe und weiß, / woher der Irrtum kam.

Wie einer, dessen scharfes Auge / einen falschen Stern an einem bestimmten Ort niederschießen sieht, / wenn er schnell dorthin läuft / und glaubt, ihn zu fangen, / nur eine gallertartige Substanz vorfindet,

so glauben unsere trägen Seelen, / wenn sie durch die Sinne und das Triebverlangen weit abseits liegende Wonnen genießen, / das sei das echte / und wirkliche Gute, obwohl es doch nur / eine Vorspiegelung davon ist.

O, how I glory now, that I
Have made this new discovery!
      Each wanton eye
  Inflam'd before: no more
  Will I increase that score.

If I gaze now, 'tis but to see
What manner of death's-head 'twill be
      When it is free
  From that fresh upper skin,
  The gazer's joy and sin.

The gum and glist'ning which with art
And studied method in each part
      Hangs down the heart,
  Looks just as if that day
  Snails there had crawl'd the hay.

The locks that curl'd o'er each ear be
Hang like two master worms to me
      That, as we see,
  Have tasted, to the rest,
  Two holes, where they lik'd best.

A quick corse, me-thinks, I spy
In every woman; and mine eye,
      At passing by,
  Checks, and is troubled, just
  As if it rose from dust.

They mortify, not heighten me:
These of my sins the glasses be:
      And here I see,
  How I have lov'd before,
  And so I love no more.

Sir John Suckling

Oh, wie glücklich bin ich nun, da ich / diese neue Entdeckung gemacht habe! / Jedes kokette Auge / entflammte mich vorher – nun will ich die Zahl derer, / die sich davon verführen lassen, nicht mehr vergrößern.

Wenn ich jetzt hinschaue, dann nur, um mir auszumalen, / welche Art von Totenkopf es geben wird, / wenn diese frische Gesichtshaut / – Freude und Sünde des verliebt Hinblickenden – / einmal weg sein wird.

Der Bernstein und Glitzerschmuck, der / mit in jedem Detail berechneter Methode und Künstlichkeit / auf das Herz hinunterhängt, / sieht aus, als ob gerade eben / Schnecken übers Heu gekrochen wären.

Die Locken, die sich über beiden Ohren kräuseln, / hängen für mich wie zwei besonders große Würmer herunter, / die – wie man sehen kann – / nebst allem anderen / zwei besonders große Löcher gefressen haben: / dort, wo es ihnen am besten schmeckte.

Mir ist, als ob ich in jedem Weibe / einen lebenden Leichnam sähe; und mein Auge stockt, / wenn es im Vorübergehen / hinschaut, und ist irritiert, / als ob es auf Staub geblickt hätte.

Ihr Anblick erhöht mich nicht, sondern er kränkt mich. / Denn die Frauen sind die Spiegel meiner Sünden, / und darin sehe ich, / was ich früher geliebt habe. / Und das veranlaßt mich, die Liebe aufzugeben.

That none Beguiled Be

That none beguiled be by Time's quick flowing,
Lovers have in their hearts a clock still going;
For though Time be nimble, his motions
      Are quicker
      And thicker 5
Where Love hath his notions:

Hope is the mainspring on which moves Desire,
And these do the less wheels, Fear, Joy, inspire.
The balance is Thought, evermore
      Clicking 10
      And striking,
And ne'er giving o'er.

Occasion's the hand which still's moving round,
Till by it the critical hour may be found,
And when that falls out, it will strike 15
      Kisses,
      Strange blisses,
And what you best like.

A Soldier

I am a man of war and might
And know thus much, that I can fight,
Whether I am i'th'wrong or right,
      Devoutly.

No woman under heaven I fear, 5
New oaths I can exactly swear,
And forty healths my brain can bear
      Most stoutly.

Sir John Suckling

Daß keiner durch den schnellen Fluß der Zeit

Daß keiner durch den schnellen Fluß der Zeit sich täuschen lasse, / haben die Liebenden in ihre Herzen eine Uhr eingebaut, die immer geht. / Denn wenn auch die Zeit leichtfüßig ist, so sind ihre Bewegungen ⟨ihr Mechanismus, ihre Zeiger⟩ / doch schneller / und kräftiger / dort, wo die Liebe die Ansichten bestimmt.

Hoffnung ist die Hauptfeder, die das Verlangen antreibt, / und von diesen beiden wird die Bewegung auf die kleinen Rädchen – Furcht und Freude – übertragen. / Die Unruh' ist das Denken, das immerfort / tickt / und schlägt / und niemals aufhört.

Gelegenheit ist der Zeiger, der ständig rund herumgeht, / bis sich mit seiner Hilfe die kritische Stunde einfindet. / Und wenn die kommt, dann schlägt es / Küsse / und seltsame Wonnen – / und das, was ihr am liebsten habt.

Ein Soldat

Ich bin ein Mann des Krieges und der Kraft, / und ich weiß nur eins: Ich kann fechten, / ob ich im Recht bin oder im Unrecht – / mit Hingabe fechten.

Ich fürchte kein Weib unter der Sonne, / ich kann neumodische Flüche richtig anwenden, / und mein Gehirn hält über vierzig Trinksprüche stand – / hält wacker stand.

> I cannot speak, but I can do
> As much as any of our crew;   10
> And if you doubt it, some of you
>   May prove it.
>
> I dare be bold thus much to say:
> If that my bullets do but play,
> You would be hurt so night and day,   15
>   Yet love me.

A Pedlar of Smallwares

> A Pedlar I am, that take great care
> And mickle pains for to sell smallware:
> I had need do so, when women do buy,
> That in smallwares trade so unwillingly.

LADY W.

> A looking-glass, wilt please you, madam, buy?   5
> A rare one 'tis indeed, for in it I
> Can show what all the world besides can't do,
> A face like to your own, so fair, so true.

LADY E.

> For you a girdle, madam; but I doubt me
> Nature hath order'd there's no waist about ye;   10
> Pray, therefore, be but pleas'd to search my pack,
> There's no ware that I have that you shall lack.

LADY E., LADY M.

> You, ladies, want you pins? If that you do,
> I've those will enter, and that stiffly, too:

Ich kann keine Worte machen, aber ich kann soviel leisten / wie irgendeiner aus unserer Mannschaft, / und wenn ihr's nicht glaubt, dann können ein paar von euch – / es erproben.

Ich erkühne mich, soviel zu sagen: / Wenn ich erst einmal meine Kugeln ins Spiel brächte, / dann würdet ihr bei Tag und bei Nacht getroffen werden – / und mich doch lieben.

Ein Hausierer in Kurzwaren

Ein Hausierer bin ich, der sich große Mühe gibt / und eine Riesenarbeit auf sich nimmt, um Kurzwaren zu verkaufen. / Ich muß mich schon so anstrengen, wenn die Frauen bei mir einkaufen, / denn sie haben ja ungern mit Kurzwaren geschäftlich zu tun.

LADY W.

Kauft einen Spiegel, Madame, wenn's gefällig ist! / Ein selten köstlicher ist's fürwahr, denn ich kann darin / etwas zeigen, was die ganze übrige Welt nicht aufzuweisen hat: / ein Gesicht, das ganz dem Euren gleicht – genauso schön ist und echt.

LADY E.

Für Euch einen Gürtel, Madame. Aber ich habe meine Befürchtungen: / Die Natur hat es so gefügt, daß Ihr keine Taille haben sollt ⟨nicht brachliegen sollt⟩. / Drum durchsucht bitte meinen Packen, wenn's gefällig ist. / Nichts von der Ware, die ich habe, soll Euch verwehrt sein.

LADY E., LADY M.

Ihr, meine Damen – braucht Ihr Nadeln? Wenn Ihr welche braucht – / ich habe welche, die sich leicht hineinstechen

It's time you choose, in troth, you will bemoan 15
Too late your tarrying, when my pack's once gone.

LADY B., LADY A.
As for you, ladies, there are those behind
Whose ware perchance may better take your mind:
One cannot please ye all; the pedlar will draw back,
And wish against himself, that you may have the knack. 20

lassen und dazu noch schön steif sind. / Es ist höchste Zeit, daß Ihr Euch entscheidet, bei meiner Treu! Ihr werdet Euer Zaudern beklagen, / wenn es zu spät ist – wenn mein Packen leergekauft sein wird.

LADY B., LADY A.

Was Euch beide betrifft, meine Damen, so kommen hinter mir noch andere, / deren Ware Euerer Laune vielleicht besser behagt; / man kann Euch ja nicht allen zu Gefallen sein. Der Hausierer zieht sich nun zurück / und wünscht, gegen sein eignes Interesse, daß Ihr den Trick herausfindet.

SIDNEY GODOLPHIN

*A Song by Sidney Godolphin, Esq.;
on Tom. Killigrew and Will. Murrey*

Tom and *Will* were shepherds twain,
    Who liv'd and lov'd together
Till fait *Pastora* cross'd the plain,
    Alack, why came she thither?
Pastora's fair and lovely locks
    Set both their hearts on fire.
Although they did divide their flocks,
    They had but one desire.

Tom came of a genteel race
    By father and by mother;
Will was noble, but alas,
    He was a younger brother.
Neither of them no huntsman was,
    No fisher, nor no fowler;
Tom was styl'd the prop'rer lad,
    But *Will* the better bowler.

Tom would drink her health and swear
    The nation could not want her;
Will would take her by the ear,
    And with his voice enchant her.
Tom was always in her sight
    And ne'er forgot his duty;
Will was witty and could write
    Sweet sonnets on her beauty.

Which of them she loved most,
    Or whether she lov'd either,

SIDNEY GODOLPHIN

*Ein Lied auf Tom. Killigrew und Will. Murrey
von Sidney Godolphin, Esq.*

Tom und Will waren zwei Schäfer, / die gemeinsam liebten und lebten, / bis die schöne Pastora über die Ebene kam – / o weh! warum kam sie herüber? /Pastoras schöne und liebliche Locken / entflammten beider Herzen. / Ob sie gleich ihre Herden getrennt hielten, / hatten sie doch beide das gleiche Verlangen.

Tom war ein Adelsproß / von Vater- und Muttersseite; / Will war auch von edler Geburt, aber ach! / er war ein jüngerer Bruder. / Keiner war ein Jäger, / Fischer oder Vogelfänger. / Tom wurde für den hübscheren Burschen erklärt, / aber Will konnte besser kegeln.

Tom trank auf ihre Gesundheit und schwor, / die Nation könne sie nicht entbehren; / Will versuchte sie durch die Ohren zu gewinnen / und mit seiner Stimme zu betören. / Tom war immer unter ihren Augen / und vergaß nie, ihr dienstbar zu sein; / Will war geistreich und konnte / süße Sonette auf ihre Schönheit schreiben.

Welchen von den beiden sie lieber hatte, / oder ob sie überhaupt einen liebte? – / man war der Ansicht, daß sie beide zu

'Twas thought they found it to their cost
  That she indeed lov'd neither;
And yet she was so sweet a she,
  So comely of behaviour,
That *Tom* thought he, and *Will* thought he,
  Was greatest in her favour.

Pastora was a beauteous lass
  Of a charming, sprightly nature,
Divinely gòod and kind she was,
  And smil'd on ev'ry creature.
Of favours she was provident,
  But yet not oversparing:
She gave no loose encouragement,
  Yet kept men from despairing.

Now flying Fame had made report
  Of fair *Pastora's* beauty,
That she must needs unto the Court
  There to perform her duty.
Unto the Court *Pastora's* gone
  (It were no Court without her);
The Queen herself, with all her train,
  Had none so fair about her.

Tom hung his dog, and flung away
  His sheep-hook and his wallet;
Will broke his pipes, and curst the day
  That e'er he made a ballet;
Their nine-pins and their bowls they broke,
  Their tunes were turn'd to tears –
'Tis time for me to make an end;
  Let them go shake their ears.

Sidney Godolphin

ihrem bitteren Nachteil erfahren mußten, / daß sie keinen von beiden liebte. / Und doch war sie ein so süßes Mädchen, / so artig im Benehmen, / daß Tom dachte, er – und daß Will dachte, er / sei der erste in ihrer Gunst.

Pastora war eine hübsche Maid / von bezaubernder Lebendigkeit; / von himmlischer Güte und Milde war sie, / und lächelte jedem zu. / Im Austeilen von Gunstbezeigungen war sie haushälterisch, / aber doch nicht zu sparsam. / Sie gab keine koketten Ermunterungen, / ließ aber die Männer auch nicht ganz verzweifeln.

Nun hat die überall herumfliegende Fama die Nachricht / von der Schönheit der reizenden Pastora so weit verbreitet, / daß sie unbedingt zu Hofe muß, / um dort ihre Aufwartung zu machen. / Zum Hofe ist Pastora also gegangen / – ohne sie war es gar kein echter Hof –: / selbst die Königin mit all ihrem Gefolge / hatte keine um sich, die so schön war.

Tom erhenkte seinen Hund und warf / Hirtenstab und -tasche von sich; / Will zerbrach seine Flöte und verfluchte den Tag, / an dem er zum erstenmal eine Ballade gedichtet hatte. / Sie zerbrachen ihre Kegel und Krocketgeräte, / ihre Melodien wurden zu Tränen. – / 's ist Zeit, daß ich Schluß mache: / Laßt sie gehn und mit den Ohren wackeln!

Hymn

Lord, when the wise men came from far,
Led to thy cradle by a star,
Then did the shepherds, too, rejoice,
Instructed by thy angel's voice:
Bless'd were the wisemen in their skill,
And shepherds in their harmless will.

Wisemen in tracing nature's laws
Ascend unto the highest cause,
Shepherds with humble fearfulness
Walk safely, though their light be less:
Though wisemen better know the way,
It seems no honest heart can stray.

There is no merit in the wise
But love, (the shepherds' sacrifice).
Wisemen, all ways of knowledge past,
To th'shepherds' wonder come at last:
To know can only wonder breed,
And not to know is wonder's seed.

A wiseman at the altar bows,
And offers up his studied vows,
And is received; may not the tears
Which spring, too, from a shepherd's fears,
And sighs upon his frailty spent,
Though not distinct, be eloquent?

'Tis true, the object sanctifies
All passions which within us rise;
But since no creature comprehends
The cause of causes, end of ends,
He who himself vouchsafes to know
Best pleases his creator so.

Sidney Godolphin

Hymne

Herr, als von fern die Weisen kamen, / zu deiner Krippe durch einen Stern geführt, / da jauchzten auch die Hirten alle / über das, was die Stimme deines Engels ihnen verkündet hatte. / Selig waren die Weisen in ihrer Weisheit, / und die Schäfer in ihrer harmlosen Einfalt.

Weise verfolgen die Naturgesetze / und steigen dabei bis zur letzten Ursache des Seins auf. / Schäfer gehen, obgleich sie geistig weniger erleuchtet sind, / in demütiger Gottesfurcht sicher ihren Weg. / Wenn auch die Weisen ein fundierteres Wissen von dem Weg haben, / so scheint es doch, daß gerade die redlich-einfältigen Herzen nicht in die Irre gehen können.

In den Weisen gibt es kein Verdienst / außer der Liebe – und das ist das, was auch die Hirten dargebracht haben. / Wenn die Weisen alle Wege des Wissens hinter sich gebracht haben, / dann kommen sie zuletzt zu dem Staunen, das die Hirten erfaßte. / Wissen kann nur zu staunender Verehrung führen, / und Nicht-wissen ist der Samen für das gleiche Staunen.

Ein Weiser verneigt sich am Altar / und bringt seine studierten Gebete dar / und wird erhört. Können nicht auch die Tränen, / die aus der Gottesfurcht eines Schäfers entspringen, / und die Seufzer, die er um seiner Schwachheit willen seufzt / – auch wenn sie nicht in Worte gekleidet werden –, Beredsamkeit haben?

's ist wahr: der Gegenstand heiligt / alle Gefühle, die in uns aufsteigen. / Aber da kein Geschöpf / die Ursache aller Ursachen, das Ziel aller Ziele erkennen kann, / gefällt der dem Schöpfer am besten, / der es für wert findet, sich selbst zu erkennen.

When then our sorrows we apply
To our own wants and poverty,
When we look up in all distress
And our own misery confess,
Sending both thanks and prayers above.　　　35
Then, though we do not know, we love.

Darum – wenn wir unsere Sorgen / auf unsere eigene Armseligkeit und Armut richten; / wenn wir in aller Not emporblicken / und unsere Hinfälligkeit eingestehen / mit Dank und Bitte nach oben – / dann, auch wenn wir kein Wissen haben und nicht weise sind, dann lieben wir.

WILLIAM CARTWRIGHT

A Valediction

Bid me not go where neither suns nor show'rs
    Do make or cherish flow'rs;
Where discontented things in sadness lie,
    And Nature grieves as I.
  When I am parted from those eyes 5
  From which my better day doth rise,
    Though some propitious pow'r
    Should plant me in a bow'r
Where among happy lovers I might see
    How showers and sun-beams bring 10
    One everlasting spring,
Nor would those fall, nor these shine forth to me:
  Nature herself to him is lost
  Who loses her he honours most.
Then, Fairest, to my parting view display 15
  Your graces all in one full day,
Whose blessed shapes I'll snatch and keep, till when
  I do return and view again:
So by this art Fancy shall Fortune cross,
And lovers live by thinking on their loss. 20

No Platonic Love

Tell me no more of minds embracing minds,
    And hearts exchang'd for hearts;
That spirits spirits meet as winds do winds,
    And mix their subtlest parts;

WILLIAM CARTWRIGHT

Ein Abschied

Heiß mich nicht dorthin gehen, wo weder Sonnenstrahlen noch Regenschauer / Blumen wachsen lassen oder lebend umhegen; / wo unzufriedene Dinge in tiefer Melancholie liegen / und die Natur trauert wie ich. / Wenn ich von diesen Augen, / aus denen mein besserer Tag hervorgeht, getrennt sein werde, / dann könnte mich eine wohlmeinende Macht / in einen Hain versetzen, / in dem ich, in der Gesellschaft von glücklichen Liebenden, sehen könnte, / wie Regenschauer und Sonnenstrahlen / einen immerwährenden Frühling bringen – / und doch würde der Regen nicht für mich fallen, die Sonne nicht für mich scheinen. / Für den, der die verliert, die er am meisten verehrt, / ist die Natur selber verloren. / Darum, Schönste, zeig mir beim Abschied / alle deine Reize in einem vollen Tag! / Diese gebenedeiten Formen will ich ergreifen und aufbewahren, bis / ich wiederkehre und sie erneut sehen darf. / Mit Hilfe dieses Kunstgriffs soll die Liebesfantasie Fortunas Walten durchkreuzen, / und zwei Liebende sollen davon leben, daß sie an das Verlorene denken.

Keine platonische Liebe

Sprich mir nicht mehr von Seelen, die Seelen umarmen, / und von Herzen, die gegen Herzen ausgetauscht werden; / davon, daß ein Geist dem anderen begegnet, so wie Winde sich mit Winden treffen, / und daß sie dann ihre edelsten Teile

That two unbodi'd essences may kiss,
And then, like angels, twist and feel one bliss.

I was that silly thing that once was wrought
    To practice this thin love;
I climb'd from sex to soul, from soul to thought;
    But thinking there to move,
Headlong I roll'd from thought to soul, and then
From soul I lighted at the sex again.

As some strict down-look'd men pretend to fast,
    Who yet in closets eat,
So lovers who profess their spirits taste
    Feed yet on grosser meat;
I know they boast they souls to souls convey:
How e'er they meet, the body is the way.

Come, I will undeceive thee: they that tread
    Those vain aerial ways
Are like young heirs and alchymists mislead
    To waste their wealth and days,
For searching thus to be for ever rich,
They only find a med'cine for the itch.

For a Young Lord to his Mistress, who had Taught him a Song

Taught from your artful strains, my fair,
I've only liv'd e'er since by air;
Whose sounds do make me wish I were
Either all voice, or else all ear.

ineinandermischen; / davon, daß zwei körperlose Wesenheiten sich küssen können / und dann, wie Engel, in eins verschmelzen und eine und dieselbe Seligkeit empfinden!

Ich war so ein törichtes Neutrum, das sich einmal darankriegen ließ, / diese dünne Art von Liebe zu praktizieren. / Ich stieg empor vom Trieb zur Seele, von der Seele zur reinen Geistigkeit. / Aber als ich noch dachte, / ich würde mich nun ganz in dieser Sphäre bewegen, purzelte ich kopfüber von der Geistigkeit zur Seele herunter und landete dann / von der Seele aus schnell wieder beim Trieb.

So wie manche Leute, die streng die Augen niederschlagen, vorgeben zu fasten, / und dann doch im stillen Kämmerlein Speise zu sich nehmen, / so leben Liebende, die beteuern, sie nährten sich nur von geistiger Kost, / doch von derberer Nahrung. / Ich weiß sicher, daß ihre Behauptung, sie ließen nur Seele sich mit Seele berühren, eine Aufschneiderei ist: / Wie immer ihr Verkehr miteinander aussieht, der Leib *ist* das vermittelnde Element.

Komm, ich will dir reinen Wein einschenken: Diejenigen, die / auf solch ätherischen Wegen wandeln, sind auf dem Holzweg, / wie junge Erben und Alchimisten; sie vergeuden / ihren Reichtum und ihre Zeit, / und damit, daß sie auf diese Art danach trachten, ewig reich zu sein, / finden sie nur eine Medizin für die Krätze.

*Für einen jungen Lord an seine Dame,
die ihn ein Lied gelehrt hatte*

Durch das Beispiel deiner kunstvollen Melodie belehrt, meine Schöne, / habe ich seither nur von der Luft gelebt; / diese Klänge lassen mich wünschen, ich wäre / entweder ganz Stimme oder ganz Ohr. / Wenn Seelen – so wie manche

    If souls, as some say, music be,
    I've learnt from you there's one in me;
    From you, whose accents make us know
    That sweeter spheres move here below;
    From you, whose limbs are so well met
    That we may swear your body's set:
    Whose parts are with such graces crown'd
    That th'are that music without sound.
    I had this love perhaps before,
    But you awak'd and made it more:
    As when a gentle ev'ning shower
    Calls forth, as adds, scent to the flower,
    Henceforth I'll think my breath is due
    No more to Nature, but to you.
    Sing I to pleasure then, or fame,
    I'll know no anthem but your name;
    This shall joy life, this sweeten death:
    You that have taught, may claim, my breath.

sagen – Musik sind, / dann habe ich durch dich gelernt, daß ich eine Seele in mir habe / – von dir gelernt, deren Gesang uns Gewißheit gibt, / daß reinere Sphären hier unten, wo wir leben, in Bewegung sind; / von dir, deren Glieder so vollkommen zusammenstimmen, / daß wir schwören möchten, dein Körper sei in Musik gesetzt. / Denn die einzelnen Körperteile ⟨Stimmen⟩ darin sind von solchem Liebreiz gekrönt, / daß in ihnen jene unhörbare Musik ⟨der Sphären⟩ Wirklichkeit zu werden scheint. / Ich hatte diese Liebe vielleicht schon vorher, / aber du erwecktest sie ⟨zum Bewußtsein⟩ und ließest sie wachsen, / wie wenn ein sanfter Abendregen / den Duft der Blüten sich entfalten und vermehren läßt. / In Zukunft will ich denken, daß ich meinen Atem / nicht mehr der Natur, sondern dir verdanke. / Gleich ob ich die Freude oder den Ruhm besinge / – ich werde hinfort keine andere Hymne kennen als deinen Namen. / Dieser soll das Leben mir mit Freude füllen und den Tod versüßen: / Du, die du mich atmen gelehrt hast, darfst meinen Atem als dein Eigentum zurückfordern.

RICHARD CRASHAW

The Flaming Heart:
Upon the Book and Picture of the Seraphical
Saint Teresa, as She is usually Expressed
with a Seraphim beside Her.

Well-meaning readers! you that come as friends,
And catch the precious name this piece pretends;
Make not too much haste to admire
That fair-cheek'd fallacy of fire.
That is a seraphim, they say,   5
And this the great Teresia.
Readers, be ruled by me; and make
Here a well-placed and wise mistake;
You must transpose the picture quite,
And spell it wrong to read it right;   10
Read him for her, and her for him,
And call the saint the seraphim.

Painter, what didst thou understand
To put her dart into his hand?
See, even the years and size of him   15
Shows this the mother-seraphim.
This is the mistress-flame; and duteous he
Her happy fire-works, here, comes down to see.
O most poor-spirited of men!
Had thy cold pencil kiss'd her pen,   20
Thou couldst not so unkindly err
To show us this faint shade of her.
Why, man, this speaks pure mortal frame;
And mocks with female frost Love's manly flame.
One would suspect thou meant'st to paint   25
Some weak, inferior woman-saint.

RICHARD CRASHAW

Das flammende Herz
Auf das Buch und das Bild der Seraphischen Heiligen Theresa, so wie sie gewöhnlich dargestellt wird, mit einem Seraph ihr zur Seite

Wohlmeinende Leser! ihr, die ihr als Freunde kommt / und den Namen vernehmt, der diesem Gedicht vorangestellt ist, / beeilt euch nicht zu sehr in eurer Bewunderung / dieser schönwangigen Phantasmagorie aus Feuer! / Dies ist ein Seraph, sagt man, / und dies die große Theresia. / Ihr Leser, hört auf mich und macht / hier absichtlich einen Fehler, der wohl angebracht und klug ist: / Ihr müßt das Bild ganz umdeuten / und falsch entschlüsseln, um es richtig zu lesen. / Lest *ihn* für *sie* und *sie* für *ihn*, / und nennt die Heilige den Seraphim.

Maler, was hast du gemeint, / als du ihren Pfeil in seine Hand legtest? / Siehe, selbst sein Alter und seine Größe / beweisen, daß *sie* der Mutter-Seraph ist. / *Sie* ist die Meisterflamme der Liebe, und *er* kommt pflichtschuldigst herab, / um hier Zeuge ihres gebenedeiten Feuerwerkes zu werden. / O du begeisterungsärmster unter den Menschen! / Hätte dein kalter Pinsel ihre Schreibfeder geküßt, / dann hättest du nicht so unseligem Irrtum verfallen können, / uns diesen schwachen Schatten an ihrer Statt zu zeigen. / Denn siehst du, Mann: Dies Bild stellt einen rein sterblichen Leib dar / und spottet mit weiblichem Frost der männlichen Liebesflamme; / man möchte meinen, du wolltest / irgendeine schwache, niedere Heilige malen. / Hätte dein bleichwangiger Purpur /

But had thy pale-fac'd purple took
Fire from the burning cheeks of that bright book,
Thou wouldst on her have heap'd up all
That could be found seraphical;   30
Whate'er this youth of fire wears fair,
Rosy fingers, radiant hair,
Glowing cheeks and glist'ring wings,
All those fair and fragrant things,
But before all, that fiery dart   35
Had fill'd the hand of this great heart.

Do then as equal right requires;
Since his the blushes be, and her's the fires,
Resume and rectify thy rude design;
Undress thy seraph into mine;   40
Redeem this injury of thy art,
Give him the veil, give her the dart.
Give him the veil, that he may cover
The red cheeks of a rivall'd lover;
Asham'd that our world now can show   45
Nests of new seraphims her below.

Give her the dart, for it is she
(Fair youth) shoots both thy shaft and thee;
Say, all ye wise and well-pierc'd hearts
That live and die amidst her darts,   50
What is't your tasteful spirits do prove
In that rare life of her, and Love?
Say, and bear witness. Sends she not
A seraphim at every shot?
What magazins of immortal arms there shine!   55
Heaven's great artillery in each love-spun line.
Give then the dart to her who gives the flame;
Give him the veil, who gives the shame.

Feuer gefangen an den brennenden Wangen dieses leuchtenden Buches, / dann hättest du auf sie alles gehäuft, / was du an Engelhaftem finden konntest: / Alles, was dieser Feuerjüngling an Schönheit an sich hat / – rosige Finger, glänzendes Haar, / glühende Wangen und schimmernde Flügel – / all diese hellen und duftenden Dinge. / Aber vor allem hätte der feurige Pfeil / die Hand dieses großen Herzens gefüllt.

Mach also den Ausgleich, den die Gerechtigkeit fordert: / Da *ihm* das Erröten zukommt und *ihr* das Feuer, / nimm deinen groben Entwurf wieder auf und korrigiere ihn. / Entkleide *deinen* Seraph, um *meinen* zu bekleiden. / Mach den Fehltritt deiner Kunst wieder gut: / Gib *ihm* den Schleier, gib *ihr* den Pfeil! / Gib ihm den Schleier, damit er / die roten Wangen eines Liebenden bedecken kann, der seinen Rivalen gefunden hat / und der beschämt ist, daß unsere Welt / nun Nester von neuen Engeln hier unten aufzuweisen hat.

Gib ihr den Pfeil, denn sie ist es, / schöner Jüngling, die zugleich deinen Schaft verschießt und dich erschießt. / Sagt, all ihr klugen, wohl-durchbohrten Herzen, die ihr unter ihren Pfeilen lebt und sterbt: / Was ist es, das euer feinschmeckender Geist / in dieser kostbaren Vita und in der Liebe schmeckt? / Sagt und bezeugt: Versendet sie nicht / mit jedem Pfeilschuß einen Seraph? / Welche Rüstkammern unsterblicher Waffen leuchten da auf: / Des Himmels große Artillerie in jeder neugesponnenen Zeile! / Gib denn den Pfeil ihr, die die Flamme gibt; / gib den Schleier ihm, der dem bisherigen Bild den Makel gibt.

But if it be the frequent fate
Of worst faults to be fortunate;
If all's prescription; and proud wrong
Hearkens not to a humble song;
For all the gallantry of him,
Give me the suff'ring seraphim.
His be the brav'ry of all those bright things,
The glowing cheeks, the glist'ring wings;
The rosy hand, the radiant dart;
Leave her alone the flaming heart.

Leave her that; and thou shalt leave her
Not one loose shaft, but Love's whole quiver;
For in Love's field was never found
A nobler weapon than a wound.
Love's passives are his activ'st part:
The wounded is the wounding heart.
O heart! the equal poise of Love's both parts,
Big alike with wound and darts.
Live in these conquering leaves; live all the same;
And walk through all tongues one triumphant flame.
Live here, great heart; and love, and die, and kill;
And bleed, and wound; and yield and conquer still.
Let this immortal life, where'er it comes,
Walk in a crowd of loves and martyrdoms.
Let mystic deaths wait on't; and wise souls be
The love-slain witnesses of this life of thee.

O sweet incendiary! show here thy art,
Upon this carcass of a hard, cold heart;
Let all thy scatter'd shafts of light, that play
Among the leaves of thy large book of day,
Combin'd against this breast at once break in
And take away from me myself and sin;
This gracious robbery shall thy bounty be,
And my best fortunes such fair spoils of me.

Doch wenn es das häufige Schicksal / schlimmster Fehler ist,
daß sie glückliche Folgen zeitigen; / wenn alles vorherbestimmt
ist; und wenn das stolze Verharren im Unrecht /
nicht auf ein demütiges Lied hört: / dann gib mir – trotz
allem strahlenden Glanz, den er hat –, / gib mir den verzückt
leidenden Seraphim! / Gib *ihm* das Gepränge all jener
funkelnden Dinge / – die glühenden Wangen, die schimmernden
Flügel, / die rosige Hand, den strahlenden Pfeil – /
und laß *ihr* einzig das flammende Herz!

Das laß ihr! und du wirst ihr damit nicht einen einzelnen
losen Pfeil lassen, / sondern den ganzen vollen Köcher des
Liebesgottes. / Denn auf dem Schlachtfeld der Liebe hat es
nie / eine edlere Waffe gegeben als eine Wunde. / Die passiven
Teile der Liebe sind ihre aktivsten; / das verwundete ist
das verwundende Herz. / O Herz, in dem die beiden Hälften
der Liebe ins Gleichgewicht kommen, / voll zugleich
von Wunden und Pfeilen! / Lebe in diesen überwältigenden
Blättern ⟨von St. Theresas *Vita*⟩! Lebe, dem Tod zum
Trotz, / und geh durch alle Sprachen als triumphale
Flamme! / Lebe hier, großes Herz, und liebe, und stirb, und
töte; / und blute und verwunde; und ergib dich und erobre
immer weiter! / Laß dies unsterbliche Leben, wo immer es
sich einstellt, / in einer Vielzahl von Liebesekstasen und
Martyrien einhergehen! / Laß mystische Tode deinem ewigen
Leben aufwarten und wissende Seelen / zu von der Liebe
hingerafften Zeugen dieses unsterblichen Lebens werden!

O süße Brandstifterin! zeig deine Kunst hier, / an diesem
Leichnam eines harten, kalten Herzens! / Laß all deine verstreuten
Lichtstrahlen, / die zwischen den Blättern deines
großen, aus Tageshelle bestehenden Buches spielen, / vereint
und auf einmal gegen diese Brust anrennen / und mein
Selbst und meine Sünde von mir nehmen! / Dieser gnadenvolle
Raub sei deine Wohltat, / und so herrliche Plünderungen
an mir werden mein größtes Glück sein. / O unverzagte

O thou undaunted daughter of desires!
By all thy dower of lights and fires;
By all the eagle in thee, all the dove; 95
By all thy lives and deaths of love;
By thy large draughts of intellectual day,
And by thy thirsts of love more large than they;
By all thy brim-fill'd bowls of fierce desire,
By thy last morning's draught of liquid fire; 100
By the full kingdom of that final kiss
That seiz'd thy parting soul, and seal'd thee His;
By all the Heaven thou hast in Him
(Fair sister of the seraphim!)
By all of Him we have in thee; 105
Leave nothing of myself in me.
Let me so read thy life, that I
Unto all life of mine may die.

In the Glorious Assumption of Our Blessed Lady.
The Hymn.

Hark! she is call'd, the parting hour is come;
Take thy farewell, poor World, Heaven must go home.
A piece of heavenly earth, purer and brighter
Than the chast stars whose choice lamps come to light her,
Whilst through the crystal orbs clearer than they 5
She climbs, and makes a far more Milky Way.
She's call'd! Hark, how the dear immortal Dove
Sighs to His silver mate: "Rise up, my love!
Rise up, my fair, my spotless one!
The winter's past, the rain is gone: 10
The spring is come, the flowers appear,
No sweets (save thou) are wanting here.
        Come away, my love!
        Come away, my dove!

Tochter des Verlangens! / Bei all deiner Mitgift an Licht und Feuer; / bei all dem, was Adler in dir ist und Taube; / bei all deiner Vielzahl von Leben und Toden aus Liebe; / bei den vollen Zügen geistigen Tags, die du schlürfst, / und bei dem Liebesdurst, der immer noch größer ist als sie; / bei all den randvollen Schalen wilden Verlangens; / bei deinem letzten Morgentrunk aus flüssigem Feuer; / beim vollen Königreich des letzten Kusses, / der deine abscheidende Seele erfaßte und dich als seine Braut besiegelte; / bei all dem Himmel, den du in ihm hast / – du schöne Schwester der Seraphim! –; / bei allem Anteil an ihm, den wir in dir haben: / Laß nichts von mir selber in mir übrig! / Laß mich dein Leben so lesen, daß ich / all meinem eignen Leben absterbe.

*Auf die glorreiche Himmelfahrt Unserer Lieben Frau
(Hymne)*

Horch! Sie wird gerufen, die Abschiedsstunde ist da. / Bereite dich zum Abschied, arme Welt! Der Himmel muß heimkehren. / Ein Stück himmlischer Erde, reiner und heller / als die keuschen Gestirne, deren erlesene Lampen entgegenkommen, um ihr zu leuchten, / dieweil sie durch die kristallnen Sternenkreise, die sie an Helle überstrahlt, / emporsteigt und eine weitaus weißere Milchstraße zieht als sie. / Sie wird gerufen. Horch, wie die teure unsterbliche Taube / ihrem silbernen Gespons zuseufzt: »Steig empor, mein Lieb! / Steige auf, meine Schöne und Unbefleckte! / Der Winter ist vorbei, der Regen hat aufgehört. / Der Lenz ist da, die Blumen sprießen hervor: / keine Köstlichkeit fehlt mehr außer Dir. / Herbei, mein Lieb! / Herbei, meine

                    Cast off delay;   15
              The court of Heaven is come
                 To wait upon thee home;
                    Come, come away.
The flowers appear,
Or quickly would, wert thou once here.   20
The spring is come, or if it stay
'Tis to keep time with thy delay.
The rain is gone, except so much as we
Detain in needful tears to weep the want of thee.
                    The winter's past,   25
                 Or if he make less haste,
His answer is: Why, she does so;
If summer come not, how can winter go?
                    Come away, come away!
The shrill winds chide, the waters weep thy stay;   30
The fountains murmur, and each loftiest tree
Bows low'st his heavy top, to look for thee.
                    Come away, my love!
                    Come away, my dove! etc."
She's call'd again. And will she go?   35
When Heaven bids come, who can say no?
Heaven calls her, and she must away,
Heaven will not, and she cannot stay.
Go then; go, glorious on the golden wings
Of the bright youth of heaven, that sings   40
Under so sweet a burthen. Go,
Since thy dread Son will have it so:
And while thou go'st, our song and we
Will, as we may, reach after thee.
Hail, holy queen of humble hearts!   45
We in thy praise will have our parts.
              Thy precious name shall be
                 Thyself to us; and we
              With holy care will keep it by us;
                 We to the last   50

Taube! / Laß alles Zaudern hinter Dir. / Des Himmels Hofstaat ist da, / um Dich heimzugeleiten; / herbei, herbei! / Die Blumen sprießen hervor / oder würden es schnell tun, wärest Du erst hier. / Der Frühling ist da, oder wenn er säumt, / so tut er es, um mit Deinem Säumen Schritt zu halten. / Der Regen hat aufgehört bis auf soviel, wie wir / zurückhalten, um genug Tränen zu haben, Deine Abwesenheit zu beweinen. / Der Winter ist vorüber, / oder wenn er noch säumt, / so ist seine Begründung dafür: Sie tut ein Gleiches; / wenn der Sommer nicht kommt, wie kann da der Winter gehn? / Herbei, herbei! / Die schrillen Winde schelten, die Wasser weinen über Dein Verweilen. / Die Quellen murren raunend, und jeder hochragendste Baum / neigt zutiefst seinen schweren Wipfel, um nach Dir Ausschau zu halten. / Herbei, mein Lieb! / Herbei, meine Taube! usw.«
Noch einmal ruft's. Und wird sie aufbrechen? / Wenn der Himmel zum Kommen einlädt, wer kann da nein sagen? / Der Himmel ruft, und sie muß hinweg. / Der Himmel erlaubt ihr Bleiben nicht, und so kann sie nicht bleiben. / Geh denn! Laß Dich emportragen, Glorreiche, auf den goldenen Flügeln / des strahlenden Himmelsjünglings, der singt / unter so süßer Last. Geh, / da Dein erhabener Sohn es so will. / Und während Du gehst, will unser Lied und wollen wir, / so gut wir können, zu Dir emporstreben. / Heil Dir, heilige Königin über demütige Herzen! / Wir wollen unsern Teil zu Deinem Preis beitragen. / Dein kostbarer Name soll / für uns an Deine Stelle treten, und wir / wollen ihn mit heiliger Sorgfalt bei uns bewahren. / Bis zum letzten Atemzug / wol-

>   Will hold it fast,
>   And no Assumption shall deny us.
>   All the sweetest showers
>   Of our fairest flowers
>   Will we strow upon it.   55
>   Though our sweets cannot make
>   It sweeter, they can take
>   Themselves new sweetness from it.
> MARIA, men and angels sing,
> MARIA, mother of our King.   60
> Live rosy princess, live! and may the bright
> Crown of a most incomparable light
> Embrace thy radiant brows. O may the best
> Of everlasting joys bathe thy white breast.
> Live, our chaste love, the holy mirth   65
> Of heaven; the humble pride of Earth.
> Live, crown of women; queen of men;
> Live, mistress of our song. And when
> Our weak desires have done their best,
> Sweet angels come, and sing the rest.   70

Death's Lecture and the Funeral of a Young Gentleman

Dear relics of a dislodg'd soul, whose lack
Makes many a mourning paper put on black!
O stay awhile, ere thou draw in thy head,
And wind thyself up close in thy cold bed.
Stay but a little while, until I call   5
A summons worthy of thy funeral.
Come then, Youth, Beauty, and Blood, all ye soft powers,
Whose silken flatteries swell a few fond hours
Into a false eternity. Come man;
Hyperbolised nothing! know thy span!   10
Take thine own measure here, down, down, and bow

len wir ihn festhalten, / und davon soll uns keine Himmelfahrt abbringen. / All die süßesten Schauer / unserer schönsten Blüten / wollen wir auf ihn streuen. / Wenn unsere süßesten Gaben ihn auch nicht / süßer machen können, als er ist, so können sie doch / selber neue Süße von ihm annehmen. / Maria, Menschen und Engel singen; / Maria, Mutter unseres Königs.
Lebe, rosige Fürstin, lebe! Und möge die helle / Krone eines höchst unvergleichlichen Lichtes / Deine strahlende Stirn umspannen! O möge die höchste / der ewigen Freuden Deine weiße Brust baden! / Lebe, unsere keusche Geliebte, als heilige Freude / des Himmels; als demütiger Stolz der Erde! / Lebe, Krone der Frauen; Königin der Menschen! / Lebe als Herrin über unser Lied! Und wenn / unsere schwachen Wünsche ihr Bestes getan haben, / dann kommt ihr, süße Engel, und singt den Rest!

*Die Lektion des Todes
und das Begräbnis eines jungen Edelmannes*

Du teurer Rest einer Seele, die davongezogen ist und deren Fortgang und Verlust / manches trauernde Papier sich mit Schwarz bedecken läßt! / O bleib noch eine Weile, bevor du dein Haupt einfallen läßt / und dich eng in dein kaltes Bett einschließt! / Bleib noch ein kleines Weilchen, bis ich eine Versammlung einberufen habe, / die deines Begräbnisses wert ist! / Kommt denn herbei, Jugend, Schönheit und adliges Blut – ihr sanften Mächte alle, / deren seidige Schmeicheleien ein paar eitle Stunden / zu einer falschen Ewigkeit aufblasen! Komm, Mensch, / du zur Hyperbel aufgeblähtes Nichts! und erkenne die dir zugemessene Zeitspanne! / Hier nimm dein eignes Maß – hinunter, hinunter, und beuge dich /

Before thyself in thine idea; thou
Huge emptiness! contract thy bulk; and shrink
All thy wild circle to a point. O sink
Lower and lower yet; till thy small size   15
Call Heaven to look on thee with narrow eyes.
Lesser and lesser yet; till thou begin
To show a face, fit to confess thy kin,
Thy neighbourhood to Nothing!
Proud looks and lofty eyelids, here put on   20
Yourselves in your unfeign'd reflection;
Here, gallant ladies! this unpartial glass
(Through all your painting) shows you your true face.
These death-seal'd lips are they dare give the lie
To the loud boasts of poor Mortality;   25
These curtain'd windows, this retired eye
Out-stares the lids of large-look'd Tyranny:
This posture is the brave one; this that lies
Thus low, stands up (methinks) thus, and defies
The World! All-daring dust and ashes! only you   30
Of all interpreters read Nature true.

To Pontius Washing his Blood-Stained Hands

Is murder no sin? or a sin so cheap,
              That thou need'st heep
A rape upon't? Till thy adult'rous touch
   Taught her these sullied cheeks, this blubber'd face,
She was a nymph, the meadows knew none such,   5
   Of honest parentage, of unstain'd race;
The daughter of a fair and well-fam'd fountain,
As ever silver-tipp'd the side of shady mountain.

vor der Idee deiner selbst! Du / ungeheure Hohlheit! zieh dein Volumen zusammen und schrumpfe / deinen ungeordneten Lebenskreis zu einem Punkte ein! O sinke / tiefer und immer noch tiefer! bis der Himmel ob deiner Magerkeit / die Augen zusammenkneifen muß, wenn er dich prüfend anschaut. / Immer noch geringer und kleiner! bis du anfängst, / ein Gesicht zu zeigen, das deine Sippe und Art erkennen läßt: / deine nahe Nachbarschaft zum Nichts! / Stolze Blicke und sanfte Lider, hier seht / euch an in eurem unverstellten Spiegelbild! / Hier, schöne Damen! – Dieser unparteiische Spiegel / zeigt euch – durch all eure Schminke hindurch – euer wahres Gesicht. / Diese vom Tod versiegelten Lippen wagen es, / all die lauten Prahlereien der armseligen Sterblichkeit Lügen zu strafen. / Diese verhängten Fenster, diese eingesunkenen Augen, / starren fürchterlicher als die Blicke aus den weitgeöffneten Augen der Tyrannei. / Diese Haltung ist die kühnste: dies da, / das so arm daniederliegt, seh ich sich erheben und / die ganze Welt herausfordern. O Staub und Asche, der du allem trotzest! / Du allein unter allen Auslegern kannst den wahren Sinn der Natur deuten.

*An Pontius Pilatus,
als er seine blutbefleckten Hände wäscht*

Ist Mord keine Sünde? Oder eine so billige Sünde, / daß du noch eine Vergewaltigung daraufhäufen mußt? / Bevor deine unzüchtige Berührung / sie diese befleckten Wangen, dies besudelte Gesicht lehrte, / war sie ⟨d. h. die Quelle, aus der das Wasser kommt⟩ eine Nymphe – die Fluren kannten nicht ihresgleichen – / von ehrbarer Herkunft, untadeliger Art: / die Tochter einer so schönen, gut beleumundeten Quelle, / wie sie nur immer die Flanke eines Waldgebirges mit Silber verziert hat.

See how she weeps, and weeps, that she appears
                    Nothing but tears;   10
Each drop's a tear that weeps for her own waste.
   Hark how at every touch she does complain her!
Hark how she bids her frighted drops make haste,
   And with sad murmurs chides the hands that stain her!
Leave, leave, for shame, or else, good judge, decree   15
What water shall wash this, when this hath washed thee.

Easter Day

Rise, heir of fresh Eternity,
        From thy virgin tomb!
Rise, mighty man of wonders, and all thy world with thee.
    Thy tomb, the universal East,
        Nature's new womb,   5
    Thy tomb, fair Immortality's perfumed nest.

Of all the glories make noon gay,
        This is the morn;
This rock buds forth the fountain of the streams of Day:
    In joy's white annals live this hour   10
        When life was born;
No cloud scowl on his radiant lids, no tempest lour.

Life by this light's nativity
        All creatures have;
Death only by this day's just doom is forc'd to die;   15
    Nor is Death forc'd; for may he lie
        Thron'd in thy grave,
Death will on this condition be content to die.

Sieh, wie sie weint und weint, so daß sie / nichts als Tränen zu sein scheint. / Jeder Tropfen ist eine Träne, die ihre eigene Verwüstung beweint. / Horch, wie sie über jede Berührung klagt; / horch, wie sie ihre erschreckten Tropfen zur Eile mahnt / und mit traurigem Murmeln die Hände schilt, die sie beflecken! / Halt ein, halt ein! und schäme dich! Oder – da du ein so trefflicher Richter bist – entscheide; / welches Wasser soll dies Wasser reinwaschen, wenn es dich reingewaschen hat?

Ostertag

Erhebe dich, Erbe neuer Ewigkeit, / aus deinem jungfräulichen Grab! / Erhebe dich, mächtiger Wundermann, und mit dir erstehe deine ganze Welt! / Dein Grab, der Osten für das Universum, / der neue Schoß für die Natur; / dein Grab, das duftende Nest für die schöne Unsterblichkeit.

Mach den hohen Mittag mit all deiner Glorie froh, / dies ist der Morgen. / Dies Felsengrab knospt die Quellen der Ströme des Tages hervor. / In den weißen Annalen der Freude möge diese Stunde fortleben, / da das Leben geboren ward; / keine Wolke verfinstere den Blick aus seinen strahlenden Lidern, kein Sturm möge düster drohen!

Durch die Geburt dieses Lichtes haben / alle Geschöpfe Leben. / Nur der Tod ist durch das gerechte Urteil dieses Tages zum Sterben gezwungen; / aber auch das ist kein harter Zwang; denn wenn er / in deinem Grabe thronend liegen darf, / so wird der Tod ob dieser Bedingung gerne sterben.

JAMES GRAHAME, MARCHESS OF MONTROSE

His Metrical Vow

Great, Good, and Just, could I but rate
My grief to thy too rigid fate!
I'd weep the world to such a strain
As it would once deluge again.
But since thy loud-tongu'd blood demands supplies   5
More from *Briareus'* hands than *Argus'* eyes,
I'll turn thy elegies to trumpet-sounds,
And write thy epitaph in blood and wounds!

In Praise of Woman

When Heav'n's great Jove had made the world's round
                                   frame:
Earth, water, air, and fire; above the same
The rolling orbs, the planets, spheres, and all
The lesser creatures in the earth's vast ball:
But, as a curious alchimist still draws   5
From grosser metals finer, and from those
Extracts another, and from that again
Another that doth far excell the same,
So fram'd he Man of elements combin'd
T'excel that substance whence he was refin'd.   10
But that poor creature drawn from his breast
Excelleth him, as he excell'd the rest,
Or as a stubborn stalk, whereon there grows
A dainty lilly or a fragrant rose:
The stalk may boast and set its virtues forth,   15
But take away the flow'r, where is its worth?

JAMES GRAHAME, MARCHESS OF MONTROSE

Sein Gelübde in Versen

Du Großer, Guter und Gerechter! Könnte ich doch nur / meinen Schmerz deinem allzuharten Schicksal gleich machen! / Dann würde ich die Welt mit einem solchen Klagelied vollweinen, / daß sie von einer zweiten Sintflut ertränkt würde. / Und da dein Blut mit lauten Zungen nach mehr Blut schreit, / und zwar eher von Briareus' Händen als von Argus' Augen –, / will ich die Elegien auf deinen Tod in Trompetenklang uminstrumentieren / und dein Epitaph in Wunden und Blut aufschreiben.

Zum Lobe der Frau

Als der große Jupiter im Himmel den runden Weltenbau vollendet hatte / – Erde, Wasser, Luft und Feuer; darüber / die sich drehenden Kreise: die Planeten und Sphären, und alle / niederen Geschöpfe auf dem weiten Erdenball –, / da schuf er – wie ein wißbegieriger Alchimist / aus gröberen Metallen immer feinere auszieht und aus diesen / immer noch ein feineres und aus dem dann / noch eines, das das vorige weit übertrifft – / da schuf er den Menschen aus einer Kombination von Elementen, / um den Stoff, aus dem er geläutert worden war, noch zu übertreffen. / Doch das arme Geschöpf, das dann aus seiner Brust entnommen wurde, / übertrifft ihn, so wie er alle anderen übertrifft. / Er ist wie ein zäher Stengel, auf dem / eine zarte Lilie oder duftende Rose wächst: / Der Stiel mag prahlen und seine Vorzüge herausstreichen, / aber nimm die Blüte weg – wo bleibt dann sein Wert?

But yet, fair ladies, you must know,
Howbeit I do adore you so:
Reciprocal your flames must prove,
Or my ambition scorns to love.   20
A noble soul doth still abhor
To strike, but where it's conqueror.

Und doch, ihr Schönen, sollt ihr wissen, / wenn ich euch auch noch so hoch verehre: / Eure Flammen müssen sich als reziprok erweisen, / sonst lehnt mein Stolz es ab zu lieben. / Eine adelige Seele wird es immer verabscheuen zuzuschlagen, / wenn sie nicht weiß, daß sie als Sieger aus dem Kampf hervorgehen wird.

JOHN CLEVELAND

Upon Princess Elizabeth,
Born the Night before New Year's Day

Astrologers say Venus, the self same star,
Is both our Hesperus and Lucifer;
This antitype, this Venus, makes it true:
She shuts the old year, and begins the new.
Her brother with a star at noon was born;   5
She, like a star both of the eve and morn.
Count o'er the stars, fair Queen, in babes, and vie
With ev'ry year a new Epiphany.

The General Eclipse

Ladies that gild the glitt'ring noon
    And by reflection mend his ray,
Whose beauty makes the sprightly sun
    To dance as upon Easter-day:
What are you now the Queen's away?   5

Courageous eagles, who have whet
    Your eyes upon majestic light,
And thence derived such material heat
    That still your looks maintain the fight:
What are you since the King's good-night?   10

Cavalier buds, whom Nature teems
    As a reserve for England's throne,
Spirits whose double edge redeems
    The last age and adorns your own:
What are you now the Prince is gone?   15

JOHN CLEVELAND

Auf Prinzessin Elisabeths Geburt
in der Nacht vor dem Neujahrstag

Astrologen sagen, der silberne Stern, den wir Venus nennen, /
sei zugleich unser Hesperus ⟨Abendstern⟩ und Lucifer ⟨Lichtbringer, Morgenstern⟩. / *Dieser* Antitypus, *unsere* Venus
⟨= Elisabeth⟩ verwirklicht die Wahrheit der Astrologen: /
Sie schließt das alte Jahr ab und beginnt das neue. / Ihr
Bruder ⟨Karl II.⟩ wurde geboren, als ein Stern ⟨die Sonne⟩
im Mittag stand; / sie kam auf die Welt wie ein Stern, der
zugleich Abend- und Morgenstern ist. / Schöne Königin Mutter: Ahme die Zahl der Sterne in Babys nach und wage /
mit jedem Jahr ein neues Epiphanias!

Die totale Finsternis

Ihr Damen, die ihr den glitzernden Mittag vergoldet /
und seine Strahlen durch euer Zurückspiegeln verschönt; /
deren Schönheit die muntere Sonne / tanzen läßt wie am Ostertag
– / was seid ihr nun, da die Königin fort ist?

Mutige Adler, die ihr eure Augen / im Licht der Majestät
geschärft habt / und daraus so substanzielle Hitze in euch
aufnahmt, / daß eure Blicke noch immer den Kampf fortsetzen – / was seid ihr seit dem Gute-Nacht-Gruß des Königs?

Ihr Kavaliere in der Knospe, die die Natur / als eine Kraftreserve für Englands Thron so reichlich hervorgebracht
hat; / Feuergeister, deren doppelter Kampfeseifer ⟨deren
zweischneidiges Schwert⟩ / das letztvergangene Zeitalter
reinwäscht und euerm eignen zur Zier gereicht – / was seid
ihr nun, da der Prinz das Land'verlassen hat?

As an obstructed fountain's head
  Cuts the entail off from the streams,
And brooks are disinherited:
  Honour and beauty are but dreams
Since Charles and Mary lost their beams!   20

Criminal valours, who commit
  Your gallantry, whose paean brings
A psalm of mercy after it:
  In this sad solstice of the King's
Your victory hath mew'd her wings!   25

See, how your soldier wears his cage
  Of iron like the captive Turk,
And as the guerdon of his rage!
  See, how your glimm'ring Peers do lurk
Or, at the best, work journey-work!   30

Thus 'tis a general eclipse
  And the whole world is *à la mort*;
Only the House of Commons trips
  The stage in a triumphant sort.
Now e'en John Lilburn takes them for 't!   35

A Fair Nymph Scorning a Black Boy Courting Her

NYMPH

Stand off, and let me take the air.
Why should the smoke pursue the fair?

BOY

My face is smoke, thence may be guess'd
What flames within have scorch'd my breast.

Wie eine verstopfte Quelle / den Bächen ihren Erbgang abschneidet, / so daß sie enterbt daliegen – / so sind Ehre und Schönheit bloße Träume, / seit Karl und Maria ihre Strahlen verloren haben!

Ihr verbrecherischen Helden, die ihr / eure zweifelhafte Ritterlichkeit vollführt und auf euren Triumphgesang / einen Psalm über Gottes Gnade folgen laßt: / In dieser traurigen Sonnenwende des Königs / mausern sich die Flügel eures Sieges!

Seht, wie euer Soldat seinen Eisenkäfig / trägt wie der gefangene Türke, / als Lohn für seine Kampfeswut! / Seht wie eure schimmernden Pairs ein Dasein im Verborgenen führen / oder bestenfalls Taglöhnerarbeit tun!

So ist die Finsternis eine totale, / und die ganze Welt ist sterbenskrank. / Nur das Unterhaus tanzt / in einer Art Triumphtanz über die Bühne. / Deshalb geht jetzt selbst John Lilburn gegen sie in die Opposition.

*Eine schöne Nymphe
weist die Werbung eines jungen Mohren ab*

NYMPHE
Geh weg und laß mich die freie Luft genießen! / Warum sollte das Rauchige das Helle verfolgen?

MOHR
Mein Gesicht ist rauchfarben; daraus läßt sich schließen, / welche Flammen von innen meine Brust versengt haben.

NYMPH

The flames of love I cannot view
For the dark lantern of thy hue.

BOY

And yet this lantern keeps Love's taper
Surer than yours that's of white paper.
Whatever midnight hath been here
The moonshine of your light can clear.

NYMPH

My moon of an eclipse is 'fraid
If thou should'st interpose thy shade.

BOY

Yet one thing, sweetheart, I will ask:
Take me for a new-fashion'd mask.

NYMPH

Yes, but my bargain shall be this:
I'll throw my mask off when I kiss.

BOY

Our curl'd embraces shall delight
To chequer limbs with black and white.

NYMPH

Thy ink, my paper, make me guess
Our nuptial bed will prove a press,
And in our sports, if any came,
They'll read a wanton epigram.

BOY

Why should my black thy love impair?
Let the dark shop command the ware;

John Cleveland

NYMPHE

Die Flamme der Liebe kann ich nicht sehen / wegen des dunklen Lampions deines Teints.

MOHR

Und doch bewahrt diese Laterne die Kerze der Liebe / sicherer als deine, die aus weißem Papier ist. / So dunkel die Mitternacht sein mag, die hier herrscht: / der Mondschein deiner Helle kann sie aufklaren.

NYMPHE

Mein Mond hat Angst vor einer Mondfinsternis, / wenn du deinen Schatten dazwischen schiebst.

MOHR

Aber *eine* Gunst, du Süße, will ich erbitten: / akzeptiere mich als ein neumodisches Visier!

NYMPHE

Einverstanden. Aber mein Handel sieht so aus: / Wenn ich küssen will, werfe ich die Maske weg.

MOHR

Unsere verschlungenen Umarmungen sollen Spaß daran haben, / wenn wir ein schwarz-weißes Schachbrettmuster aus Gliedern sind.

NYMPHE

Deine Tinte und *mein* Papier lassen mich befürchten, / daß unser Hochzeitsbett eine Druckerpresse sein wird; / und wenn jemand dazukäme, wenn wir beim Liebesspiel sind, / dann würde er daraus ein loses Epigramm herauslesen.

MOHR

Warum sollte mein Schwarz deiner Liebe Abbruch tun? / Laß den dunklen Laden die Ware empfehlen! / Oder wenn

>   Or, if thy love from black forbears,
>   I'll strive to wash it off with tears.
25

NYMPH

> Spare fruitless tears, since thou must needs
> Still wear about thee mourning weeds.
> Tears can no more affection win
> Than wash thy Ethiopian skin.
30

Mark Antony

> Whenas the nightingale chanted her vespers,
>   And the wild forester couch'd on the ground,
> Venus invited me in th'evening whispers
>   Unto a fragrant field with roses crown'd,
>   Where she before had sent
>   My wishes complement;
>   Unto my heart's content
>   Play'd with me on the green.
>   Never Mark Antony
>   Dalli'd more wantonly
>   With the fair Egyptian Queen.
5

10

> First on her cherry cheeks I mine eyes feasted,
>   Thence fear of surfeiting made me retire;
> Next on her warmer lips, which, when I tasted,
>   My duller spirits made active as fire.
>   Then we began to dart,
>   Each at another's heart,
>   Arrows that knew no smart:
>   Sweet lips and smiles between.
>   Never Mark Antony ...
15

20

deine Liebe vor dem Schwarz zurückschreckt, / dann will ich es mit Tränen abwaschen.

NYMPHE

Spare deine fruchtlosen Tränen, da du ja gezwungenermaßen / sowieso immer Trauerkleider tragen mußt! / Tränen können genausowenig Liebe gewinnen, / wie sie deine äthiopische Haut weißwaschen können.

Mark Anton

Als die Nachtigall ihre Abendlieder sang / und das Wild im Wald sich auf den Boden duckte, / lud mich Venus im Abendgeflüster / zu einem duftenden, mit Rosen bekrönten Feld. / Dorthin hatte sie vorher schon / den Gegenstand meiner Wünsche geschickt, / und der spielte nun mit mir auf dem Grün / zur vollen Ergötzung meines Herzens. / Niemals hat Mark Anton / lustvoller / mit der ägyptischen Königin gebuhlt.

Zuerst labte ich meine Augen an ihren kirschroten Wangen; / dann hatte ich Angst, ich könnte mich übersättigen und zog mich deshalb von dort zurück. / Dann labte ich mich an ihren wärmeren Lippen, und die machten, als ich sie kostete, / meine trägen Lebensgeister tatendurstig wie Feuer. / Dann fingen wir an, / jeder auf des anderen Herz Pfeile abzuschießen, / Pfeile, die keine Schmerzen kannten: / süße Küsse und ein Lächeln in den Zwischenpausen. / Niemals hat Mark Anton ...

    Wanting a glass to plait her amber tresses,
        Which like a bracelet rich decked mine arm,
Gaudier than Juno wears whenas she graces
        Jove with embraces more stately than warm,
                Then did she peep in mine   25
                Eyes' humour crystalline;
                I in her eyes was seen
                As if we one had been.
                    Never Mark Antony ...

Mystical grammar of amorous glances;   30
    Feeling of pulses, the physic of love;
Rhetorical courtings and musical dances;
    Numb'ring of kisses arithmetic prove;
        Eyes like astronomy;
        Straight-limb'd geometry;   35
        In her art's ingeny
        Our wits were sharp and keen.
            Never Mark Antony ...

The Author's Mock Song to Mark Antony

Whenas the nightingale sang Pluto's matins,
    And Cerberus cried three amens at a howl,
When night-wand'ring witches put on their pattens,
    Midnight as dark as their faces are foul,
        Then did the furies doom   5
        That the night-mare was come.
        Such a misshapen groom
        Puts down Sue Pomfret clean.
            Never did incubus
            Touch such a filthy sus   10
            As this foul gypsy quean.

Als sie einen Spiegel brauchte, um ihr bernsteingelbes Haar zu flechten, / das wie ein reiches Geschmeide meinen Arm schmückend umwand – / ein Armband, reicher als Juno es trägt, wenn sie Jupiter / mit Umarmungen beehrt, die eher würdevoll als warm sind –, / da blickte sie / in den feuchten Kristallglanz meiner Augen / und ich spiegelte mich in den ihren, / als ob wir eins gewesen wären. / Niemals hat Mark Anton ...

Mystische Grammatik liebender Blicke, / Fühlen des Pulsschlags, der Liebe beste Kur; / rhetorisches Werben und Tanz und Musik; / Zählen der Küsse, das sich zur Arithmetik auswächst; / Astronomie der Augen, / Geometrie der graden Glieder: / Im Erfindungsreichtum dieser Künste / waren unsere beiden Geister scharfsinnig und kühn. / Niemals hat Mark Anton ...

Des Autors Spottlied auf Mark Anton

Als die Nachtigall Plutos Frühmette sang / und Cerberus drei Amen in einem Aufheulen schrie; / als nachtwandernde Hexen ihre Holzpantoffel anzogen / und die Mitternacht so schwarz war, wie ihre Gesichter häßlich sind: / Da fügten es die Furien, / daß auf einmal die Nachtmahrin da war – / eine so mißgestaltete Schlampe, / daß sie Sue Pomfret noch weit übertrifft. / Niemals hat ein Incubus / eine so dreckige Suse angefaßt / wie dieses greuliche Zigeunerweib.

First on her gooseberry cheeks I mine eyes blasted,
    Thence fear of vomiting made me retire
Unto her bluer lips, which when I tasted,
    My spirits were duller than Dun in the mire.
        But then her breath took place,
        Which went an usher's pace
        And made way for her face!
        You guess what I mean.
            Never did incubus . . .

Like snakes engend'ring were platted her tresses,
    Or like to the slimy streaks of ropy ale,
Uglier than Envy wears when she confesses
    Her head is periwigg'd with adder's tail.
        But as soon as she spake
        I heard a harsh mandrake.
        Laugh not at my mistake:
        Her head is epicene.
            Never did incubus . . .

Mystical magic of conjuring wrinkles;
    Feeling of pulses, the palm'stry of hags;
Scolding out belches for rhetoric twinkles
    With three teeth in her head like to three gags;
        Rainbows about her eyes
        And her nose weather-wise;
        From them the almanac lies,
        Frost, pond, and rivers clean.
            Never did incubus . . .

Zuerst verdarb ich mir die Augen an ihren Stachelbeerwangen; / dann bekam ich Angst, ich würde kotzen müssen und zog mich von dort zurück / zu ihren blaueren Lippen. Doch als ich die schmeckte, / waren meine Lebensgeister träger als Dun, das Pferd, im Schlamm. / Doch dann machte sich ihr Atem bemerkbar: / der ging mit dem Schritt eines Türhüters / und machte für ihr Gesicht Platz – / ihr erratet wohl, was ich meine. / Niemals hat ein Incubus ...

Wie sich paarende Schlangen waren ihre Flechten verschlungen, / oder wie die schleimigen Schlieren in verdorbenem Bier; / häßlicher als sie der Neid trägt, wenn er beteuert, / sein Kopf habe eine Perücke aus Natternschwänzen auf. / Doch sobald sie redete, war mir's, / als ob ich einen Alraun heiser krächzen hörte. / Lacht nicht über meinen Irrtum – / ihr Kopf ist so mannweiblich ⟨daß man sie wohl für einen – männlichen – Alraun halten kann⟩. / Niemals hat ein Incubus ...

Mystischer Zauber betörender Runzeln, / Fühlen des Pulsschlags, die Handlesekunst von Hexen; / keifendes Rülpsen als rhetorisches Glanzlicht – / mit drei Zähnen im Mund, die wie drei Knebel aussehen. / Regenbogen um ihre Augen / und Nase, die das Wetter anzeigen – / von ihnen liest der Wetteralmanach seine Lügen ab: / Frost, Teich und Bäche ausgetrocknet. / Niemals hat ein Incubus ...

SIR JOHN DENHAM

Natura Naturata

What gives us that fantastic fit,
That all our judgement and our wit
To vulgar custom we submit?

Treason, theft, murder, all the rest
Of that foul legion we so detest,
Are in their proper names expressed.

Why is it then thought sin or shame,
Those necessary parts to name,
From where we went, and where we came?

Nature, what ever she wants, requires;
With love enflaming our desires,
Finds engines fit to quench those fires.

Death she abhors; yet when men die,
We are present; but no stander-by
Looks on when we that loss supply.

Forbidden wares sell twice as dear;
Even sack prohibited last year,
A most abominable rate did bear.

'Tis plain our eyes and ears are nice,
Only to raise by that device,
Of those commodities the price.

SIR JOHN DENHAM

Natura Naturata

Was für eine bizarre Einbildung plagt uns eigentlich, / daß wir all unser Urteil und Denkvermögen / vulgären Konventionen unterwerfen?

Verrat, Diebstahl, Mord und alles übrige, / was sich in diesem üblen Trupp findet, den wir so verabscheuen, / werden bei ihren wahren Namen genannt.

Warum hält man's dann für Sünd und Schande, / die naturnotwendigen Teile des Körpers beim Namen zu nennen – / die Teile, aus denen wir hervorkamen und denen wir unsere Herkunft verdanken?

Die Natur fordert gebieterisch alles, was sie haben will. / Sie, die unseren Trieb mit Liebe befeuert, / findet auch Geräte, mit denen dieses Feuer gelöscht werden kann.

Den Tod haßt sie inständig. Und doch: wenn jemand stirbt, / sind wir anwesend. Aber niemand steht herum / und schaut zu, wenn wir den Verlust ⟨den die Natur durch den Tod erleidet⟩ wieder auffüllen.

Verbotene Ware verkauft sich zweimal so gut. / Selbst der Sherry, der letztes Jahr der Prohibition anheimfiel, / hat eine ganz ungeheuere Preissteigerung erfahren.

's ist offenkundig: Unsere Augen und Ohren sind nur deshalb so diskret, / weil sie dadurch / den Preis ⟨Wert⟩ jener Waren hinauftreiben wollen.

> Thus reason's shadows us betray
> By tropes and figures led astray,
> From nature, both her guide and way.

An Occasional Imitation of a Modern Author upon the Game of Chess

A tablet stood of that abstersive tree,
    Where Aethiop's swarthy bird did build her nest
Inlaid it was with Libyan ivory
    Drawn from the jaws of Afric's prudent beast.
Two kings like Saul, much taller than the rest,   5
    Their equal armies draw into the field;
Till one take th'other pris'ner, they contest;
    Courage and fortune must to conduct yield.
This game the Persian Magi did invent,
    The force of Eastern wisdom to express;   10
From thence to busy Europeans sent,
    And styl'd by modern Lombards pensive chess.
Yet some that fled from Troy to Rome report,
    Penthesilea Priam did oblige:
Her Amazons his Trojans taught this sport,   15
    To pass the tedious hours of ten years' siege.
There she presents herself, whilst kings and peers
    Look gravely on where fierce Bellona fights;
Yet maiden modesty her motions steers,
    Nor rudely skips o'er bishops' heads like knights.   20

Sir John Denham

So trügen uns die Schatten der Vernunft, / und wir werden durch bloße Tropen und rhetorische Figuren von der Natur weg und in die Irre geführt – / weggeführt von ihrer Lenkung sowohl als auch von ihren Mitteln dazu.

Parodie auf ein Gelegenheitsgedicht eines modernen Autors über das Schachspiel

Ein Tischchen aus dem Holz des purgativen Baums, / auf dem der schwarze Vogel Äthiopiens sein Nest dereinst gebaut, / stand da und war mit libyschem Elfenbein eingelegt, / das aus dem Kiefer von Afrikas klügstem Tier gebrochen worden war. / Zwei Könige – wie Saul viel größer denn alles Volk – / führen ihre gleich starken Heere in die Schlacht. / Sie kämpfen, bis einer den anderen gefangennimmt. / Mut und Glück müssen dabei hinter der Taktik zurückbleiben. / Dies Spiel ersannen Magier aus Persien, / um die Kraft orientalischer Weisheit darzulegen. / Von dort kam es zu geschäftstüchtigen Abendländern / und wurde von modernen Langobarden das nachdenkliche Schach genannt. / Manche freilich von denen, die aus Troja nach Rom flüchteten, / berichten, Penthesilea habe Priamus einen Dienst damit erwiesen: / Ihre Amazonen hätten den Trojanern diesen Sport beigebracht, / damit sie die langweiligen Stunden der zehnjährigen Belagerung besser überstehen konnten. / Sie tritt selber in dem Spiel auf, während Könige und Pairs / bedächtig zusehen, wie diese wilde Bellona kämpft. / Und doch lenkt jungfräuliche Zurückhaltung ihre Bewegungen, / und sie setzt sich auch nicht in rohem Sprung über die Köpfe von Bischöfen ⟨Läufern⟩ hinweg wie die Ritter ⟨Springer⟩.

JOSEPH BEAUMONT

Goodfriday
(To a bass and two trebles)

Weep & spare not:
Good eyes are not
Of use, now he is gone,
On whose sweet eyes alone
They dwelt, & liv'd, & lov'd, & read   5
More Heav'n than in the Spheres is spread.
We tender not our dull eyes, now we find
The Eye of Heav'n itself today is blind.
Poor eyes, what have you left to see
But blackest face of misery?   10
Then though you melt & waste
With your own tears at last,
Yet we care not:
Weep & spare not.

JOSEPH BEAUMONT

Karfreitag
(für einen Baß und zwei Soprane)

Weint und schont euch nicht: / Gute Augen sind zu nichts / mehr nütze jetzt, da der von uns gegangen ist, / auf dessen süße Augen sie allein / gerichtet waren. Sie verweilten und lebten und liebten darin und lasen dort / mehr Himmel, als in den Sphären ausgebreitet ist. / Wir schonen unsere stumpfen Augen nicht mehr, nun da wir finden, / daß das Auge des Himmels selbst an diesem Tag erblindet ist. / Ihr armen Augen, was ist euch zum Anschauen geblieben / als das schwärzeste Antlitz des Elends? / Drum, wenn ihr auch hinschmelzt und / am Ende durch unsere Tränen zerstört werdet, / uns kümmert's nicht – / weint und schont euch nicht!

Easter

(To a bass and two trebles)

Tears, have done:
   Our   rising   Sun
Shall dry you up and bring
 His   ever-smiling   spring
Of purest joys, which bless'd at first   5
Old Paradise, where they were nurs'd.
What though that night were long? This gilded day
Wears on his forehead an eternal ray.
Now JESUS lives, we cannot die,
  Or but to live immortally.   10
   In him w'are rose again
   Before death us hath slain.
    Then sing we on:
    Tears, have done.

CHORUS

Rise, heart; thy Lord was early up, arise   15
And sing Him now His morning-sacrifice.

Suspirium ad Amorem

(For a bass and a treble)

O Love,
   Come prove
      Thy dart
         On me,
           And deign   5
         To gain
       My heart
    To Thee!

Ostern

(für einen Baß und zwei Soprane)

Tränen, haltet ein! / Unsere aufgehende Sonne ⟨Gottessohn⟩ / soll euch auftrocknen und / ihren ⟨seinen⟩ ewig lachenden Frühling mit sich bringen – / einen Frühling reinster Freuden, die ursprünglich / selig im alten Paradiese wohnten, denn dort wuchsen sie heran. / Wenn auch die Nacht lang war – dieser vergoldete Tag / trägt auf der Stirne einen Strahl der Ewigkeit: / Nun, da JESUS lebt, können wir nicht sterben, / oder nur sterben, um dann unsterblich weiterzuleben. / In ihm sind wir wiederauferstanden, / bevor noch der Tod uns erschlagen hat. / Drum singen wir für und für: / Tränen, haltet ein!

CHOR

Erhebe dich, Herz; dein Herr ist früh aufgestanden, erhebe dich / und sing ihm jetzt sein Morgenopfer.

Suspirium ad Amorem
Seufzer an die ewige Liebe

(für einen Baß und einen Sopran)

O Liebe,
    komm und erprobe
        deinen Pfeil
           an mir;
           und beliebe
        mein Herz
      zu dir hinan-
    zuziehn.

> Thy dart
>> Can part
>>> A breast
>>>> Of stone;
>>>> O why
>>> Must mine
>> Resist
> Alone?
> The flint
>> That's in't
>>> Will rive
>>>> When Thou
>>>> Vouchsaf'st
>>> A shaft
>> To give
> The blow.
> 'Twill rive,
>> And live,
>>> And show
>>>> Some spark
>>>> To light
>>> My night
>> Who now
> Am dark.
> Then I
>> Shall spy
>>> The door
>>>> And way
>>>> To Thee
>>> And be
>> No more
> Astray.

Dein Pfeil
    kann eine
        Brust aus Stein
            spalten.
            O warum
        muß meine
    als einzige
Widerstand leisten?
Der (Feuer-)Stein
    in ihr
        wird springen,
            wenn du
                einen Schaft
            hervorholst,
        um den Schuß
zu tun —
wird zerspringen
    und leben
        und ein paar
            Funken sprühn,
            meine Nacht
        zu erhellen,
    der ich nun
im Dunkel bin.
Dann werd ich
    das Tor und
        den Weg
            zu dir
            sehn
        und nicht mehr
    in die
Irre gehn.

Trinity Sunday
(For a bass and two trebles)

    Fond syllogisms, in vain
You arm your propositions three
Against religious Trinity.
    Alas, what need you strain
To run so mad with reason, and excel
In wrangling all your masters into hell?

    Must faith and Heav'n go learn
Reasons of Arius? Must the Son
Be God no longer than art can
    The mystery discern,
And by pure demonstration teach the eye
How the angles in the eternal *Trigon* lie?

    Fools, we would not maintain
Our *One* in *Three* and *Three* in *One*,
If your best demonstration
    Could wisely it explain.
No: 'Tis a mystery and shall ever quell
Both Arius, and all other gates of hell.

    Come faithful hearts and sing:
All saints and angels will conspire
To fix the consort of your choir;
    They know your Mystic King,
And in their everlasting anthems cry:

CHORUS
Thrice *Holy Holy Holy Trinity!*

Dreifaltigkeitssonntag

(für einen Baß und zwei Soprane)

Eitle Syllogismen, umsonst / wappnet ihr euere drei Lehrsätze / gegen die heilige Dreifaltigkeit. / Ach, wozu müßt ihr euch plagen / und vor lauter Vernunft so verrückt werden, daß ihr euch auszeichnet / in der Torheit, all euere gelehrten Vertreter in die Hölle hinunterzustreiten.

Müssen der Glaube und der Himmel bei Arius in die Schule gehen, / um Vernunft zu lernen? Darf der Sohn / nur solange Gott sein, als die Wissenschaft / das Mysterium noch begreifen kann, / und durch logische Beweisführung das Auge darüber zu belehren imstande ist, / wie die Ecken in einem unendlichen Dreieck zueinander stehen?

Ihr Toren! Wir würden / unser »Einer-in-Dreien« und »Drei-in-Einem« verlieren müssen, / wenn euere Demonstrationskunst / den Verstandesbeweis dafür erbringen könnte. / Nein: Es ist ein Mysterium und es wird sowohl / Arius wie auch alle anderen Eingänge zur Hölle auf ewig besiegen.

Kommt, gläubige Herzen, und singt! / Alle Heiligen und Engel werden sich vereinigen, / um euerem Chor die Harmonien zu unterlegen. / Sie kennen euren mystischen König, / und in ihren ewigen Hymnen rufen sie laut:

CHOR
»Dreimal heilige, heilige, heilige Trinität!«

The Bankrupt

    Despise him not, though he
        A bankrupt be:
To pieces broke he is indeed,
Yet not to nothing. Do not tread
    Those fragments into dust with which
He hopes a composition to reach.

    Thy break is greater far
        Than his, nor are
Thy means sufficient to compound
With thy great creditor; look round
    About thy nothing now and say
What thou hast left, thy debts to God to pay.

    Would'st thou thy body yield
        To prison? Build
No hope on that sad plot. Alas,
The law on thee must further pass:
    Thy soul is also forfeit, and
Th'eternal jail for both doth open stand.

    Cheat not thyself, nor say
        I'll run away.
What world from God's arrest can hide
His vainly fugitive worm? Beside,
    No friend on earth can ever be
A surety or sufficient bail for thee.

    No way away to run
        Hast thou but one:
Forgiving 's thy sole way to woo
Thy creditor the like to do.
    Nay, He'll outdo thee here, for He,
For pard'ning part, will all remit to thee.

Joseph Beaumont

Der Bankrotteur

Verachtet ihn nicht, wenn er auch / Konkurs gemacht hat! / Er ist zwar wahrlich ein gebrochner Mann, aber er ist nur in Stücke zerbrochen, / nicht zu Nichts. Tretet / diese Scherben nicht in den Staub, / denn mit ihnen hofft er einen Vergleich zustande zu bringen.

Dein Bankrott ist viel größer / als seiner, und / *deine* Mittel reichen nicht aus, um / mit deinem großen Gläubiger zu einem Vergleich zu kommen. Schau dich um / und sieh auf dein Nichts, und sage, / was dir geblieben ist, um deine Schuld an Gott zu zahlen.

Möchtest du deinen Leib / dem Schuldgefängnis als Pfand übergeben? Setze / keine Hoffnung auf diesen traurigen Plan; denn ach! / das Gesetz muß noch weitergehend an dir vollzogen werden: / Deine Seele ist ebenso verwirkt, und / für beide steht das ewige Gefängnis offen.

Betrüge dich nicht selbst und sage nicht: / Ich laufe davon. / Welche Welt kann denn Gottes / vergeblich flüchtenden Wurm vor seinem Ergriffenwerden verbergen? Außerdem / kann kein Freund auf der Erde je / eine zureichende Bürgschaft oder ein genügendes Pfand für dich sein.

Du hast keinen Ausweg, dich zu retten, / als diesen einen: / *Schulderlaß* ist der einzige Weg, / um deinen Gläubiger dazu zu bewegen, daß er ein Gleiches tut. / Nein, er wird dich darin übertreffen; denn er wird dafür, / daß du deinen Schuldnern nur einen Teil erläßt, dir alles erlassen.

The Garden

The garden's quit with me: as yesterday
I walk'd in that, today that walks in me;
    Through all my memory
It sweetly wanders, and has found a way
    To make me honestly possess
      What still another's is.

Yet this gain's dainty sense doth gall my mind
With the remembrance of a bitter loss.
    Alas, how odd and cross
Are earth's delights, in which the soul can find
    No honey, but withall some sting
      To check the pleasing thing!

For now I'm haunted with the thought of that
Heav'n-planted garden where felicity
    Flourish'd on ev'ry tree.
Lost, lost it is; for at the guarded gate
    A flaming sword forbiddeth Sin
      (That's I) to enter in.

O Paradise! when I was turned out,
Had'st thou but kept the Serpent still within,
    My banishment had been
Less sad and dangerous: but round about
    This wide world runneth raging he
      To banish me from me:

I feel that through my soul he death hath shot;
And thou, alas, hast locked up Life's Tree.
    O miserable me,
What help were left, had *Jesus's* pity not
    Show'd me another Tree, which can
      Enliven dying Man.

Joseph Beaumont

Der Garten

Der Garten ist quitt mit mir. So wie ich gestern / in ihm wandelte, so wandert er heute in mir. / Durch alle meine Erinnerung / wandert er und versüßt sie; und er hat eine Weise gefunden, / mich in Ehren das besitzen zu lassen, / was eigentlich einem anderen gehört.

Aber doch verbittert das köstliche Bewußtsein dieses Gewinns meinen Sinn / mit dem Gedanken an einen bitteren Verlust. / Ach wie ausgefallen und überspannt / sind die Freuden dieser Erde, in denen die Seele / keinen Honig finden kann, sondern vielmehr nur einen Stachel, / der dem Genuß entgegenwirkt.

Denn nun verfolgt mich der Gedanke an jenen / vom Himmel gepflanzten Garten, in dem Glückseligkeit / auf jedem Baume blühte. / Verloren ist er, ach, verloren; denn an seinem bewachten Tor / wehrt ein Flammenschwert der Sünde / – das heißt, mir – den Eingang.

O Paradies! Hättest du doch nur, / als ich ausgestoßen wurde, die Schlange im Garten behalten, / dann wäre meine Verbannung / weniger traurig und gefährlich gewesen. Aber nun jagt sie wütend rings / in der weiten Welt umher, / um mich aus mir selbst zu verbannen.

Ich fühle, daß sie meine Seele mit Tod durchschossen hat, / und du hast, ach, den Lebensbaum versperrt. / Weh mir Armem! / Welche Hoffnung bliebe mir, hätte *Jesu* Mitleid / mir nicht einen anderen Baum gezeigt, der / Sterbende wieder zum Leben führen kann.

That Tree, made fertile by his own dear blood,
And by his death with quick'ning virtue fraught!
      I now dread not the thought
Of barricado'd Eden, since as good
    A Paradise I planted see   35
        On open Calvary.

The Sluggard

The world awoke, and op'd his flaming eye,
    Which darted through the sky
        The broad daylight;
        And at the sight
    The virgin Morn, though she   5
Were up and dress'd before,
        Yet blush'd all o'er
    In heav'nly modesty,
As if sh'had slept too long, and were
  Asham'd the sun should look on her,   10
Being but newly risen, and array'd
In a gray mantle like some homely maid.

Yet all this while in spite of this sweet light
    Mine eyes hugg'd sleep and night.
        I snorting lay   15
        As if the day
    Some four hours off had been:
I, who had much to do,
        Further to go,
        And more to loose or win   20
  Than had the Morning, yet let her
  Be up and gone ere I did stir.
Perhaps she blush'd to see how drowsy I
Slept out all shame whilst she had flown so high.

Dieser Baum ist mit Seinem eignen teueren Blut gedüngt / und durch Seinen Tod mit belebender Kraft ausgestattet. / Nun fürchte ich den Gedanken / an das verbarrikadierte Eden nicht mehr; denn ich sehe / ein ebensogutes Paradies / auf dem Kalvarienberg angepflanzt.

Der Langschläfer

Die Welt erwachte und tat ihr flammendes Auge auf, / das nun das helle Tageslicht / über den Himmel hinschoß. / Und bei dem Anblick / errötete die unberührte Maid, der Morgen, obgleich sie / schon vorher aufgestanden und angekleidet gewesen war – / errötete übers ganze Gesicht / in himmlischer Sittsamkeit, / als habe sie zu lange geschlafen und / schäme sich nun, daß die Sonne auf sie blicke / – auf sie, die eben aufgestanden ist / und sich wie eine gewöhnliche Magd in einen grauen Mantel gehüllt hat.

Doch während all dessen hielten meine Augen trotz des süßen Morgenlichts / Schlaf und Nacht fest. / Ich lag und schnarchte, / als ob es noch vier Stunden / bis Tagesanbruch wären. / Ich, der ich viel zu tun hatte – / weiter zu gehen / und mehr zu gewinnen und zu verlieren hatte / als der Morgen –; und der ich doch zuließ, / daß sie ⟨Aurora = der Morgen⟩ früher auf und unterwegs war als ich. / Vielleicht errötete sie überhaupt, weil sie sah, wie träge ich / alle Scham verschlief, während sie schon so hoch emporgeflogen war.

At length the sun, grown high enough to look   25
    In at the window, took
        His view and spi'd
        Out my bedside.
    The curtains were of my
    Lazy conspiracy.   30
        But careful he
    Sent a quick ray to pry
Into the tent of sloth, and mark,
Why in the morn it should be dark.
This found me out, and glaring on mine eyes   35
Stood wond'ring at me, why I did not rise.

The sleepy mists thus chased from my brow,
    I woke I knew not how;
        I cannot say
        Whither like the day   40
    I blushed in my rise
    Or no, though surely I
        Had more cause why;
    For as I rubb'd mine eyes,
A sudden consort fill'd mine ear,   45
    Plain were the notes, but sweet and clear:
The honest birds, up long, long before me,
Were at their matins on a neighbour tree.

And does the day rise more for birds than me,
    That they should earlier be   50
        At work than I,
        Who have to fly
    Higher than they, and bring
    A morning-sacrifice
        Of greater price   55
    Unto my God and King!
Up tardy heart, for shame; but **down**
Lower again upon thine own

Schließlich war die Sonne hoch genug gestiegen, / um zum Fenster hereinzuschauen. / Sie warf einen Blick herein und / bemerkte mein Bett. / Die Vorhänge konspirierten / mit meiner Faulheit. / Aber die Sonne schickte vorsichtig / einen hurtigen Strahl, damit er / in das Zelt der Faulheit hineinspitzen und feststellen solle, / warum es am Morgen darin noch dunkel sei. / Der Strahl fand mich vor, und während er in meine Augen blinkte, / stand er da und wunderte sich, warum ich nicht aufstand.

Da nun davon der Nebel der Schlaftrunkenheit von meiner Stirn verjagt wurde, / wachte ich auf – ich wußte nicht wie. / Ich kann nicht sagen, / ob ich beim Aufstehen errötete / wie der Tag / oder nicht; obwohl ich sicherlich / mehr Grund hatte als er. / Denn als ich mir die Augen rieb, / erfüllte plötzlich eine Musik meine Ohren. / Die Töne waren einfach, aber süß und rein: / Die redlichen Vögel, lang, lang vor mir aufgestanden, / zelebrierten ihre Morgenmesse auf einem Baum bei meinem Fenster.

Ist denn der Tagesanbruch mehr für die Vögel bestimmt, als für mich, / daß sie früher / bei der Arbeit sind als ich, / der ich doch höher / als sie zu fliegen habe und / meinem Gott und König / ein wertvolleres Morgenopfer / darbringen muß als sie? / Auf, träges Herz! Auf mit dir, und schäme dich! Aber dann wieder / tief hinab auf deine / betenden

Imploring knees! That is the surest way
To rise indeed, fairer then did this day. 60

Easter Dialogue
(Joh. 20, 13)

FIRST ANGEL

Those funeral tears why dost thou shed
On *Life's* and *Resurrection's* bed?

SECOND ANGEL

Why must those low'ring clouds of sadness
Deflower this *virgin Morn of gladness*?

MAGDALENE

What Morn of *gladness*, now the *Sun* 5
Of all my fairest joys is gone;
He whom my soul did hope to meet
Here in this West in which He set?
But oh! That more than deadly sprite
Which robb'd Him of His life's sweet light 10
Lives here, you see, in Death's own cave,
And plunders Him e'en of His grave.
Nor know I where our foes have put
His body, and my soul with it.

JESUS

Woman, to what loss do thine eyes 15
Such full drink-off'rings sacrifice?

MAGDALENE

Sweet *gard'ner*, if thy hand it were
Which did transplant Him, tell me where

Knie! Das ist fürwahr der sicherste Weg, / aufzuerstehn und emporzusteigen – schöner, als dieser Tag hinangestiegen ist.

Ostergespräch
(Joh. 20, 13)

ERSTER ENGEL

Warum vergießest du diese Todestränen / an dem Bette des Lebens und der Auferstehung?

ZWEITER ENGEL

Warum müssen diese drückenden Trauerwolken / dem jungfräulichen Freudenmorgen seine Blüte rauben?

MAGDALENA

Was für ein Freudenmorgen, da doch die Sonne ⟨der Sohn⟩ / all meiner schönsten Freuden dahin ist? / Die Sonne, die meine Seele hier zu finden hoffte, / in diesem Westen, da sie unterging. / Doch ach! Der mehr als tödlich böse Geist, / der *ihm* sein süßes Lebenslicht geraubt hat, / lebt – seht nur! – hier in dieser Höhle, die dem Tod gehört, / und raubt *ihm* sogar noch das Grab. / Und ich weiß nicht, wohin unsere Feinde seinen Leichnam gelegt haben / – und meine Seele mit ihm.

JESUS

Weib, um welchen Verlustes willen opfern / deine Augen so volle Trankopfer?

MAGDALENA

Lieber Gärtner! Wenn es deine Hand war, / die ihn anderswohin verpflanzte, sag mir, wo / hast du diese kostbare

Thou sett'st that precious *Root* on whom
Grow all my hopes; and I will from 20
That soil remove Him to a bed
With balm and myrrh and spices spred,
Where by mine eyes two fountains He
For evermore shall water'd be.

JESUS
Mary.

MAGDALENE
   O *Master!*

FIRST AND SECOND ANGEL
             With what sweet 25
Fury she flies at His dear feet,
To weep and kiss out what she by
Her tongue could never signify!

CHORUS
O no! the powers of sweetest tongues,
Of string-or-pipe-attended songs, 30
Can raise no pitch of joy so high
As *Easter's rising Majesty.*
O glorious *Resurrection*, which dost rise
Above the reach of loftiest ecstasies!

Wurzel eingesetzt, aus der / alle meine Hoffnungen wachsen! Und ich will / ihn aus dem Humus dort in ein Beet umsetzen, / das mit Balsam, Myrrhe und Gewürzen ausgelegt ist: / Dort soll er von den beiden Quellen meiner Augen / auf ewig begossen werden.

JESUS

Maria!

MAGDALENA

O Meister!

ERSTER UND ZWEITER ENGEL

Mit welch süßer / Wildheit sie zu seinen Füßen niederfällt, / um durch Weinen und Küssen das auszudrücken, / was sie mit der Zunge niemals sagen könnte.

CHOR

O nein! Die Macht der süßesten Zungen, / die Macht von mit Saiten und Flöten begleiteten Hymnen / kann keinen so hellen und frohen Freudenklang anstimmen / wie die aufsteigende Majestät des Osterwunders. / O glorreiche Auferstehung, die du dich über / die Reichweite der erhabensten Ekstasen erhebst!

RICHARD LOVELACE

Song
To Lucasta. Going to the Wars

I

Tell me not (sweet) I am unkind,
    That from the nunnery
Of thy chaste breast and quiet mind
    To war and arms I fly.

II

True; a new mistress now I chase,
    The first foe in the field;
And with a stronger faith embrace
    A sword, a horse, a shield.

III

Yet this inconstancy is such,
    As you too shall adore;
I could not love thee (dear) so much,
    Lov'd I not honour more.

Gratiana Dancing and Singing

I

See! With what constant motion,
Even and glorious as the sun,
    Gratiana steers that noble frame,
Soft as her breast, sweet as her voice
That gave each winding law and poise,
    And swifter then the wings of Fame.

RICHARD LOVELACE

Lied
An Lucasta, als er in den Krieg zog

I

Du Schöne, sag mir nicht, ich sei herzlos, / weil ich von dem Kloster / deiner keuschen Brust und deines stillen Wesens / hinweg zu Krieg und Waffen fliehe!

II

's ist wahr, ich jage nun einer neuen Geliebten nach: / dem ersten Feind im Feld; / und ich ergreife mit einer noch stärkeren Treue ⟨als der Treue zu dir⟩ / ein Schwert, ein Pferd, einen Schild.

III

Aber diese Untreue ⟨dir gegenüber⟩ ist von solcher Art, / daß auch du sie verehren wirst: / Ich könnte dich, Teure, nicht so sehr lieben, / wenn ich nicht die Ehre noch mehr liebte.

Gratiana tanzt und singt

I

Seht, mit welch ebenmäßiger Bewegung, / gemessen und großartig wie die Sonne, / Gratiana ihre edle Gestalt dahinlenkt: / weich wie ihre Brust; süß wie ihre Stimme, / die jeder tänzerischen Geste Gesetz und Ausgeglichenheit verleiht; / und schneller als die Flügel der Fama!

II

She beat the happy pavement
By such a star made firmament,
  Which now no more the roof envies;
But swells up high with *Atlas* ev'n,
Bearing the brighter, nobler heav'n,
  And in her, all the deities.

III

Each step trod out a lover's thought
And the ambitious hopes he brought,
  Chain'd to her brave feet with such arts,
Such sweet command, and gentle awe,
As when she ceas'd, we sighing saw
  The floor lay pav'd with broken hearts.

IV

So did she move; so did she sing
Like the harmonious spheres that bring
  Unto their rounds their music's aid;
Which she performed such a way,
As all th'enamour'd world will say
  The *Graces* danced, and *Apollo* play'd.

La Bella Bona Roba I
(Ode)

I

Tell me, ye subtle judges in love's treasury,
Inform me, which hath most enrich'd mine eye:
This diamond's greatness, or its clarity?

II

Sie schlägt mit dem Fuß das glückliche Parkett, / das durch einen solchen Stern zum Firmament wird / und nun nicht mehr das Dach beneidet, / sondern sich hoch aufwölbt und dem Atlas in nichts mehr nachsteht, / da es einen helleren edleren Himmel trägt / und in ihm alle Gottheiten.

III

Jeder Schritt hat den Gedanken eines Liebhabers totgetreten / und die kühnen Hoffnungen, die er mitgebracht hatte. / Alle waren mit solchen Künsten an ihre aufreizenden Füße gekettet, / mit so süßer Befehlsgewalt und so sanftem Ehrfurchtsgebot, / daß wir, als sie einhielt, seufzend sahen, / wie der Boden mit gebrochenen Herzen besät war.

IV

So bewegte sie sich, so sang sie: / wie die harmonischen Sphären, / die ihre Rundtänze mit ihrer eignen Musik unterstützen. / Und sie führte beides auf eine solche Weise aus, / daß die ganze Welt, von Liebe erfaßt, sagen wird: / Die Grazien tanzten und Apollo spielte die Musik.

La Bella Bona Roba I
(Ode)

I

Sagt mir, ihr klugen Experten in den Kleinoden der Liebe, / und belehrt mich: Was hat mein Auge am meisten bereichert: / die Größe dieses Diamanten oder seine reine Helle?

II

Ye cloudy spark-lights, whose vast multitude
Of fires are harder to be found than view'd:
Wait on this star in her first magnitude.

III

Calmly or roughly! Ah, she shines too much,
That now I lie (her influence is such),
Crush'd with too strong a hand, or soft a touch.

IV

Lovers, beware! a certain double harm
'Waits your proud hopes: her looks' all-killing charm,
Guarded by her as true victorious arm.

V

Thus with her eyes brave Tamyris spake dread,
Which when the king's dull breast not entered,
Finding she could not look, she struck him dead.

La Bella Bona Roba II

I

I cannot tell who loves the skeleton
Of a poor marmoset, nought but bone, bone.
Give me a nakedness with her clothes on.

II

Such whose white satin upper coat of skin,
Cut upon velvet rich incarnadine,
Has yet a body (and of flesh) within.

II

Ihr trüben Funkenlichter, deren Riesenmenge / von Feuer schwerer ⟨im Innern⟩ zu finden, als äußerlich zu sehen ist: / erweist diesem Stern erster Ordnung euere Reverenz!

III

Ob still, ob stürmisch – ach, sie leuchtet zu stark! / so daß ich nun – ihr Gestirnseinfluß ist so groß – / am Boden liege, zermalmt von einer zu starken Hand, einer zu sanften Berührung.

IV

Liebende, nehmt euch in acht! Ein sicherer und doppelter Ruin / ist schon für eure stolzen Hoffnungen bereit: der alles tötende Zauber ihrer Blicke, / die sie sich als siegessichere Waffe hält.

V

Genauso sprach einst die mutige **Tamyris** mit ihren Augen furchterregenden Zorn aus, / und als das nicht in die Brust des Königs drang / und sie fand, daß sie ihn nicht totblicken konnte, da schlug sie ihn tot.

La Bella Bona Roba II

I

Ich weiß niemanden, der das Skelett / eines armen Krallenäffchens liebt: nichts als Knochen, Knochen. / Gebt mir eine Nacktheit, die ihre Kleider anhat!

II

Eine solche, deren weißseidener Obermantel aus Haut ⟨Decke des Rotwilds⟩, / über reichen rosigen Samt geschneidert, / immerhin auch noch einen Körper – und zwar aus Fleisch – darunter hat.

III

Sure it is meant good husbandry in men,
Who do incorporate with aery lean,
T'repair their sides, and get their rib again.

IV

Hard hap unto that huntsman that decrees
Fat joys for all his sweat, when as he sees,
After his 'say, nought but his keepers fees.

V

Then, Love, I beg, when next thou tak'st thy bow,
Thy angry shafts, and dost heart-chasing go,
Pass rascal deer, strike me the largest doe.

Lucasta's Fan with a Looking-Glass in it

I

Ostrich! Thou feathered fool, and easy prey,
  That larger sails to thy broad vessel needst;
Snakes through thy guttur-neck hiss all the day,
  Then on thy iron mess at supper feedst.

II

Oh what a glorious transmigration
  From this to so divine an edifice
Hast thou straight made! Near from a winged stone
  Transform'd into a Bird of Paradise!

III

Sicher ist es als besonders haushälterische Sparsamkeit gedacht, / wenn Männer sich mit recht hagerem Wild einlassen: / sie tun's, um ihre Seite wieder instand zu setzen und ihre verlorene Rippe wiederzubekommen.

IV

Der Jäger hat Pech, der / für all sein Schwitzen reiche, fette Beute in Aussicht genommen hat und dann, wenn er die Strecke überprüft, / nicht mehr findet als das, was er den Treibern ⟨Wildhütern⟩ als Lohn geben muß.

V

Wenn du, Amor, das nächstemal deinen Bogen zur Hand nimmst, / deine scharfen Pfeile – und auf die Herzens-⟨Hirsch-⟩jagd gehst: / dann laß die geringen Liebchen ⟨Schmalrehe⟩ ungeschoren laufen – schieß mir die fetteste Geiß!

Lucastas Fächer mit dem Spiegel darin

I

Straußenvogel! Du gefiederter Narr und du leichte Beute! / Der du eigentlich größere Segel für dein breites Schiff brauchtest: / Schlangen zischen den ganzen Tag durch deinen Hals, der wie eine Gosse ist; / und dann nährst du dich abends von deinem Mahl aus Eisen.

II

O welche glorreiche Seelenwanderung / hast du von diesem Zustand bis zu einer so göttlichen Behausung / durchgemacht: Aus einem geflügelten Stein / bist du hier in einen Paradiesvogel verwandelt!

III

Now do thy plumes for hue and lustre vie
  With th'arch of heav'n that triumphs o'er past wet,   10
And in a rich enamel'd pinion lie
  With sapphires, amethysts, and opals set.

IV

Sometime they wing her side, then strive to drown
  The day's eyes – piercing beams whose am'rous heat
Solicits still, 'till with this shield of down   15
  From her brave face his glowing fires are beat.

V

But whilst a plumy curtain she doth draw,
  A crystal mirror sparkles in thy breast,
In which her fresh aspect when as she saw,
  And then her foe retired to the west.   20

VI

'Dear engine that oth'Sun got'st me the day,
  'Spite of his hot assaults mad'st him retreat!
No wind (said she) dare with thee henceforth play
  But mine own breath to cool the tyrant's heat.

VII

My lively shade thou ever shalt retain   25
  In thy enclosed feather-framed glass,
And but unto ourselves to all remain
  Invisible, thou feature of this face!'

VIII

So said, her sad swain overheard, and cried:
  'Yee Gods! For faith unstained this a reward!   30

III

Nun wetteifern deine Federn an Farbe und Glanz / mit dem Himmelsbogen, der über den abgezogenen Regen triumphiert; / und liegen in einer bunt verzierten Schwinge, / mit Saphiren, Amethysten und Opalen zusammen eingelegt.

IV

Manchmal beflügeln sie ihre Flanke, dann wieder bemühen sie sich, / die stechenden Strahlen des Auges des Tags zu ertränken, dessen verliebte Hitzen / fort und fort werben, bis seine glühenden Feuer mit Hilfe dieses Schilds / aus Daunen von ihrem prachtvollen Antlitz abgeschlagen werden.

V

Aber während sie den Federvorhang vorzieht, / funkelt ein kristallner Spiegel in deinem Busen. / Als sie in dem ihr frisches Bild sah, / trat ihr Feind ⟨die Sonne⟩ den Rückzug nach Westen an.

VI

»Teures Gerät, das mir gegen die Sonne die Schlacht gewonnen hat: / trotz seiner hitzigen Attacken hast du ihn zur Retraite gezwungen! / Kein Wind«, so sprach sie, »wagt hinfort mit dir zu spielen / außer meinem eignen Atem, um die Hitze des Tyrannen abzukühlen.

VII

Mein lebendiges Schattenbild sollst du für immer bergen / in dem in dich eingeschlossenen, federgerahmten Spiegel; / und du, Konterfei dieses Gesichts, / sollst für alle außer uns unsichtbar bleiben!«

VIII

Als sie das sagte, hörte es ihr melancholischer Verehrer zufällig mit, und er rief: / »Ihr Götter! *Dies* als Lohn für fleckenlose Treue! / Federn und Glas erhalten gegenüber

Feathers and glass t'outweigh my virtue tried?
  Ah, show their empty strength!' The Gods accord.

IX
Now fall'n the brittle favourite lies, and burst!
  Amaz'd *Lucasta* weeps, repents, and flies
To her *Alexis*, vows herself accursed
  If hence she dress herself, but in his eyes.

meiner erprobten Treue den Vorrang! / Ah! Beweist die Nichtigkeit ihrer Macht!« Die Götter gewähren die Bitte.

IX

Nun liegt der zerbrechliche Günstling da, hingefallen und zersprungen! / Die verblüffte Lucasta weint, bereut und fliegt / zu ihrem Alexis. Und sie beteuert, sie möge verflucht sein, / wenn sie sich in Zukunft je vor einem anderen Spiegel schmücke als vor dem seiner Augen.

ABRAHAM COWLEY

The Tree of Knowledge
That there is no Knowledge
(Against the Dogmatists)

1.

The sacred *Tree* midst the fair *Orchard* grew;
    The *Phoenix Truth* did on it rest,
    And built his perfum'd *Nest*.
That right *Porphyrian Tree* which did true *Logic* shew,
    Each *Leaf* did learned *Notions* give, 5
    And th'*Apples* were *Demonstrative*.
    So clear their *Colour* and divine,
The very *shade* they cast did other *Lights* outshine.

2.

'Taste not,' said *God*; ''tis *mine* and *Angels*' meat;
    A certain *Death* does sit 10
    Like an ill *Worm* i'th' *Core* of it.
Ye cannot *Know* and *Live*, nor *Live* or *Know* and *Eat*.'
    Thus spoke *God*, yet *Man* did go
    Ignorantly on to *Know*;
    Grew so *more blind*, and *she* 15
Who tempted him to this, grew yet *more Blind* than *He*.

3.

The only *Science* Man by this did get,
    Was but to *know* he nothing *Knew*:
    He straight his *Nakedness* did view,
His ignorant poor estate, and was asham'd of it. 20
    Yet searches *Probabilities*,
    And *Rhetoric*, and *Fallacies*,
    And seeks by useless pride
With slight and withering *Leaves* that *Nakedness* to hide.

ABRAHAM COWLEY

*Der Baum der Erkenntnis
Daß es keine Erkenntnis gibt
(Gegen die Dogmatiker)*

1.

Der heilige Baum wuchs in der Mitte des schönen Gartens. / Der Phönix Wahrheit saß darauf / und baute darin sein duftendes Nest. / Es war ein wahrhaft Porphyrianischer Baum, der echte Logik zur Schau stellte: / Jedes Blatt gab gelehrte Begriffe zum besten, / und die Äpfel waren schlagende Beweise. / So klar und so göttlich war ihre Farbe, / daß der Schatten, den sie warfen, heller war als anderswo die Lichter.

2.

»Eßt nicht davon!« sprach Gott; »dies ist meine Speise und die der Engel. / Und sicherer Tod sitzt / wie ein böser Wurm im Inneren der Äpfel. / Ihr könnt nicht zugleich wissen und leben, und auch nicht leben oder wissen und zugleich essen.« / So sprach Gott. Allein der Mensch ging / aus Unwissenheit auf das Wissen aus. / Dadurch wurde er nur blinder – und sie, / die ihn dazu verführt hatte, wurde noch blinder als er.

3.

Das einzige Wissen, das der Mensch damit erwarb, / war die Erkenntnis, daß er nichts wußte. / Er sah alsbald seine Nacktheit, / seine armselig unwissende Lage – und schämte sich ihrer. / Dennoch greift er nach Wahrscheinlichkeitsfaktoren / und Rhetorik und Trugschlüssen, / und versucht in nutzloser Hoffart / mit dünnen und kurzlebigen Blättern diese Nacktheit zu verbergen.

4.

'Henceforth,' said *God*, 'the wretched Sons of earth   25
      Shall sweat for Food in vain
      That will not long sustain,
And bring with *Labour* forth each fond Abortive Birth.
      That *Serpent* too, their Pride,
      Which aims at things denied,   30
      That learn'd and eloquent *Lust*
Instead of *Mounting high*, shall creep upon the *Dust*.'

Bathing in the River

1.

The *fish* around her crowded, as they do
To the false light that treacherous fishers shew,
And all with as much ease might taken be,
      As she at first took me.
      For ne'er did *light* so clear   5
      Among the *waves* appear,
Though every night the *sun* himself set there.

2.

Why to *mute fish* should'st thou thyself discover,
And not to me thy no less *silent lover*?
As some from *men* their buried *gold* commit   10
      To *ghosts* that have no use of it,
      Half their rich treasures so
      Maids bury; and for ought we know
(Poor *ignorants*) they're mermaids all below.

3.

The amorous *waves* would fain about her stay,   15
But still new amorous *waves* drive them away,

4.

»Hinfort«, sprach Gott, »sollen die armseligen Erdenkinder / vergebens ihren Schweiß vergießen um einer Speise willen, / die nicht lange vorhält; / und jede Totgeburt, die sie hervorbringen, soll unter Schmerzen erfolgen. / Und auch die Schlange – ihr Stolz, / der auf verbotene Dinge zielt, / dieses gelehrte und beredte Gelüst – / auch diese Schlange soll, anstatt emporzusteigen, im Staube kriechen.«

Bad im Fluß

1.

Die Fische drängten sich um sie, wie sie sich / um das trügerische Licht drängen, das ihnen die arglistigen Fischer zeigen, / und sie wären alle ebensoleicht zu fangen gewesen, / wie ich vorher von ihr eingefangen worden war. / Denn nie noch war auf den Wellen / ein so helles Licht gesehen worden, / obwohl doch jeden Abend die Sonne in ihnen unterging.

2.

Warum zeigst du deinen Körper den stummen Fischen, / nicht aber deinem nicht weniger schweigsamen Verehrer? / So wie manche ihr vergrabenes Gold vor den Menschen verbergen, / es aber andererseits Geistern anvertrauen, die gar keine Verwendung dafür haben – / so vergraben Jungfrauen die Hälfte ihrer reichen Schätze; / und die armen, unwissenden Dinger / sind vielleicht – weiß man's denn? – alle in ihrer unteren Hälfte Meernixen.

3.

Die verliebten Wellen möchten unbedingt um sie herum stehenbleiben, / aber immer neue verliebte Wellen treiben

And with swift current to those joys they haste
    That do as swiftly waste.
    I laughed the wanton play to view,
    But 'tis, alas, at *land* so too,
And still *old lovers* yield the place to *new*.

4.

Kiss her, and as you part, you amorous waves
(My happier *rivals*, and my *fellow slaves*)
Point to yon flowery banks, and to her shew
    The good your *bounties* do;
    Then tell her what your *pride* doth cost,
    And how your *use* and *beauty's* lost,
When rigorous *winter* binds you up with *frost*.

5.

Tell her, her *beauties* and her *youth*, like *thee*
Haste without stop to a *devouring sea*;
Where they will mixed and *undistinguished* lie
    With all the meanest things that die –
    As in the *ocean* thou
    No privilege dost know
Above th'*impurest streams* that thither flow.

6.

Tell her, kind *flood*, when this has made her sad,
Tell her there's yet one *remedy* to be had;
Show her how thou, though long since *past*, dost find
    Thyself yet still *behind*;
    Marriage (say to her) will bring
    About the selfsame thing,
But she, fond *maid*, *shuts* and *seals* up the *spring*.

sie weg / und eilen in schnellem Lauf auf jene Freuden zu, / die dann für sie ebensoschnell vorbei sind. / Ich lachte über das lose Spiel, / aber ach! am Land vollzieht sich das gleiche: / auch dort müssen alte Verehrer stets neuen Platz machen.

4.

Küßt sie, ihr verliebten Wellen / – meine beglückteren Rivalen und Mitsklaven! – Weist beim Abschiednehmen / auf euere blumenreichen Ufer hin und zeigt ihr, / was eure Wohltätigkeit dort Gutes getan hat! / Dann erzählt ihr, was es kostet, wenn ihr einmal vor Stolz anschwellt, / und wie euer Nutzen und eure Schönheit verloren sind, / wenn der strenge Winter euch mit seinem Frost in Eisesfesseln bindet!

5.

Sag ihr, o Fluß: Ihre Schönheit und Jugend / eilt wie du ohne Aufenthalt auf ein verschlingendes Meer zu. / Dort wird beides vermengt und ohne Unterschied / mit all den niedersten Dingen zusammenliegen, die sterben – / genauso, wie du im Ozean / keine höheren Rechte hast / als die schmutzigsten Bäche, die in ihn fließen.

6.

Sag ihr, freundliche Flut, wenn sie dies traurig gemacht hat – / sag ihr, daß es noch eine Rettung für sie gibt: / Zeig ihr, wie du, obwohl du schon lange vorübergeflossen bist, / doch immer hinter dir aus dir selbst eine Nachfolge findest! / Die Ehe, sag zu ihr, wird / für sie dasselbe möglich machen; / aber sie, die törichte Maid, verschließt und versiegelt den Ursprung an der Quelle.

Ode
Sitting and Drinking in the Chair
Made out of the Relics of Sir Francis Drake's Ship

I

Cheer up, my mates, the wind does fairly blow,
Clap on more sail and never spare;
Farewell all lands, for now we are
In the wide sea of drink, and merrily we go.
Bless me, 'tis hot! Another bowl of wine,
    And we shall cut the Burning Line:
Hey, boys! She scuds away, and by my head I know
    We round the world are sailing now.
What dull men are those who tarry at home
When abroad they might wantonly roam,
    And gain such experience, and spy too
    Such countries and wonders as I do?
But prithee, good *Pilot*, take heed what you do,
    And fail not to touch at *Peru*;
    With gold there the vessel we'll store,
    And never, and never be poor,
    No never be poor any more.

II

What do I mean? What thoughts do me misguide?
As well upon a staff may witches ride
    Their fancied journeys in the air,
As I sail round the ocean in this chair:
    'Tis true; but yet this chair which here you see,
For all its quiet now and gravity,
Has wander'd and has travell'd more
Than ever beast, or fish, or bird, or ever tree before.
In ev'ry air and ev'ry sea't has been,
'T has compass'd all the earth, and all the heav'ns 't has seen.
Let not the Pope's itself with this compare:
This is the only Universal Chair.

Ode
Als ich trinkend in dem Stuhl saß, der aus den Resten des Schiffes von Sir Francis Drake gezimmert worden ist

I
Nur munter, Matrosen, der Wind bläst günstig! / Zieht mehr Segel auf und laßt's euch nicht gereun! / Lebt wohl, ihr Länder alle, denn nun sind wir / auf dem weiten Meer des Trunks und wir segeln froh dahin. / Verflixt, 's ist heiß! Noch einen Becher Wein / und wir werden den Äquator überqueren! / He, Jungen, das Schiff läuft munter vor dem Wind, und ich spüre es in meinem Kopf, / daß wir jetzt um die Erdkugel herumsegeln. / Wie fade sind die Männer, die zu Hause bleiben, / wo sie doch so frei und lustig durch die Welt fahren könnten / und so viel erfahren und / solche Länder und Wunder sehen könnten wie ich! / Aber ich bitte dich, guter Lotse: Achte auf das, was du tust, / und vergiß nicht, in Peru anzulegen! / Dort wollen wir das Schiff mit Gold volladen / und nie mehr, und nie mehr arm sein / – nein niemals mehr arm sein im Leben!

II
Was rede ich da? Welche Gedanken führen mich in die Irre? / Genausogut können Hexen auf einem Stock / zu ihren märchenhaften Reisen durch die Luft reiten, / wie ich mit diesem Stuhl das Weltmeer umfahren kann. / 's ist wahr – und trotzdem: dieser Stuhl, den ihr hier seht, / so still und behäbig er jetzt aussieht, / er war ein Wanderer und ist weiter gereist, / als irgendein Tier, Fisch, Vogel oder Baum jemals gereist ist. / Er war in jedem Klima und auf jedem Meer, / er hat die ganze Erde umkreist und alle Himmelszonen gesehen. / Selbst der Stuhl des Papstes kann sich nicht mit diesem vergleichen: / er ist der einzige universale Stuhl der Welt.

III

The pious Wand'rer's fleet, sav'd from the flame 30
(Which did the relics still of *Troy* pursue
    And took them for its due)
A squadron of immortal nymphs became:
Still with their arms they row about the seas
And still make new and greater voyages; 35
Nor has the first poetic ship of *Greece*
(Though now a star she so triumphant show
And guide her sailing successors below,
Bright as her ancient freight, the shining fleece)
Yet to this day a quiet harbour found; 40
The tide of heav'n still carries her around.
Only *Drake's* sacred vessel, which before
    Had done and had seen more
    Than those have done or seen
Ev'n since they goddesses, and this a star has been, 45
As a reward for all her labour past
    Is made the seat of rest at last.
    Let the case now quite alter'd be,
And as thou went'st abroad the world to see,
    Let the world now come to see thee. 50

IV

The world will do't; for curiosity
Does, no less than devotion, pilgrims make;
And I myself, who now love quiet too,
As much almost as any chair can do,
    Would yet a journey take, 55
An old wheel of that chariot to see
    Which *Phaeton* so rashly brake:
Yet what could that say more than these remains of *Drake*?
Great relic! thou, too, in this port of ease
Hast still one way of making voyages: 60
The breath of fame, like an auspicious gale,
    (The great trade wind which ne'er does fail)

III

Die Flotte des frommen Wanderers ⟨pius Aeneas⟩ wurde, als sie sich aus den Flammen, / die noch immer Trojas Reste besetzt hielten / und für ihr Besitztum ansahen, gerettet hatte, / in eine Schwadron unsterblicher Nymphen verwandelt. / Auf ewig rudern sie in allen Meeren herum, / und ewig machen sie neue und immer größere Reisen. / Und auch das erste Schiff, das die griechische Poesie besingt ⟨das Argonautenschiff⟩, / hat – obgleich es jetzt als Sternbild so prächtig leuchtet / und seine segelnden Nachfahren unten lenkt / mit einem Glanz, der so hell ist, wie seine einstige Fracht, das Goldene Vlies – / bis zum heutigen Tag keinen friedlichen Hafen gefunden; / die Flut des Himmelsraums trägt es noch heute rund herum. / Nur Drakes ehrwürdiges Schiff, das vordem / mehr getan und gesehen hat / als jene getan und gesehen haben, / selbst seit die einen in Göttinnen und das andere in ein Sternbild verwandelt worden sind, / ist zum Lohn für all seine ehemalige Mühe / schließlich zu einem Ruhesitz geworden. / Laß nun den Spieß auch ganz umgedreht sein: / So wie du hinauszogst, um die Welt zu sehen, / so laß nun die Welt hereinkommen, um dich zu sehen!

IV

Und die Welt wird es tun. Denn die Neugier / macht die Leute genauso zu Pilgern wie die Andacht. / Ich selbst, der ich jetzt auch gern meine Ruhe habe / – fast genauso gern, wie irgendein alter Stuhl sie haben möchte – / würde doch auch noch eine Reise tun, / um ein altes Rad von dem Wagen zu sehen, / den Phaeton so unvorsichtig zerbrach. / Und doch – was könnte mir das mehr sagen als diese Reste von Drakes Schiff? / Große Reliquie! Auch du hast in diesem Hafen des Wohlbehagens / noch eine Möglichkeit, auf Reisen zu gehen: / Der Hauch des Ruhms soll dich wie ein günstiger Wind / – der große Passatwind, der niemals ausbleibt – / um

Shall drive thee round the world, and thou shalt run
    As long around it as the sun.
The straights of time too narrow are for thee;
Launch forth into an undiscover'd sea,
And steer the endless course of vast eternity:
Take for thy sail this verse, and for thy *pilot*, me.

die ganze Welt treiben, und du sollst / so lange rundherum unterwegs sein wie die Sonne. / Die Meerengen ⟨Nöte⟩ der Zeit sind zu eng für dich; / stoße vor in ein noch unentdecktes Meer / und steuere auf dem nie endenden Kurs der weiten Ewigkeit; / nimm als dein Segel meine Verse, und als Lotsen nimm mich selbst!

ANDREW MARVELL

On a Drop of Dew

See how the orient dew,
  Shed from the bosom of the morn
    Into the blowing roses,
Yet careless of its mansion new,
  For the clear region where't was born,   5
    Round in itself incloses;
    And in its little globe's extent
Frames, as it can, its native element.
How it the purple flow'r does slight,
    Scarce touching where it lies,   10
    But gazing back upon the skies
      Shines with a mournful light,
        Like its own tear,
Because so long divided from the sphere.
  Restless it rolls and unsecure,   15
    Trembling lest it grow impure:
Till the warm sun pity its pain,
And to the skies exhale it back again.
    So the soul, that drop, that ray
Of the clear fountain of eternal day,   20
Could it within the human flow'r be seen,
    Rememb'ring still its former height,
    Shuns the sweet leaves and blossoms green;
    And, recollecting its own light,
Does, in its pure and circling thoughts, express   25
The greater heaven in an heaven less.
    In how coy a figure wound,
    Everyway it turns away,
    So the world excluding round,
    Yet receiving in the day.   30

ANDREW MARVELL

Auf einen Tautropfen

Sieh, wie der perlenschimmernde Tau / – aus dem Busen der Morgenfrühe herabgeflossen / in die blühenden Rosen / und doch der neuen Behausung nicht achtend / in der Erinnerung an die lichte Region, in der er geboren wurde – / sich rund in sich selber einschließt / und in dem Ausmaß seiner kleinen Kugelform, / so gut er es vermag, die Sphäre seiner Herkunft nach- und abbildet. / Wie er die purpurnen Blumen verachtet / und kaum berührt dort, wo er aufliegt; / wie er vielmehr zurückschaut zu den Himmeln / und mit schmerzlich-mattem Lichte glänzt / wie seine eigene Träne, / weil er so lange schon von der Himmelssphäre getrennt ist. / Ruhelos rollt er und ohne festen Halt, / und zittert davor, daß er unrein werden könnte – / bis die warme Sonne Mitleid bekommt mit seiner Pein / und ihn in einem Hauch wieder zum Himmel zurückkehren läßt. / – So auch ergeht es der Seele: Könnte man sie – diesen Tropfen, diesen Strahl / aus der reinen Quelle des ewigen Tages – / im Inneren der Menschenblüte sehen, / so nähme man wahr, wie sie in steter Erinnerung an ihren früheren hohen Standort / die süßen grünen Blätter und Blüten verachtet / und, ihres eignen Lichtes eingedenk ⟨indem sie ihr eigenes Licht zusammenfaßt⟩, / in ihren reinen und kreisenden Gedanken / den größeren Himmel in einem kleineren abzubilden und auszudrücken sucht. / – In welch scheuer, in sich gekehrter Haltung / wendet sie sich von allem ringsumher ab / und schließt damit die Welt rundum aus, / indem sie doch zugleich den Tag in sich auf-

>   Dark beneath, but bright above:
>   Here disdaining, there in love.
>   How loose and easy hence to go,
>   How girt and ready to ascend.
>   Moving but on a point below,
>   It all about does upwards bend.
> Such did the manna's sacred dew distil:
> White, and entire, though congeal'd and chill.
> Congeal'd on earth; but does, dissolving, run
> Into the glories of th'Almighty Sun.

The Garden

I

> How vainly men themselves amaze
> To win the palm, the oak, or bays;
> And their uncessant labours see
> Crown'd from some single herb or tree,
> Whose short and narrow verged shade
> Does prudently their toils upbraid,
> While all flow'rs and all trees do close
> To weave the garland of repose.

II

> Fair quiet, have I found thee here,
> And innocence, thy sister dear!
> Mistaken long, I sought you then
> In busy companies of men.
> Your sacred plants, if here below,
> Only among the plants will grow.
> Society is all but rude
> To this delicious solitude.

nimmt. / Von unten dunkel, doch voll Glanz von oben; / hier verachtend, dort verliebt; / wie losgelöst, um leicht hinwegzugehn, / wie gerüstet und bereit, hinanzusteigen! / Hier unten nur auf Zehenspitzen gehend ⟨mit einem Punkt die Erde berührend⟩, / wölbt sie sich in allem nach oben. / So troff der heilige Tau des Mannas herab: / weiß und rund, aber hart und kalt. / In der irdischen Kälte kristallen verdichtet: aber wenn sie zerschmilzt, / fließt sie in die Glorie der allmächtigen Sonne zurück.

Der Garten

I

Wie sinnlos ist doch die Art, in der die Menschen sich martern, / um die Palme, die Eiche oder den Lorbeer zu erkämpfen / und ihr unermüdliches Bemühen / von einem einzigen Kraut oder Baum gekrönt zu sehen, / dessen kurzer und schmal begrenzter Schatten / vernünftig genug ist, sie für ihr hektisches Streben zu tadeln / – während alle Blumen und Bäume sich vereinen, / wenn es gilt, Kränze der Ruhe zu flechten.

II

O schöne Rast, hab ich dich hier gefunden, / dich und die Unschuld, deine teure Schwester? / Lange Zeit ging ich in die Irre und suchte dich dort, / wo Menschen sich in geschäftiger Menge zusammenfinden. / Doch deine heiligen Pflanzen wachsen hier unten, wenn überhaupt, / nur unter den echten Pflanzen. / Alle menschliche Gesellschaft ist roh / im Vergleich mit dieser köstlichen Einsamkeit.

III

No white nor red was ever seen
So am'rous as this lovely green.
Fond lovers, cruel as their flame,
Cut in these trees their mistress' name.   20
Little, alas, they know, or heed
How far these beauties hers exceed!
Fair trees! wheres'e'er your bark I wound,
No name shall but your own be found.

IV

When we have run our passion's heat,   25
Love hither makes his best retreat.
The *Gods*, that mortal beauty chase,
Still in a tree did end their race:
Apollo hunted *Daphne* so,
Only that she might laurel grow;   30
And *Pan* did after *Syrinx* speed,
Not as a nymph, but for a reed.

V

What wond'rous life in this I lead!
Ripe apples drop about my head;
The luscious clusters of the vine   35
Upon my mouth do crush their wine;
The nectarine, and curious peach
Into my hands themselves do reach;
Stumbling on melons, as I pass,
Insnar'd with flowers, I fall on grass.   40

VI

Meanwhile the mind, from pleasure less,
Withdraws into its happiness:
The mind, that ocean, where each kind
Does straight its own resemblance find;

III

Kein Weiß, kein Rot, das man je gesehen hat, / ist so liebreizend wie dies schöne Grün. / Törichte Liebhaber – grausam wie die Flamme, die in ihnen brennt – / schneiden in diese Bäume die Namen ihrer Geliebten ein. / Wie wenig, ach, wissen – oder beachten – sie, / wie sehr *diese* Schönheiten die ihrer Angebeteten übertreffen! / Ihr schönen Bäume! Wo immer ich eure Rinde verwunde, / wird man mich keinen anderen Namen hinterlassen sehen als euren eigenen.

IV

Wenn wir den hitzigen Wettlauf unserer Leidenschaften gelaufen sind, / dann findet die Liebe hier ihre beste Zuflucht. / Die Götter, die auf menschliche Schönheit Jagd machen, / sind immer bei einem Baum ans Ende ihrer Jagd gekommen. / So ging es Apollo mit Daphne – er jagte sie / nur, damit sie zum Lorbeer würde. / Und Pan rannte hinter Syrinx her / nicht, um eine Nymphe zu ergattern, sondern um des tönenden Rohres willen.

V

Welch wundervolles Leben hab ich hier! / Reife Äpfel hängen mir um das Haupt. / Die süßen Weintrauben / drängen sich mit ihrem Saft an meinen Mund. / Die Nektarine und der köstliche Pfirsich / reichen sich selbst meinen Händen dar. / Wenn ich beim Gehen über Melonen stolpere, / so falle ich, von Blumen mit Schlingen umgarnt, ins Gras.

VI

Indessen zieht sich der Geist von geringeren Vergnügungen / weg in seine eigene Glückseligkeit zurück. / Der Geist: der Ozean, in dem jede Spezies / ihre eigne Entsprechung fin-

Yet it creates, transcending these, 45
Far other worlds and other seas,
Annihilating all that's made
To a green thought in a green shade.

VII

Here at the fountain's sliding foot,
Or at some fruit-tree's mossy root, 50
Casting the body's vest aside,
My soul into the boughs does glide:
There like a bird it sits, and sings,
Then whets, and combs its silver wings;
And, till prepar'd for longer flight, 55
Waves in its plumes the various light.

VIII

Such was the happy garden-state,
While man there walk'd without a mate:
After a place so pure, and sweet,
What other help could yet be meet! 60
But 'twas beyond a mortal's share
To wander solitary there:
Two paradises 'twere in one
To live in Paradise alone.

IX

How well the skilful gardner drew 65
Of flow'rs and herbs this dial new,
Where from above the milder sun
Does through a fragrant zodiac run;
And, as it works, th'industrious bee
Computes its time as well as we. 70
How could such sweet and wholesome hours
Be reckon'd but with herbs and flow'rs!

det. / Aber er übertrifft dies sogar und erzeugt selbst / ganz neue Welten und ganze neue Meere, / und löst alles Geschaffene auf ⟨läßt alles Geschaffene als wesenlos zurück⟩ / in einem grünen Gedanken im grünen Schatten.

VII

Hier am rinnenden Fuß der Quelle / oder bei der moosigen Wurzel eines Obstbaumes / wirft meine Seele das körperliche Gewand ab / und gleitet in die Zweige. / Dort sitzt sie wie ein Vogel und singt, / putzt ihr Gefieder und kämmt ihre silbernen Flügel. / Und läßt, bis sie für einen längeren Flug bereit ist, / in ihren Federn das wechselnde Licht spielen.

VIII

So war der glückliche Zustand im Garten, / solange der Mensch dort noch ohne eine Gefährtin wandelte. / Welche weitere Wohltat konnte denn, / nachdem er einen so reinen und angenehmen Aufenthaltsort empfangen hatte, noch für ihn taugen? / Es war ein größeres Glückslos, als es einem Sterblichen zukommt, / dort einsam wandern zu dürfen: / Zwei Paradiese wären es in einem, / wenn man im Paradies allein leben dürfte!

IX

Wie hübsch hat der geschickte Gärtner / aus Blumen und Kräutern die neue Sonnenuhr da gemacht! / Hier läuft die Sonne, die milder von oben scheint, / durch einen duftenden Tierkreis; / und die emsige Biene berechnet bei ihrer Arbeit / ihre Zeit so gut wie wir. / Wie könnte man so süße und erholsame Stunden / anders zählen als mit Hilfe von Kräutern und Blüten!

The Coronet

When, for the thorns with which I long, too long,
   With many a piercing wound
   My saviour's head have crown'd,
I seek with garlands to redress that wrong,
   Through every garden, every mead
I gather flow'rs (my fruits are only flow'rs),
   Dismantling all the fragrant towers
That once adorn'd my shepherdesses' head.
And now, when I have summ'd up all my store,
   Thinking (so I myself deceive)
   So rich a chaplet thence to weave
As never yet the King of Glory wore:
   Alas, I find the serpent old
   That, twining in his speckled breast,
   About the flow'rs disguis'd does fold
   With wreaths of fame and interest.
Ah, foolish man, that would'st debase with them
And mortal glory heaven's diadem!
But thou who only could'st the serpent tame,
Either his slipp'ry knots at once untie,
And disentangle all his winding snare;
Or shatter too with him my curious frame
And let these wither, so that he may die,
Though set with skill and chosen out with care.
That they, while thou on both their spoils dost tread,
May crown thy feet, that could not crown thy head.

Andrew Marvell

Das Diadem

Wenn ich – als Sühne für die Dornen, mit denen ich lange, allzulange / das Haupt meines Heilands / mit vielen tiefen Wunden gekrönt habe – / dieses Unrecht mit Girlanden wiedergutzumachen suche, / dann sammle ich in jedem Garten, jeder Wiese / Blumen (denn meine Früchte sind nur Blumen) / und beraube dabei auch all die duftenden Haartürme, / die einst die Köpfe meiner Schäferinnen schmückten. / Und wenn ich dann all meine Schätze beieinanderhabe / und gedenke – o selbstbetrügerisches Denken! – / daraus einen so reichen Kranz zu winden, / wie ihn der König aller Glorie noch nie getragen hat, / dann find ich, ach, die alte Schlange vor, / die, ihre gefleckte Brust um die Blumen schlingend, / unter ihnen verborgen liegt / in Windungen von Ruhm- und Selbstsucht. / O törichter Mensch, der du damit / und mit sterblichem Ruhm das Diadem für den Himmel erniedrigen möchtest! / Doch du, der du allein die Schlange zähmen konntest, / löse entweder sogleich ihre schlüpfrigen Knoten auf / und entwirre all diese verschlungenen Fallstricke / oder zerreiß mit ihnen zugleich mein kunstreiches Gebinde / und laß – wenn nur die Schlange dabei mitstirbt – die Blumen verdorren, / so sehr ich sie auch mit Kunst gewirkt und mit Sorgfalt gewählt habe. / So dürfen sie wenigstens, während du auf die Reste von Schlange und Blumen trittst, / deine Füße krönen, sie, die dein Haupt nicht krönen konnten.

The Definition of Love

I

My love is of a birth as rare
As 'tis for object strange and high:
It was begotten by despair
Upon impossibility.

II

Magnanimous despair alone
Could show me so divine a thing,
Where feeble hope could ne'er have flown
But vainly flapp'd its tinsel wing.

III

And yet I quickly might arrive
Where my extended soul is fix'd,
But fate does iron wedges drive,
And always crowds itself betwixt.

IV

For fate with jealous eye does see
Two perfect loves; nor lets them close:
Their union would her ruin be,
And her tyrannic pow'r depose.

V

And therefore her decrees of steel
Us as the distant poles have plac'd,
(Though Love's whole world on us doth wheel)
Not by themselves to be embrac'd.

VI

Unless the giddy heaven fall
And earth some new convulsion tear,
And, us to join, the world should all
Be cramp'd into a *planisphere*.

Definition der Liebe

I
Die Abstammung meiner Liebe ist ebenso seltsam, / wie ihr Gegenstand außergewöhnlich und erhaben ist: / Sie wurde von der Verzweiflung gezeugt / und von der Unmöglichkeit empfangen.

II
Einzig die hochherzige Verzweiflung / konnte mir etwas so Göttliches zeigen – / die schwächliche Hoffnung wäre da nie aufgeflogen, / sondern hätte nur umsonst mit ihren falschen Flitterflügeln geschlagen.

III
Und dennoch könnte ich schnell dort landen, / wo meine weitgespannte Seele ihren Fixpunkt hat, / wenn nicht das Schicksal eiserne Keile dazwischentriebe / und sich ständig und überall dazwischendrängte.

IV
Denn das Schicksal sieht zwei vollkommene Lieben / mit scheelen Augen an und läßt sie nicht zusammenkommen. / Ihre Vereinigung würde seinen Ruin bedeuten / und seine Tyrannenmacht absetzen.

V
Deshalb haben seine stählernen Verordnungen / uns wie die entgegengesetzten Pole auseinander plaziert, / – wie Pole, die (obwohl die ganze Welt der Liebe sich in uns dreht) / sich selber nicht umarmen dürfen.

VI
Es sei denn, daß der hohe Himmel einfällt / und die Erde von einem neuen Beben gepackt wird, / und daß die Welt, um uns zueinanderzubringen, / zu einem Astrolabium zusammengefaltet würde.

VII

As lines, so loves *oblique* may well 25
Themselves in every angle great:
But ours, so truly *parallel*,
Though infinite, can never meet.

To his Coy Mistress

Had we but world enough, and time,
This coyness, Lady, were no crime.
We would sit down, and think which way
To walk, and pass our long love's day.
Thou by the *Indian Ganges'* side 5
Should'st rubies find: I by the tide
Of *Humber* would complain. I would
Love you ten years before the Flood:
And you should, if you please, refuse
Till the conversion of the *Jews*. 10
My vegetable love should grow
Vaster than empires, and more slow.
An hundred years should go to praise
Thine eyes, and on thy forehead gaze.
Two hundred to adore each breast: 15
But thirty thousand to the rest.
An age at least to every part,
And the last Age should show your heart.
For, Lady, you deserve this state,
Nor would I love at lower rate. 20

But at my back I always hear
Time's winged chariot hurrying near,
And yonder all before us lie
Deserts of vast eternity.

VII

So wie zwei Gerade können sich auch zwei Lieben, die schief zueinander liegen, / in jedem beliebigen Winkel treffen. / Aber unsere Lieben, die so vollkommen parallel sind, / können, obwohl sie ins Unendliche gehen, niemals zusammenkommen.

An seine spröde Geliebte

Hätten wir Welt genug und Zeit, / dann wäre diese Sprödigkeit kein Verbrechen. / Wir könnten uns niedersetzen und nachdenken, welchen Weg / wir einschlagen sollen und wie wir unseren langen Liebestag verbringen wollen. / Du würdest am indischen Gangesstrand / Rubine sammeln, und ich würde bei den Fluten / des Humber meine Liebesklagen ausstoßen. Ich würde / dich schon zehn Jahre vor der Sintflut lieben, / und du könntest dich, wenn's dir beliebte, / bis zur Bekehrung der Juden mir verweigern. / Meine pflanzenhafte Liebe sollte größer aufwachsen, / als Kaiserreiche sind, und langsamer wachsen als sie. / Hundert Jahre würden damit verbracht werden, / deine Augen zu preisen und deine Stirn anzustaunen; / zweihundert, um jede Brust einzeln anzubeten; / doch dreißigtausend Jahre gingen hin für den Rest. / Ein Menschenalter mindestens brauchte ich für jeden Teil, / und das letzte Zeitalter sollte dein Herz offenbaren. / Denn, Herrin, du verdienst diesen Staat, / und ich wollte nicht in niedrigeren Dimensionen lieben.

Doch mir im Rücken hör ich stets / den geflügelten Wagen der Zeit näherrollen, / und vor uns liegen / Wüsten weiter

>   Thy beauty shall no more be found, 25
>   Nor, in thy marble vault, shall sound
>   My echoing song: then worms shall try
>   That long-preserv'd virginity,
>   And your quaint honour turn to dust,
>   And into ashes all my lust. 30
>   The grave's a fine and private place,
>   But none, I think, do there embrace.
>
>   Now therefore, while the youthful hue
>   Sits on thy skin like morning dew,
>   And while thy willing soul transpires 35
>   At every pore with instant fires,
>   Now let us sport us while we may;
>   And now, like am'rous birds of prey,
>   Rather at once our time devour,
>   Than languish in his slow-chapp'd pow'r. 40
>   Let us roll all our strength, and all
>   Our sweetness, up into one ball,
>   And tear our pleasures with rough strife
>   Thorough the iron gates of life.
>   Thus, though we cannot make our sun 45
>   Stand still, yet we will make it run.

Bermudas

>   Where the remote Bermudas ride
>   In th'ocean's bosom unespied,
>   From a small boat, that row'd along,
>   The list'ning wind receiv'd this song.
>
>   'What should we do but sing his praise 5
>   That led us through the wat'ry maze

Ewigkeit. / Deine Schönheit wird darin nicht mehr zu finden sein, / noch wird mein Lied in deiner Marmorgruft widerhallen: / Würmer werden dann / deine lang gehegte Jungfräulichkeit erproben, / und deine mit soviel Findigkeit bewahrte Ehre wird zu Staub werden, / ebenso wie all mein Lustverlangen zu Asche zerfallen wird. / Das Grab ist ein feiner und verschwiegener Ort, / doch niemand, glaub ich, umarmt sich dort.

Darum, solang noch die Jugendfarbe / wie Morgentau auf deiner Haut liegt / und solang deine liebesbereite Seele / durch jede Pore rasche Glut ausatmet, / laß uns uns vergnügen, dieweil wir's noch können! / Und laß uns, wie Raubvögel der Liebe, / die uns zugemessene Zeit lieber auf einmal verschlingen, / als in der Gewalt ihrer langsam mahlenden Kiefer dahinschmachten. / Laß uns all unsere Kraft und all / unsere Süßigkeit in einen Ball zusammenrollen / und unsere Freuden mit wilder Gewalt / durch die Eisenpforten des Lebens zerren! / So werden wir unsere Sonne zwar nicht / stillstehen lassen können, aber wir werden sie zum Laufen bringen.

Bermudas

Dort wo die fernen Bermudas / ungesehen am Busen des Ozeans liegen, / empfingen die lauschenden Winde / von einem kleinen Boot, das dort dahinruderte, dieses Lied.

»Was könnten wir anderes tun, als dessen Preis singen, / der uns durch das Wasserlabyrinth / zu einer so lange unbekann-

Unto an isle so long unknown,
And yet far kinder than our own?
Where he the huge sea-monsters wracks,
That lift the deep upon their backs.   10
He lands us on a grassy stage,
Safe from the storms', and prelat's rage.
He gave us this eternal spring,
Where he enamels everything;
And sends the fowls to us in care   15
On daily visits through the air.
He hangs in shades the orange bright
Like golden lamps in a green night;
And does in the pomegranates close
Jewels more rich than *Ormus* shows.   20
He makes the figs our mouths to meet,
And throws the melons at our feet.
But apples plants of such a price,
No tree could ever bear them twice.
With cedars, chosen by his hand,   25
From *Lebanon*, he stores the land;
And makes the hollow seas, that roar,
Proclaim the ambergris on shore.
He cast (of which we rather boast)
The Gospel's pearl upon our coast.   30
And in these rocks for us did frame
A temple, where to sound his name.
Oh let our voice his praise exalt,
Till it arrive at heaven's vault:
Which thence (perhaps) rebounding, may   35
Echo beyond the *Mexique Bay*.'

Thus sang they in the *English* boat
An holy and a cheerful note,
And all the way, to guide their chime,
With falling oars they kept the time.   40

ten Insel geführt hat – / unbekannt und doch viel freundlicher als unsere eigene? / Wo er die großen Seeungetüme stranden läßt, / die das ganze tiefe Meer auf ihren Rücken nehmen. / Er läßt uns auf einem graswachsenen Rastplatz landen – / sicher vor den Stürmen und der Wut der Prälaten. / Er gab uns diesen ewigen Frühling, / der hier alles mit Emailfarben verziert, / und schickt in liebender Fürsorge die Vögel zu uns / zu täglichen Besuchen durch die Luft herab. / Er hängt im Schatten glänzende Orangen auf / wie goldne Lampen in einer grünen Nacht. / Und er schließt in den Granatapfel Juwelen ein, / reicher, als Hormuz sie aufzuweisen hat. / Er läßt die Feige uns in den Mund wachsen / und wirft die Melone vor unsere Füße. / Doch Äpfel ⟨Ananas⟩ pflanzt er von solcher Größe und Schönheit, / daß kein Baum mehr als einmal so große tragen könnte. / Mit Zedern, die seine Hand am Libanon ausgewählt hat, / bepflanzt er das Land / und läßt die gierige, brüllende See den Bernstein / am Strand offen hinlegen. / Er warf – und wir sind stolz darauf – / die Perle des Evangeliums an unsere Küste / und formte in diesen Felsen / einen Tempel, in dem wir seinen Namen verkünden können. / O laßt unsere Stimme sein Lob erheben, / bis es zum Himmelsgewölbe hinaufdringt! / Wenn es – so Gott will – zurückhallt, möge / sein Echo weit über die mexikanische Bucht hinaustönen!«

So sangen sie in dem englischen Schiff / ein heiliges und frohes Lied, / und auf dem ganzen Weg hielten sie, um ihrem Gesang einen festen Rhythmus zu geben, / mit dem Eintauchen ihrer Ruder den Takt.

*An Horatian Ode
upon Cromwell's Return from Ireland*

The forward Youth that would appear
Must now forsake his *Muses* dear,
   Nor in the Shadows sing
   His Numbers languishing.
'Tis time to leave the Books in dust, 5
And oil th'unused Armour's rust,
   Removing from the Wall
   The Corslet of the Hall.
So restless *Cromwell* could not cease
In the inglorious Arts of Peace, 10
   But through advent'rous War
   Urged his active Star.
And, like the three-fork'd Lightning, first
Breaking the Clouds where it was nurst,
   Did thorough his own Side 15
   His fiery way divide.
For 'tis all one to Courage high
The Emulous or Enemy;
   And with such to inclose
   Is more then to oppose. 20
Then burning through the Air he went,
And Palaces and Temples rent:
   And *Caesar's* head at last
   Did through his Laurels blast.
'Tis Madness to resist or blame 25
The force of angry Heaven's flame:
   And, if we would speak true,
   Much to the Man is due.
Who, from his private Gardens, where
He liv'd reserved and austere, 30
   As if his highest plot
   To plant the Bergamot,

Andrew Marvell

*Eine Horazische Ode
über Cromwells Rückkehr vom irischen Feldzug*

Der ungeduldige Jüngling, der ins Licht der Öffentlichkeit treten möchte, / muß sich von den Musen losreißen, die ihm teuer sind, / und darf nun nicht mehr, im Schatten / schmachtend, seine Verse singen. / Es ist Zeit, die Bücher dem Verstauben zu überlassen, / den Rost der unbenützten Rüstung mit Öl abzuputzen / und von der Wand zu nehmen / den Brustharnisch in der Halle. / So konnte auch der rastlose Cromwell nicht Genüge finden / bei den ruhmlosen Künsten des Friedens, / sondern er zwang durch das Abenteuer des Krieges hindurch / seine auf Aktivität gerichtete Wesensbestimmung. / Und wie der dreifach gegabelte Blitz, der sich zuerst / durch die Wolken, in denen er gezeugt ward, seine Bahn bricht, / so machte er sich zunächst durch seine eigene Partei hindurch / den feurigen Weg frei. / Denn für einen hohen Mut besteht kein Unterschied / zwischen den Eiferern ⟨auf der eigenen Seite⟩ und den Feinden, / und wer so einen Menschen in die Parteidisziplin einsperren will, / der reizt ihn zu schlimmerem Zorn als die offenen Gegner. / Dann brach er brennend durch die Luft / und spaltete Paläste und Tempel; / und zuletzt schlug er vernichtend auf Caesars Haupt nieder, / traf ihn durch den ⟨Königs-⟩Lorbeer hindurch. / Es ist Wahnsinn, sich der Flammengewalt / des erzürnten Himmels widersetzen zu wollen oder ihr Vorwürfe zu machen; / und – wenn wir der Wahrheit die Ehre geben wollen – / dem Manne ist viel zu verdanken: / Ihm, der aus seinem privaten Garten, wo / er zurückgezogen und in asketischer Herbheit lebte, / als sei sein höchstes Planen / das Züchten der Bergamott-Birne, / durch Mut und Fleiß empor-

Could by industrious Valour climbe
To ruine the great Work of Time,
    And cast the Kingdome old35
    Into another Mold.
Though Justice against Fate complain,
And plead the ancient Rights in vain:
    But those do hold or break
    As Men are strong or weak.40
Nature that hateth emptiness,
Allows of penetration less:
    And therefore must make room
    Where greater Spirits come.
What Field of all the Civil Wars,45
Where his were not the deepest Scars?
    And *Hampton* shows what part
    He had of wiser Art.
Where, twining subtile fears with hope,
He wove a Net of such a scope,50
    That *Charles* himself might chase
    To *Carisbrook's* narrow case.
That thence the *Royal Actor* born
The *Tragic Scaffold* might adorn:
    While round the armed Bands55
    Did clap their bloody hands.
He nothing common did or mean
Upon that memorable Scene:
    But with his keener Eye
    The Axe's edge did try:60
Nor call'd the *Gods* with vulgar spight
To vindicate his helpless Right,
    But bow'd his comely Head,
    Down as upon a Bed.
This was that memorable Hour65
Which first assur'd the forced Pow'r.
    So when they did design
    The *Capitol's* first Line,

steigen konnte, / um schließlich das große Werk der Zeit zu zertrümmern / und das alte Königreich / in eine neue Form zu gießen, / so sehr auch Justitia sich gegen das Schicksal beklagen / und – vergeblich – die alten Rechtsansprüche geltend machen mag. / Aber diese verbrieften Rechte halten oder zerbrechen / je nachdem, ob ein Mann stark oder schwach ist. / Die Natur, die kein Vakuum zuläßt, / duldet noch weniger eine gegenseitige Durchdringung von festen Körpern / und muß daher Raum geben, / wo größere Geister auf den Plan treten. / Welches Schlachtfeld in all den Bürgerkriegen gibt es, / auf dem nicht seine Wunden die tiefsten waren? / Und Hampton beweist, über welches Maß / von klügeren ⟨politischen⟩ Künsten er verfügte: / wo er – indem er auf schlaue Weise Furcht und Hoffnung ineinander flocht – ein Netz von solchem Ausmaß knüpfte, / daß Karl sich von selbst darin fangen mußte, / in dem engen Käfig von Carisbrook; / damit dann der königliche Schauspieler, von dort hergeschleppt, / die tragische Bühne ⟨das Schafott⟩ zierte, / während ringsum die bewaffneten Scharen / in ihre blutbefleckten Hände klatschten. / Nichts, was niedrig oder unwürdig gewesen wäre, / tat er auf diesem denkwürdigen Theater: / Mit einem Auge, das schärfer war als sie, / prüfte er die Schärfe der Axt, / und er rief nicht mit vulgären Haßäußerungen nach den Göttern, / daß sie sein hilfloses Vorrecht wiederherstellen möchten; / nein, er beugte sein edles Haupt / wie auf ein Ruhebett herab. / Das war jene denkwürdige Stunde, / die der erzwungenen Macht zum ersten Mal ein Gefühl der Sicherheit gab. / So war es einst, als man für das Fundament / des Kapitols die erste Linie in den Boden ritzte: / da erschreckte ein blutendes Haupt an der

A bleeding Head where they begun,
Did fright the Architects to run;   70
   And yet in that the *State*
   Foresaw it's happy Fate.
And now the *Irish* are asham'd
To see themselves in one Year tam'd
   So much one Man can do,   75
   That does both act and know.
They can affirm his Praises best,
And have, though overcome, confest
   How good he is, how just,
   And fit for highest Trust: 80
Nor yet grown stiffer with Command,
But still in the *Republick's* hand:
   How fit he is to sway
   That can so well obey.
He to the *Common's Feet* presents   85
A *Kingdome*, for his first year's rents:
   And, what he may, forbears
   His Fame to make it theirs:
And has his Sword and Spoils ungirt,
To lay them at the *Publick's* skirt.   90
   So when the Falcon high
   Falls heavy from the Sky,
She, having kill'd, no more does search,
But on the next green Bow to pearch;
   Where, when he first does lure,   95
   The Falckner has her sure.
What may not then our *Isle* presume
While Victory his Crest does plume!
   What may not others fear
   If thus he crown each Year!   100
A *Caesar* he ere long to *Gaul*,
To *Italy* an *Hannibal*,
   And to all States not free
   Shall *Climacterick* be.

Stelle, wo sie anfingen, / die Architekten so sehr, daß sie davonrannten; / und dennoch war das ein Vorzeichen / für die glückliche Zukunft des Staates. / Und heute stehen die Iren beschämt, / weil sie sich in einem einzigen Jahr bezähmt sehen: / So viel kann ein Mann ausrichten, / der zugleich Tatkraft und Wissen hat. / Sie können am besten seine Rühmung bekräftigen / und haben, obwohl sie die Besiegten sind, bekennen müssen, / wie gütig er ist, wie gerecht / und wie geeignet für die Betrauung mit dem höchsten Amt; / und auch daß er noch nicht durch das Befehlen autoritär geworden ist, / sondern sich immer als Diener der Republik erwiesen hat; / und wie geeignet der für das Regierungsamt ist, / der so gut Gehorsam leisten kann. / Er legt dem Unterhaus ein Königreich vor die Füße / als Pachtzins für sein erstes Jahr / und untertreibt, so gut er kann, / seinen Ruhm, um ihn zu dem ihrigen zu machen; / und er hat sein Schwert und seine Siegestrophäen abgegürtet, / um sie am Rocksaum der Allgemeinheit niederzulegen. / So ist's, wenn der hochfliegende Falke / sich schwer vom Himmel hat fallen lassen: / wenn er die Beute geschlagen hat, sucht er nicht weiter, / sondern bäumt auf dem nächsten grünen Ast auf; / von dort kann ihn der Falkner, wenn er ihn zu locken beginnt, / mit Sicherheit zurückholen. / Was kann sich dann erst unser Inselreich erwarten, / solange der Sieg seinen Helm ziert! / Was müssen nicht andere fürchten, / wenn er jedes seiner Jahre so bekrönt! / Bald schon wird er ein Caesar für Gallien sein / und für Italien ein Hannibal; / und für alle Staaten, die noch nicht frei sind, / wird er zur entscheidenden Wende werden. / Der Pikte soll nun keine Deckung

  The *Pict* no shelter now shall find   105
Within his party-colour'd Mind;
  But from this Valour sad
  Shrink underneath the Plad:
Happy if in the tufted brake
The *English Hunter* him mistake;   110
  Nor lay his Hounds in near
  The *Caledonian Deer*.
But thou the War's and Fortune's Son
March indefatigably on:
  And for the last effect   115
  Still keep thy Sword erect:
Besides the force it has to fright
The Spirits of the shady Night,
  The same *Arts* that did *gain*
  A *Pow'r* must it *maintain*.   120

mehr finden / in seiner eigenen buntscheckigen ⟨parteigefärbten⟩ Gesinnung, / sondern vor diesem standhaften Helden / unter seinen Tartan sich verkriechen: / glücklich, wenn ihn in dem buschigen Farnkraut / der englische Jäger nicht entdeckt / oder seine Hunde einsetzt / zum Aufbringen des Caledonischen Hirsches. / Doch du, des Krieges und Fortunens Sohn, / zieh unermüdlich fort auf deiner Bahn / und halte um des Endzieles willen / dein Schwert hoch aufgerichtet: / zum einen hat es die Kraft, / die Geister der dunklen Nacht hinwegzuschrecken; / und zum anderen müssen dieselben Künste, die eine Herrschaft errungen haben, / diese Herrschaft auch aufrechterhalten.

HENRY VAUGHAN

Corruption

Sure, it was so. Man in those early days
    Was not all stone and earth,
He shin'd a little, and by those weak rays
    Had some glimpse of his birth.
He saw heaven o'r his head, and knew from whence   5
    He came (condemned) hither,
And, as first love draws strongest, so from hence
    His mind sure progress'd thither.
Things here were strange unto him: Sweat and till;
    All was a thorn, or weed;   10
Nor did those last, but (like himself) died still
    As soon as they did *seed*,
They seem'd to quarrel with him; for that act
    That fell him, foil'd them all;
He drew the curse upon the world, and cracked   15
    The whole frame with his fall.
This made him long for *home*, as loathe to stay
    With murmurers and foes;
He sigh'd for Eden, and would often say
    '*Ah! What bright days were those?*'   20
Nor was Heav'n cold unto him; for each day
    The valley, or the mountain
Afforded visits, and still *Paradise* lay
    In some green shade, or fountain.
Angels lay *ledger* here; each bush and cell,   25
    Each oak and highway knew them,
Walk but the fields, or sit down at some well,
    And he was sure to view them.
Almighty *Love!* Where art thou now? Mad man
    Sits down and freezeth on;   30

HENRY VAUGHAN

Verfall

Sicher, so war's. In jenen frühen Tagen war der Mensch / nicht gänzlich Stein und Erde; / er leuchtete ein wenig, und durch diese schwachen Strahlen / hatte er einen kleinen Schimmer von seiner Herkunft. / Er sah den Himmel zu seinen Häupten und wußte, von wo / er – zur Strafe – hierher versetzt worden war; / und weil doch die erste Liebe immer die stärkste Anziehung ausübt, / ging sein Denken sicher oft von hier dorthin zurück. / Die Dinge hier waren ihm fremd: Schwitzen und Pflügen; / alles war Dornen und Unkraut / – und selbst das hatte keine Dauer, sondern ging, wie er selber, ständig auf den Tod zu, / sobald es Samen gebildet hatte. / Sie schienen ihm gram zu sein: Denn jene Tat, / die zu *seinem* Fall führte, hatte sie alle zu Fall gebracht! / *Er* zog den Fluch auf die Erde herab und zerbrach / den ganzen Weltenbau mit seinem Fall. / Dies machte, daß er sich nach seiner Heimat sehnte, als sei er's leid, / mit Unzufriedenen und Feinden zusammenzuwohnen. / Er seufzte um Eden und sagte oft: »Ach, was für schöne Tage waren das!« / Und der Himmel war nicht kalt zu ihm. Denn jeden Tag / brachten Tal und Gebirge / Besuche für ihn, und immer noch lag das Paradies / in irgendeinem grünen Schatten oder bei irgendeiner Quelle. / Engel wohnten dort als dauernde Gesandte. Jeder Busch, jede Grotte, / jede Eiche und jeder Hohlweg kannte sie. / Wenn er nur über die Felder ging oder bei einer Quelle niedersaß, / war er sicher, sie zu sehen. / Allmächtige Liebe! Wo bist du jetzt? Der Mensch in seinem Wahn / setzt sich nieder und friert sich durchs Le-

He raves and swears to stir nor fire, nor fan,
    But bids the thread be spun.
I see, thy curtains are close-drawn; thy bow
    Looks dim too in the cloud,
Sin triumphs still, and man is sunk below   35
    The center and his shroud;
All's in deep sleep and night; thick darkness lies
    And hatcheth o'r thy people;
But hark! What trumpets that? What angel cries
    'Arise! Thrust in thy sickle.'   40

I Walked the other Day

I walked the other day (to spend my hour)
    Into a field
Where I sometimes had seen the soil to yield
    A gallant flower,
But winter now had ruffled all the bower   5
    And curious store
    I knew there heretofore.

Yet I whose search lov'd not to peep and peer
    I'th' face of things
Thought with myself, there might be other springs   10
    Besides this here
Which, like cold friends, sees us but once a year,
    And so the flower
    Might have some other bower.

Then taking up what I could nearest spy   15
    I digg'd about
That place where I had seen him to grow out,
    And by and by

ben. / Er tobt und schwört, er werde nicht Feuer noch Blasebalg betätigen, / aber er läßt doch Wolle spinnen. / Ich sehe, daß Deine Vorhänge dicht zugezogen sind. Auch Dein Regenbogen / schaut blaß durch die Wolken. / Überall triumphiert die Sünde, und der Mensch ist unter das Zentrum gesunken / und unter sein Leichentuch. / Alles liegt in tiefem Schlaf und in der Nacht. Dichte Finsternis liegt / und brütet über Deinem Volk. / Doch horch! Was ist das für eine Trompete? Und welcher Engel ruft: / »Erwache! Setz Deine Sichel an!«

Neulich ging ich

Neulich ging ich – um meine Stunde Freizeit zu nützen – / in ein Feld; / denn ich hatte manchmal gesehen, daß der Boden dort / eine köstliche Blume hatte sprießen lassen. / Aber jetzt hatte der Winter den ganzen Hain zerzaust / mitsamt all den kostbaren Schätzen, / die ich früher dort angetroffen hatte.

Doch ich, der ich auf meiner Suche nicht dreist / den Dingen ins Gesicht starren und sie erforschen wollte, / dachte bei mir: »Vielleicht gibt es andere Frühlinge / als den, / der uns wie ein gefühlskalter Freund nur einmal im Jahr besucht; / und vielleicht hat die Blume / noch eine andere Wohnstatt.«

Dann grub ich das Erdreich / an dem Ort, an dem ich die Blume hatte wachsen sehen, / rings herum auf / mit solchem Werkzeug, wie es gerade in der Nähe zu finden war; / und

I saw the warm recluse alone to lie
    Where fresh and green
He lived of us unseen.

Many a question intricate and rare
    Did I there strow.
But all I could extort was, that he now
    Did there repair
Such losses as befell him in this air
    And would e'r long
Come forth most fair and young.

This past, I threw the clothes quite o'r his head,
    And stung with fear
Of my own frailty dropped down many a tear
    Upon his bed,
Then sighing whisper'd: *'Happy are the dead!*
    What peace doth now
Rock him asleep below?'

And yet, how few believe such doctrine springs
    From a poor root
Which all the winter sleeps here under foot
    And hath no wings
To raise it to the truth and light of things,
    But is still trod
By ev'ry wand'ring clod.

O thou! Whose spirit did at first inflame
    And warm the dead,
And by a sacred incubation fed
    With life this frame
Which once had neither being, form, nor name,
    Grant I may so
Thy steps track here below,

nach und nach sah ich den Einsiedler warm gebettet einsam daliegen, / wo er frisch und grün / von uns ungesehen lebte.

Gar manche komplizierte und esoterische Frage / ließ ich da verlauten. / Aber alles, was ich herausbringen konnte, war, daß er jetzt / die Verluste, die ihn in dieser unserer Luft betroffen hatten, / wieder aufholte / und in kurzer Zeit / schöner und jünger denn je wieder hervorkommen werde.

Da ich das hörte, warf ich Tücher über seinen Kopf, um ihn ganz zu bedecken, / und ließ, von Furcht getrieben / wegen meiner eigenen Hinfälligkeit, manche Träne / auf sein Beet regnen. / Dann flüsterte ich seufzend: »Selig sind die Toten! / Welcher Friede wiegt ihn nun / da unten in Schlaf?«

Und doch: Wie wenige glauben, daß solche Lehre / aus einer armen Wurzel kommt, / die den ganzen Winter über hier unter unseren Füßen schlummert / und keine Flügel hat, / die sie in die Wahrheit und in das Licht der Dinge tragen könnten, / sondern von jedem wandelnden Erdkloß / jederzeit in den Staub getreten wird.

O du, dessen Geist als erster die Toten entflammt / und gewärmt hat, / und durch eine heilige Inkubation / diesen Leib mit Leben genährt hat / – einen Körper, der vordem weder Sein noch Gestalt, noch Namen hatte: / Gib, daß ich so / deine Spuren hier unten herausfinden kann!

That in these masques and shadows I may see 50
    Thy sacred way,
And by those hid ascents climb to that day
    Which breaks from thee
Who art in all things, though invisibly;
    Show me thy peace, 55
  Thy mercy, love, and ease,

And from this care, where dreams and sorrows reign,
    Lead me above,
Where light, joy, leisure, and true comforts move
    Without all pain; 60
There, hid in thee, show me his life again
    At whose dumb urn
  Thus all the year I mourn.

The Shower

'Twas so, I saw thy birth: That drowsy lake
From her faint bosom breath'd thee, the disease
Of her sick waters and infectuous ease.
    But now at even
    Too gross for heaven 5
Thou fall'st in tears, and weep'st for thy mistake.

Ah! it is so with me; oft have I press'd
Heaven with a lazy breath, but, fruitless, this
Pierc'd not. Love only can with quick access
    Unlock the way, 10
    When all else stray
The smoke and exhalations of the breast.

Yet, if as thou dost melt, and with thy train
Of drops make soft the earth, my eyes could weep

Damit ich in diesen Masken und Schattenspielen / deinen heiligen Weg erkennen kann / und mittels dieser verborgenen Anstiege zu dem Tageslicht emporsteigen möge, / das von dir ausgeht, / der du – wenn auch unsichtbar – in allen Dingen bist. / Zeig mir deinen Frieden, / deine Gnade, Liebe und Ruhe!

Und aus dieser Sorgenwelt, wo Träume herrschen und Kummer, / führ mich hinauf dahin, / wo Licht, Freude, Muße und wahrer Trost sind / ohne jeden Schmerz! / Dort zeig mir, in dir verborgen, das Leben dessen noch einmal, / bei dessen tauber Urne / ich das ganze Jahr über so klage!

Der Regenschauer

So war's, ich sah deine Geburt. Der schläfrige See / atmete dich aus seiner schwachen Brust empor als Krankheitshauch / seines versuchten Wassers und seiner ansteckenden Trägheit. / Doch nun, am Abend, / bist du zu schwer geworden für den Himmelsflug / und fällst in Tränen nieder und weinst ob deiner Schuld.

Ach, so geht's auch mit mir! Oft hab den Himmel ich / mit einem faulen Atemhauch bedrängt, doch war's vergebens / und drang niemals durch. Nur die Liebe kann in raschem Anstieg / den Weg aufschließen, / wenn der Rauch und die verbrauchte Atemluft der Brust / überallhin in die Irre gehen.

Doch wenn du schmilzt und mit deiner Schleppe / aus Tropfen die Erde weich machst, dann könnten meine Augen /

O'er my hard heart, that's bound up and asleep.   15
      Perhaps at last
       (Some such showers past)
My God would give a sun-shine after rain.

The Lamp

'Tis dead night round about: Horror doth creep
And move on with the shades, stars nod and sleep,
And through the dark air spin a fiery thread
Such as doth gild the lazy glow-worm's bed.

Yet burn'st thou here a full day, while I spend   5
My rest in cares, and to the dark world lend
These flames, as thou dost thine to me, I watch
That hour, which must thy life and mine dispatch;
But still thou dost outgo me, I can see,
Met in thy flames, all acts of piety;   10
Thy light it *charity*; thy heat is *zeal*;
And thy aspiring, active fires reveal
Devotion still on wing. Then, thou dost weep
Still as thou burn'st, and the warm droppings creep
To measure out thy length, as if thou'dst know   15
What stock, and how much time were left thee now;
Nor dost thou spend one tear in vain, for still
As thou dissolv'st to them, and they distill
They're stor'd up in the socket, where they lie,
When all is spent, thy last and sure supply,   20
And such is true repentance, ev'ry breath
We spend in sighs, is treasure after death;

Only, one point escapes thee; that thy oil
Is still out with thy flame, and so both fail;

über mein hartes Herz weinen, das in sich gefesselt und schlafgebunden ist. / Vielleicht wird / – wenn etliche solche Schauer vorhergegangen sind – / mein Gott einen Sonnenschein nach dem Regen spenden.

Die Lampe

Tiefe Mitternacht ist's rings umher, das Grauen kriecht / und naht sich mit den Schatten. Sterne nicken und schlafen ein / und spinnen durch die dunkle Luft einen feurigen Faden / ähnlich dem, der des trägen Glühwurms Bett vergoldet.

Doch du brennst hier den ganzen Tag. Während ich / meine Ruhestunden in Sorge verbringe und der dunklen Welt / diese Flammen ⟨Dichtungen⟩ spende, wie du mir dein Licht leihst, warte ich / auf die Stunde, die dein Leben und meines beenden muß. / Aber du übertriffst mich; ich kann / in deinen Flammen alle Taten der Frömmigkeit vereint sehen: / Dein Licht ist die Liebe, deine Wärme der Glaubenseifer; / und dein emporstrebendes kräftiges Feuer zeigt / die stets tätige Frömmigkeit an. Dann weinst du ständig, / während du brennst, und die warmen Tropfen rinnen herab, / um deine Länge abzumessen, als ob du wissen wolltest, / welcher Vorrat und wieviel Zeit dir noch verbleibt. / Und du vergießest auch keine Träne umsonst; denn / indem du dich in sie auflöst und indem sie herunterlaufen, / werden sie im Kerzenhalter gesammelt, wo sie dann, / wenn alles verbraucht ist, als deine letzte, und sichere, Reserve bleiben. / Und das ist wahre Reue: Jeder Atemzug, / den wir in Seufzern verströmen, ist ein Schatz nach dem Tode.

Nur in einem Punkt stimmt die Analogie nicht: Wenn dein Öl / zu Ende ist, ist auch deine Flamme aus, und so gehen

> But whensoe'er I'm out, both shall be in, 25
> And where thou mad'st an end, there I'll begin.

St. Mark 13, 35: *Watch ye therefore: for ye know not when the master of the house cometh, at even, or at midnight, or at the cock-crowing, or in the morning.*

beide miteinander zugrunde. / Aber wenn *ich* ausgelöscht werde, dann wird beides – Öl und Flamme – noch in mir sein; / und wo du ein Ende fandest, da werde ich beginnen.

Markus 13, 35: *So wachet nun; denn ihr wisset nicht, wann der Herr des Hauses kommt, ob am Abend oder zu Mitternacht oder um den Hahnenschrei oder des Morgens.*

THOMAS STANLEY

The Magnet

Ask the empress of the night
  How the hand which guides her sphere,
Constant in unconstant light,
  Taught the waves her yoke to bear,
And did thus by loving force
Curb or tame the rude sea's course.

Ask the female palm how she
  First did woo her husband's love;
And the magnet ask how he
  Doth th'obsequious iron move;
Waters, plants, and stones know this,
That they love, not what love is.

Be not then less kind than these,
  Or from love exempt alone,
Let us twine like amorous trees,
  And like rivers melt in one;
Or if thou more cruel prove
Learn of steel and stones to love.

Opinion

Whence took the diamond worth? the borrow'd rays
That crystal wears, whence had they first their praise?
Why should rude feet contemn the snow's chaste white
Which from the sun receives a sparkling light,

THOMAS STANLEY

Der Magnet

Frag die Herrscherin der Nacht, / wie die Hand, die ihre Sphäre lenkt / und Beständigkeit in ihr unbeständiges Licht bringt, / die Wellen gelehrt hat, ihr Joch zu tragen, / und wie sie so durch liebende Gewalt / das Strömen der rauhen Meeresfluten bändigte und zähmte!

Frag die weibliche Palme, wie sie zu Werk ging, / um die Liebe ihres Gemahls zu erwerben; / und den Magnet frage, wie er / das folgsame Eisen bewegt! / Wasser, Pflanzen und Steine haben ein Wissen, / das sie lieben läßt – aber sie wissen nicht, was Liebe ist.

Sei daher nicht weniger liebenswürdig als sie / und glaube nicht, dich allein von der Liebe ausschließen zu können. / Laß uns uns ineinanderschlingen wie verliebte Bäume / und wie Flüsse in eins verschmelzen! / Oder wenn du noch härter bist: / Lerne von Stahl und Stein, wie man liebt!

Ansicht

Von woher nahm der Diamant den Wert? Die geborgten Strahlen, / die der Kristall ausschickt – woher kam ihnen zuerst ihr Preis? / Warum dürfen rohe Füße das keusche Weiß des Schnees verächtlich niedertreten, / das doch von der Sonne ein funkelndes Licht empfängt / – viel heller als Dia-

Brighter than diamonds far, and by its birth 5
Decks the green garment of the richer earth?
Rivers than crystal clearer, when to ice
Congeal'd, why do weak judgements so despise?
Which, melting, show that to impartial sight
Weeping than smiling crystal is more bright. 10
But Fancy those first priz'd, and these did scorn,
Taking their praise the other to adorn.
Thus blind is human sight: opinion gave
To their esteem a birth, to theirs a grave;
Nor can our judgements with these clouds dispense, 15
Since reason sees but with the eyes of sense.

The Lazy Hours Move Slow

    The lazy hours move slow,
        The minutes stay;
    Old Time with leaden feet doth go
        And his light wings hath cast away.
    The slow-pac'd spheres above 5
        Have sure releas'd
    Their guardians, and without help move,
        Whilst that the very angels rest.

    The number'd sands that slide
        Through this small glass 10
    And into minutes Time divide,
        Too slow each other to displace;
    The tedious wheels of light,
        No faster chime
    Than that dull shade which waits on night: 15
        For Expectation outruns Time.

manten – und das durch sein Entstehen / das grüne Kleid der dadurch bereicherten Erde schmückt? / Flüsse, die klarer sind als Kristall – / warum werden die von unkritisch Urteilenden so verachtet, wenn sie zu Eis gefroren sind? / Wenn sie schmelzen, dann weisen sie dem unparteiischen Auge nach, / daß weinendes Kristall noch heller glänzt als lächelndes. / Aber die Laune der Menschen hat jene zuerst gepriesen und diese verachtet, / ja ihnen das Lob weggenommen, um die anderen damit zu schmücken. / So blind ist die Sicht des Menschen: bloße Ansicht gab / der Wertschätzung dieser Dinge im einen Fall ihre Geburt, im anderen ihr Grab. / Und unsere Urteilskraft kann diese Wolken auch nicht zerstreuen, / denn die Vernunft sieht mit den Augen der Sinne.

Die trägen Stunden schleichen hin

Die trägen Stunden schleichen hin, / die Minuten bleiben stehen. / Die alte Zeit geht mit bleiernen Füßen einher / und hat ihre leichten Flügel abgeworfen. / Die langsam wandernden Sphären da oben / haben sicherlich / ihre Genien entlassen und ziehen ihre Kreise ohne Hilfe, / während selbst die Engel schlafen.

Die abgemessene Zahl der Sandkörner, / die durch dieses enge Glas gleiten / und die Zeit in Minuten einteilen, / zu langsam, als daß eine die andere verdrängen würde; / und die langwierige Bewegung der Lichträder / geben den Stundenrhythmus nicht schneller an / als jener bleiche Schatten, der im Dienste der Nacht steht. / Denn die Erwartung überholt die Zeit.

How long, Lord, must I stay?
    How long dwell here?
O free me from this loathed clay,
    Let me no more these fetters wear!   20
With far more joy
    Shall I resign my breath;
For, to my griev'd soul, not to die
    Is ev'ry minute a new death.

Wie lange, o Herr, muß ich noch bleiben? / Wie lang hier wohnen? / O befreie mich von diesem verhaßten Lehm! / Laß mich nicht länger diese Fesseln tragen! / Mit viel größerer Freude / werde ich meinen Atem aushauchen. / Denn für meine kummervolle Seele ist / jede Minute, die ich nicht sterbe, ein neuer Tod.

JOHN HALL

A Sea Dialogue

PALURUS

My Antinetta, though thou be
More white than foam wherewith a wave,
Broke in his wrath, besmears the sea,
Yet art thou harder than this cave.

ANTINETTA

Though thou be fairer than the light 5
Which doubting pilots only mind,
That they may steer their course aright,
Yet art thou lighter than the wind.

PALURUS

And shall I not be chang'd, when thou
Hast fraught Medorus with thy heart; 10
And, as along the sands we go
To gather shells, dost take his part?

ANTINETTA

What! shall not I congeal to see
Doris the ballast of thine arms
(Which have so oft encompass'd me) 15
Now pinion'd by her faithless charms?

PALURUS

What if I henceforth shall disdain
The golden-tressed Doris' love,
And Antinetta serve again
And in that service constant prove? 20

JOHN HALL

Meeresgespräch

PALURUS
Meine Antinetta – wenn du auch / weißer bist als der Schaum, mit dem eine Welle, / die an ihrem eignen Zorn zerbricht, das Meer befleckt, / so bist du doch härter als der Stein dieser Grotte.

ANTINETTA
Wenn du auch schöner bist als das Licht, / auf das sich Lotsen einzig verlassen, / wenn sie ihren Kurs richtig steuern wollen, / so bist du doch leichter ⟨leichtsinniger⟩ als der Wind.

PALURUS
Soll ich denn nicht veränderlich sein, wenn du / Medorus' Boot mit der Fracht deines Herzens beladen hast / und immer, wenn wir am Sandstrand hingehen, / um Muscheln zu suchen, seine Partei ergreifst?

ANTINETTA
Was, soll ich nicht versteinen, wenn ich sehe, / wie Doris als Ballast in deinen Armen / – die so oft mich umzirkelt haben – / liegt und sie nun mit ihren treulosen Reizen fesselt?

PALURUS
Was aber, wenn ich hinfort / die Liebe der goldzopfigen Doris abweise / und meine Dienste wieder Antinetta weihe, / und wenn ich mich in diesem Vasallentum als treu erweise?

ANTINETTA

Though mighty Neptun cannot stand
Before Medorus, and thou be
Restless as whirlpools, false as sand,
Yet will I live and die with thee.

PALURUS

Nay, live, and lest one single death   25
Should wrack thee, take this life of mine.

ANTINETTA

Thou but exchanged with that breath
Thy Antinetta's soul for thine.

CHORUS

How powerful 's love which, like a flame
That sever'd, reunites more close;   30
Or like a broken limb in frame
That ever after firmer grows!

The Ermine

The Ermine rather chose to die
A martyr of its purity,
Than that one uncouth soil should stain
Its hitherto preserved skin;
And thus resolv'd she thinks it good   5
To write her whiteness in her blood.
But I had rather die, than e'er
Continue from my foulness clear;
Nay, I suppose: by that I live,
That only doth destruction give: 10
Madman I am, I turn mine eye
On ev'ry side, but what doth lie

ANTINETTA
Obwohl nicht einmal der mächtige Neptun den Vergleich / mit Medorus aushält und obwohl du / ruhelos wie Wasserwirbel und trügerisch wie Sand bist, / will ich mit dir leben und sterben.

PALURUS
Nein, lebe! Und damit ein einzelner Tod / dein Lebensschifflein nicht gleich zum Scheitern bringen kann, nimm mein Leben mit zu deinem dazu!

ANTINETTA
Du tauschst mit diesem Atemzug / nur die Seele deiner Antinetta für die deine ein.

CHOR
Wie groß ist die Macht der Liebe! Wie eine Flamme, / die, wenn sie sich geteilt hat, noch inniger wieder in eins zusammenschlägt; / oder wie ein gebrochenes Glied in Schienen: / nachdem es zusammengeheilt ist, ist es stärker als je zuvor.

Das Hermelin

Das Hermelin wollte eher / als ein Opfer seiner Reinheit sterben, / als daß ein grober Erdfleck / sein bisher saubergehaltenes Fell beflecken durfte. / In dieser Entschlossenheit hält es für richtig, / sein Weiß mit seinem Blut vollzuschreiben ⟨in Blutschrift sein Weiß zu verewigen⟩. / Aber ich würde eher den Tod in Kauf nehmen, als daß ich / auf meinem weiteren Weg von meinem Schmutz lasse; / ja, ich vermute, ich lebe sogar von solchen Dingen, / die mir nur Tod geben können. / Ein Tollhäusler bin ich: Ich drehe meine Augen / nach allen Seiten, aber was innen liegt, / das kann

Within, I can no better find,
Than if I ever had been blind.
Is this the reason thou dost claim
Thy sole prerogative, to frame
Engines against thyself? O fly
Thyself as greatest enemy,
And think thou sometimes life will get
By a secure contemning it.

ich so schlecht finden, / als ob ich seit je blind gewesen wäre. / Ist das der Grund dafür, daß du es / als dein exklusives Vorrecht beanspruchst, die Hand / gegen dich selbst zu erheben? O flieh / vor dir als deinem größten Feind! / Und denke daran, daß du manchmal nur dadurch das Leben haben kannst, / daß du es mit Entschiedenheit verachtest!

THOMAS TRAHERNE

The Salutation

These little limbs,
 These eyes and hands which here I find,
These rosy cheeks wherewith my life begins,
  Where have ye been? Behind
What curtain were ye from me hid so long!
Where was, in what abyss, my speaking tongue?

When silent I,
 So many thousand thousand years,
Beneath the dust did in a chaos lie,
  How could I smiles or tears,
Or lips or hands or eyes, or ears perceive?
Welcome ye treasures which I now receive.

I that so long
 Was nothing from eternity,
Did little think such joys as ear or tongue,
  To celebrate or see:
Such sounds to hear, such hands to feel, such feet,
Beneath the skies, on such a ground to meet.

New burnished joys!
 Which yellow gold and pearl excel!
Such sacred treasures are the limbs in boys,
  In which a soul does dwell;
Their organized joints, and azure veins
More wealth include, than all the world contains.

From dust I rise,
 And out of nothing now awake,

THOMAS TRAHERNE

Die Begrüßung

Diese kleinen Glieder, / diese Augen und Hände, die ich da finde; / diese rosigen Wangen, mit denen mein Leben beginnt – / wo seid ihr gewesen? Hinter / welchem Vorhang wart ihr so lange vor mir verborgen? / Wo, in welchem Abgrund war meine sprechende Zunge?

Als ich schweigend / so viele tausend Jahre / unter dem Staub in einem Chaos lag, / wie konnte ich da ein Lächeln, oder Tränen, / Hände, Augen, Ohren wahrnehmen? / Willkommen, ihr Schätze, die ich nun empfange!

Ich, der ich / von Ewigkeit her ein Nichts war, / glaubte nach so langer Zeit kaum, daß ich jemals solche Freuden wie Ohr oder Zunge / feiernd mein eigen nennen oder sehen würde; / solche Töne vernehmen, so eine Hand fühlen, solche Füße / unter dem Himmel auf solchem Boden antreffen würde.

O neue, blanke Freuden, / die das gelbe Gold und Perlen übertreffen! / So gebenedeite Juwelen sind also die Glieder von Knaben, / in denen eine Seele wohnt! / Ihre lebendig ineinanderwirkenden Gelenke und azurnen Adern / schließen mehr Reichtum ein, als die ganze tote Welt enthält.

Vom Staub erheb ich mich, / und wache nun aus dem Nichts

These brighter regions which salute mine eyes,
        A gift from GOD I take.
The earth, the seas, the light, the day, the skies,
The sun and stars are mine; if those I prize.   30

        Long time before
    I in my mother's womb was born,
A GOD preparing did this glorious store,
        The world for me adorn.
Into this Eden so divine and fair,   35
So wide and bright, I come his son and heir.

        A stranger here
    Strange things does meet, strange glories see;
Strange treasures lodged in this fair world appear,
        Strange all, and new to me.   40
But that they mine should be, who nothing was,
That strangest is of all, yet brought to pass.

Admiration

    Can human shape so taking be,
        That angels come and sip
    Ambrosia from a mortal lip!
Can cherubims descend with joy to see
        God in his works beneath!   5
        Can mortals breathe
            FELICITY!
    Can bodies fill the heav'nly rooms
    With welcome odours and perfumes!
Can earth-bred flow'rs adorn celestial bowers   10
Or yield such fruits as please the heav'nly powers!

auf. / Diese helleren Regionen, die da mein Auge grüßen /
– ich halte sie für ein Geschenk von Gott: / die Erde, die
Meere, das Licht, der Tag, der Himmel, / die Sonne und die
Sterne sind mein, wenn ich dies alles preise.

Lange bevor ich / aus dem Schoß meiner Mutter geboren
ward, / hat ein Gott Vorbereitungen getroffen und diese
herrlichen Dinge auf Lager gehalten, / um die Welt für mich
zu schmücken. / In dieses Eden, das so göttlich und schön, /
so weit und strahlend ist, komme ich als sein Sohn und Erbe.

Ein Fremdling begegnet hier / seltsamen Dingen, sieht eine
seltsame Glorie / und sieht seltsame Schätze vor sich auf-
tauchen, die ihr Dasein in dieser Welt haben / – wundersam
und alle neu für mich. / Doch daß sie mir gehören sollen,
mir, der ich ein Nichts war – / das ist das Seltsamste von
allem. Und doch hat es sich ereignen dürfen.

Bewunderungswürdigkeit

Kann die Menschengestalt so anziehend sein, / daß Engel
kommen / und von den Lippen eines Sterblichen Ambrosia
nippen? / Ist es möglich, daß Cherubim voll Freude her-
niedersteigen, / um Gott hier unten in seinen Werken abgebildet zu sehen? / Können Sterbliche / Glückseligkeit atmen? / Können irdische Leiber die Himmelsräume / mit will-
kommnen Düften und Gerüchen füllen? / Können erdgeborene
Blüten himmlische Gemächer schmücken / oder Früchte hervorbringen, die bei den Himmelsmächten Wohlgefallen finden?

Then may the seas with amber flow;
    The earth as a star appear;
    Things be divine and heavenly here.
The tree of life in paradise may grow
    Among us now: the sun
        Be overcome
        With beams that show
    More bright than his; celestial mirth
    May yet inhabit all this earth.
It cannot be! Can mortals be so blind?
Have joys so near them, which they never mind?

The lily and the rosy-train
    Which, scatter'd on the ground,
    Salute the feet which they surround,
Grow for thy sake, o man; that like a chain
    Or garland they may be
        To deck ev'n thee:
        They all remain
    Thy gems; and bowing down their head
    Their liquid pearl they kindly shed
In tears; as if they meant to wash thy feet,
For joy that they to serve thee are made to meet.

The sun doth smile, and looking down
    From heav'n doth blush to see
    Himself excelled here by thee:
Yet frankly doth disperse his beams that crown
    A creature so divine;
        He loves to shine,
        Nor lets a frown
    Eclipse his brow, because he gives
    Light for the use of one that lives
Above himself. Lord! What is man that he
Is thus admired like a deity!

Dann mögen die Meere von Bernstein überfließen; / dann möge die Erde sich als ein Stern offenbaren; / dann dürfen die Dinge hienieden göttlich und himmlisch sein. / Der Lebensbaum des Paradieses darf nun / unter uns wachsen; die Sonne / mag übertrumpft werden / von Strahlen, / die heller leuchten als ihre eignen: Himmlische Freude / darf vielleicht doch noch auf dieser ganzen Erde wohnen. / Es kann nicht sein. Können Sterbliche so blind sein / und die Freude so greifbar nahe haben, ohne je auf sie zu achten?

Die Gewinde von Lilien und Rosen, / die rings auf der Erde verstreut sind / und die Füße grüßen, um die sie sich schlingen – / sie wachsen um deinetwillen, o Mensch, um dich zu schmücken / wie eine Kette / oder Girlande. / Sie alle bleiben / dir als Edelsteine, und indem sie ihr Haupt neigen, / vergießen sie sanft ihre flüssigen Perlen / wie Tränentropfen; als ob sie deine Füße waschen wollten: / Tränen der Freude darüber, daß sie zusammenkommen durften, um dir so dienstbar zu sein.

Die Sonne lächelt, und wie sie / vom Himmel herabblickt, errötet sie, / weil sie sich von dir übertroffen sieht. / Und dennoch versendet sie freigebig ihre Strahlen, / um eine so gottähnliche Kreatur zu krönen. / Gerne scheint sie herab / und läßt keinen Schatten / ihr Gesicht verdüstern; denn sie gibt / ihr Licht einem zum Gebrauch, / der über ihr lebt. Herr, was ist der Mensch, daß er / so wie eine Gottheit bewundert wird!

Anmerkungen

WILLIAM ALABASTER (1567–1640)

Geboren in Hadleigh, Suffolk. Schulerziehung in Westminster, Student, dann Fellow am Trinity College in Cambridge. Als Verfasser von *Eliseis*, einem lateinischen Gedicht auf Königin Elisabeth, zum ersten Mal erwähnt in Spensers *Colin Clouts Come Home again*. Viel Beachtung fand auch seine Tragödie *Roxana*. Als Kaplan des Grafen von Essex nahm er an dem Cadiz-Feldzug teil, konvertierte danach zum katholischen Glauben und kam ins Gefängnis. Dort schrieb er vermutlich die *Divine Sonnets*, die nur in Manuskripten erhalten sind. Während eines anschließenden Auslandsaufenthaltes geriet er in Schwierigkeiten mit der Inquisition in Rom, kehrte dann nach England zurück, wo er wieder zum Protestantismus übertrat. Bis zu seinem Tode war er Landpfarrer in Hertfordshire.

Text: *The Sonnets*, ed. G. M. Story und H. Gardner, Oxford 1959.

Sonnet 28: Of the Reed that the Jews Set in Our Saviour's Hand 20

Der an Donne und G. Herbert erinnernde »metaphysische« Charakter dieser Sonette erklärt sich aus dem Traditionsschatz von theologischen Paradoxa und typologischen oder emblematischen Sehweisen, der all diesen religiösen Dichtern gemeinsam ist, und nicht aus einer Verbindung Alabasters zu den genannten Dichtern. Die Sonette stammen aus den letzten Jahren des 16. Jh.s.

Sonnet 33: Ego sum Vitis 20

Eine in der christlichen Emblematik öfter nachweisbare bildliche Verschmelzung von Christus als *crucifixus* mit Christus als Weinstock nach Joh. 15, 5. Das Kreuz wird dabei zum Lebensbaum.

JOHN DONNE (1572–1631)

Geboren in London als Sohn eines wohlhabenden Eisenhändlers, der 1576 starb. Seine Mutter war die Tochter John Heywoods und Großnichte von Thomas Morus. Sie sorgte für eine katholische Erziehung Donnes. Nach einigen Studienjahren in Oxford und später Cambridge besuchte er zwei Rechtsschulen, Thavies Inn (1591) und Lincoln's Inn (1592–94). Von 1594 bis 1596 wahrscheinlich auf Reisen im Ausland. 1596 bis 1597 nahm er an Essex' Feldzügen nach Cadiz und den Azoren teil. Die meisten seiner Liebesgedichte und Satiren wurden wahrscheinlich zwischen 1592 und 1598 geschrieben. 1597 bis 1598 als Sekretär bei Sir Thomas Egerton, dem Lordsiegelbewahrer. Inzwischen war er zur anglikanischen Kirche übergetreten. 1601 ruinierte er seine vielversprechende Karriere durch die heimliche Heirat mit Ann More, der Nichte Lady Egertons. Donne lebte nach seiner Entlassung bis 1615 von der Unterstützung seiner Freunde und polemisierte einige Zeit gegen die Katholiken. 1610 veröffentlichte er *Pseudo-Martyr*, 1611 *Ignatius his Conclave* und die beiden *Anniversaries* (1611/12). Fand einen Gönner in Sir Robert Drury, mit dem er von 1611 bis 1612 im Ausland war. 1601 Parlamentsmitglied; erneut 1614 als Abgeordneter von Taunton. 1615 erhielt er die Priesterweihe. *Essays of Divinity* 1651 veröffentlicht. Von 1616 bis 1622 Theologieprofessor von Lincoln's Inn. Seit 1621 Dekan von St. Paul in London. In den späteren Jahren entstanden die meisten der *Holy Sonnets*, Predigten und andere religiöse Schriften. Seine Gedichte und Predigten wurden seit 1633 posthum veröffentlicht.

Text: *Elegies, and Songs and Sonnets*, ed. H. Gardner, Oxford 1965.
The Satires, Epigrams and Verse Letters, ed. W. Milgate, Oxford 1967.
The Divine Poems, ed. H. Gardner, Oxford 1952.

Song 24
V. 2 Der Alraunenwurzel wurden wegen ihrer fleischigen, oft gegabelten Form, die einem menschlichen Körper ähnlich sehen kann, magische Eigenschaften zugeschrieben, so, daß sie schreit oder stöhnt, wenn man sie aus der Erde zieht. Einen Alraun zu schwängern ist – wie alle anderen hier aufgeführten Aufgaben – ein Adynaton, eine Unmöglichkeit. Alraunen sind übrigens männlich (vgl. S. 264, V. 25 ff.).

The Canonization 26
Die Bilder der Strophen 2 und 3 sind als Parodien petrarkistischer Motive zu verstehen: Str. 2 nimmt die Naturhyperbeln (Tränen = Fluten, Seufzer = Winde, Liebesfieber = Frost und Dürre) wörtlich; die Liebesfauna in Str. 3 dient einmal dem Herausstellen und schließlichen Überwinden des Geschlechtsunterschiedes in der Stei-

gerungsreihe Fliege: Kerze, Adler: Taube, Phönix; zum andern bereitet sie, da alle ihre Bilder auch der christlichen Naturmetaphorik angehören, das Auferstehungsmysterium am Schluß der Strophe und die hymnische Kanonisierung in Str. 4 und 5 vor. – Die Gläser in V. 41 ff. sind zugleich Glasbehältnisse, Spiegel und Konvexlinsen.

The Bait 28
Parodie auf Christopher Marlowes *The Passionate Shepherd to his Love*, auf das auch Ralegh ein Antwortgedicht geschrieben hat. Das konventionelle Bild von der Frau als Köder ist nicht nur – wie schon gelegentlich vor Donne – seines christlich-moralischen negativen Sinns entkleidet und in ein Kompliment verkehrt, sondern wird noch weiter pointiert in dem Schlußparadoxon: Du bist dein eigner Köder.

The Apparition 30
Vgl. Properz IV, 7.

Love's Diet 32
»Love« ist hier immer zugleich die Liebesleidenschaft und Amor, der zudem als ein (für die Jagd niederen Wildes verwendeter) Jagdbussard figuriert. Wieder sind petrarkistische Motive in parodistischer Absicht wörtlich genommen und dramatisch »inszeniert«.

The Relic 34
V. 18 f.: *A something else thereby* ist absichtlich vage, um die Verschränkung von religiöser und erotischer Sphäre ohne Blasphemie zu ermöglichen. Der Sprecher ist Liebender und Heiliger zugleich. Er bezieht sich in die – konventionelle – Heiligsprechung seiner Dame (als Maria Magdalena) als deren liebender Partner mit ein. Antiplatonischer Zynismus (V. 3 f.), Ironisierung katholischer Sakralvorstellungen (2. Str.) und platonischer Frauenpreis sind in eine prekäre Balance gebracht.

A Valediction: Forbidding Mourning 36
V. 11: Ein Beben der Sphären hatte nach zeitgenössischen Vorstellungen keine spürbare Auswirkung im irdischen Bereich.

A Lecture upon the Shadow 38
Vgl. B. Jonson, *That Women are but Men's Shadows*, S. 66.

The Blossom 40
V. 31: Obszöne Zweideutigkeit des Wortes *part*. Unerbittlichkeit

und Promiskuität der Dame werden in einer witzigen Verkehrung der Konvention als zusammengehörige Negativa verspottet.

The Storm 44
Donne hatte an der Expedition des Earl of Essex zu den Azoren 1597 teilgenommen. Diese Epistel, die davon berichtet, und ihr Pendant, *The Calm*, stehen stilistisch den Donneschen Satiren mit ihrem absichtlich rauhen Versmaß nahe. Konsequente Elision hätte das Druckbild unklar gemacht, daher wurde teilweise der Apostroph, der sie bezeichnet, nicht anstelle des zu verschleifenden Vokals gesetzt, sondern neben ihn. Der Adressat der Sturm-Epistel ist Donnes Freund Christopher Brooke. – V. 4: Nicholas Hilliard (um 1547–1619) war ein zeitgenössischer Porträtist, Miniaturmaler und Goldschmied am Hofe von Königin Elisabeth und König Jakob I. – V. 14: *marble* heißt hier glänzend, schimmernd, transparent (vgl. Vergils *Georgica* I, 254, Miltons *Paradise Lost* III, 564 und das *New English Dictionary*. – V. 74: *thee* ist ein archaisierendes Verb, das mit dt. *gedeihen* zusammenhängt; Donne macht damit ein Wortspiel, das den Gleichklang mit »thee«, dem Personalpronomen der 2. Pers. Sg., ausnützt.

Holy Sonnets V 48
Der Mensch als Mikrokosmos entspricht in seinem Aufbau dem Makrokosmos aus Elementen = Materie und engelhaftem Geist = *intelligentia*, die für die Bewegung der »Welt« zuständig ist. – V. 7 f.: Die Reuetränen des Sünders werden ebenso hyperbelhaft zu einer Flut (Sintflut) aufgeschwellt wie die Liebestränen des petrarkistischen Liebhabers in den *Songs and Sonnets*.

Holy Sonnets IX 50
V. 1–6: Die *ratio* als Voraussetzung für die moralische Verantwortlichkeit unterscheidet den Menschen von allen übrigen Geschöpfen der Erde. – V. 11: Lethe, antiker Strom der Unterwelt, metaphorisch für das Vergessen.

Holy Sonnets XIII 50
V. 9: Hier ist die Übertragung petrarkistischer Gedanken- und Bildmotive in die religiöse Lyrik besonders deutlich. Das neuplatonische Thema von der Korrespondenz, ja Identität physischer mit moralischer Schönheit wird aus der erotischen in die religiöse Sphäre herübergezogen und aus einem taktischen Trick bei der Liebeswerbung umgemünzt in ein tiefernstes Werben um Christi Gnade.

Holy Sonnets XIV 52
Kühne Kombination von zwei Bildsphären in der Art einer Kontrafaktur: Die Festungs- und Kriegs-*imagery* der Oktave wird ab V. 9 überlagert und durchdrungen mit Begriffen aus der erotischen Sphäre.

BEN JONSON (1573–1637)
Als Sohn eines Geistlichen geboren, der 1572 verstorben war. Schulerziehung unter Camden in Westminster. Einige Zeit als Maurer tätig; kämpfte dann in den Niederlanden. Heirat 1594. Seit 1597 Schauspieler und Dramatiker. Zwischen 1598 und 1603 frühe Komödien: *Everyman in his Humour*; *Everyman out of his Humour*; *Cynthia's Revels*; *Poetaster*. 1598 tötete er einen Schauspieler, entzog sich aber der Hinrichtung, indem er »Vorrecht der Gebildeten« (Benefit of Clergy) beanspruchte. Konvertierte im Gefängnis zum katholischen Glauben, trat aber 12 Jahre später wieder der anglikanischen Kirche bei. 1603 schrieb er *Sejanus*, es folgten weitere Stücke wie *Volpone* (1606), *Epicoene* (1609), *The Alchemist* (1610), *Catiline* (1611), *Bartholomew Fair* (1614). Jonson sorgte für Unterhaltung bei Hofe und war praktisch »poeta laureatus«. 1612 bis 1613 als Erzieher im Ausland. Jonson veröffentlichte seine gesammelten Dramen, Maskenspiele und Epigramme in den Folio-*Works* 1616. Von Oxford und Cambridge erhielt er Doktorgrade. Wegen seiner ausgezeichneten künstlerischen und literarischen Fähigkeiten hatte er viele namhafte Freunde und Bewunderer, die sich um ihn scharten und einen Kreis bildeten, den sog. »tribe of Ben«. Zu den Schriftstellerfreunden zählten Shakespeare, Donne, Chapman, Beaumont, Fletcher, Herrick, Carew, Suckling. Nach seinem Tod erschien 1638 eine Sammlung mit Elegien *Jonsonus Virbius*.

Text: *The Works*, ed. C. H. Herford, P. und E. M. Simpson, Oxford 1925–52.

The Musical Strife 54
Aus *Underwoods*, 1640. Die Dame vertritt die christlich-platonische Musikanschauung, nach der irdische Musik ein Abglanz der für den Menschen unhörbaren Sphärenharmonie = der intelligiblen Idee des Kosmos ist. Der Liebhaber argumentiert mit der – unter Zuhilfenahme des Orpheusmythos illustrierten – Renaissanceauffassung von der gefühlserregenden Wirkung der Musik. Es ist kennzeichnend für Jonsons Traditionalismus, daß die Dame, d. h.

die mittelalterliche Interpretation der *musica speculativa*, das letzte Wort hat.

The Hour-Glass 56
Aus *Underwoods*, 1640. Kombination der konventionellen *memento-mori*-Thematik des Stundenglases mit dem petrarkistischen Motiv des Liebestodes, der durch die Härte der sich versagenden Geliebten verursacht ist.

To Penshurst 56
Aus *The Forest*, 1616. Penshurst ist das Stammschloß der Sidneys in Kent. Jonson war dort öfter zu Gast. Dieses an klassischen Modellen (Horaz, Martial u. a.) geschulte Ortsgedicht stellt den Preis einer Lokalität und eines adeligen Gönners in den großen Rahmen einer Rühmung und Apotheose der Kultur des elisabethanischen Adelssitzes, seiner patriarchalischen Organisation und seines organischen Eingebettetseins in die Natur und die Stufenordnungen der christlich-humanistisch interpretierten Welt. Die großartige Ganzheitsvorstellung, der auch eine vollendet klassische Ausgewogenheit der Form entspricht, wird von den Nachahmern – vgl. etwa Th. Carews *To Saxham* oder E. Wallers zwei *Penshurst*-Gedichte – nicht erreicht. Einzig A. Marvells *Upon Appleton House*, das die Form jedoch gewaltig erweitert, ist ein gleichwertiger Nachfolger. – V. 10–19: Die Amalgamierung von antiken und zeitgenössischen Elementen ist eine der Grundlagen von Jonsons Kunst; das unvermittelte Nebeneinander an dieser Stelle mag freilich mehr spielerisch als ernst gemeint sein. – V. 14: Sir Philip Sidney, der 1554 in Penshurst geboren wurde und 1586 in Zutphen in Holland auf dem Schlachtfeld das Leben verlor. – V. 19: *Gamage* ist der Mädchenname der Lady Sidney, die Jonson dann in den V. 83–90 besingt. – V. 19–38 stützen sich auf Martials Epigramm X, 30, während V. 48–56 auf desselben Dichters Epigramm II, 68 zurückgeht. – V. 76 ff.: König Jakob I.; der V. 77 erwähnte Prinz ist entweder Jakobs ältester Sohn Henry, der aber 1612 starb, oder dessen Bruder Karl, der spätere König Karl I., der 1600 geboren wurde.

Song: To Celia 64
Aus *The Forest*, 1616. Dieses sehr populäre Gedicht – es ist bis heute etwa 65mal vertont worden – basiert auf einigen Zeilen des Neusophisten Philostratos (3. Jh. n. Chr.), die Jonson frei abgewandelt hat.

The Triumph of Charis 64
Aus *Underwoods*, 1640. Es ist das vierte Stück von »A Celebration of Charis in ten Lyric Pieces«: Der Triumphwagen der Liebe stammt aus Ovids *Metamorphosen* X. Die letzte Strophe hat Jonson in seiner Komödie *The Devil is an Ass* 1616 verwendet. Es gibt eine hübsche Parodie auf diese Strophe von J. Suckling: »Hast thou seen the down in the air . . .«

Song: That Women are but Men's Shadows 66
Aus *The Forest*, 1616. Vgl. die Behandlung des Schattenmotivs bei Donne in *A Lecture upon the Shadow*, S. 38.

An Ode: To Himself 68
Aus *Underwoods*, 1640. Horazischer Odentypus. – V. 6 ist metrisch defektiv. – V. 8: *Thespia*, abgeleitet von Thespis, dem »Erfinder« der dramatischen Kunst. – V. 27: Japhets Sproß ist Prometheus. – V. 30: Gemeint ist Athene. – V. 33 f.: Jonson hatte eine Reihe von eklatanten Mißerfolgen mit seinen Bühnenstücken, den schlimmsten mit *The New Inn*, 1629.

RICHARD CORBETT (1582–1635)
Besuchte Westminster School; 1597/98 Studium in Oxford, Pembroke College, 1598 Christ Church (B. A. 1602, M. A. 1605). Priesterweihe und einige Jahre Vikar von Cassington, Oxfordshire. Von Jakob I. zum königlichen Kaplan ernannt. 1617 B. D. in Oxford. Ging 1618 nach Frankreich. 1620 Dekan von Christ Church. 1628 zum Bischof von Oxford gewählt und 1632 als Bischof nach Norwich versetzt. Corbett, ein Gegner der Puritaner, verkehrte in seiner Jugend häufig in der Gesellschaft von Ben Jonson. Seine Gedichte (hauptsächlich satirisch-humorvoll) wurden erstmals 1647 gesammelt und veröffentlicht.

Text: *The Poems*, ed. J. A. W. Bennett und H. R. Trevor Roper, Oxford 1955.

Fairford Windows 72
Das Gedicht ist nachweislich vor 1635 geschrieben, die Kircheneinrichtung in Faireford (in Gloucestershire) wurde also nicht im Bürgerkrieg zerstört, sondern bei einem puritanischen Bildersturm vorher, während der Zeit der antipuritanischen Kirchenpolitik des Bischofs Laud. – V. 1, V. 3 und V. 20: *Anti-Saints* und *Saints*: Einige puritanische Sekten hatten die Bezeichnung »saints« für sich usurpiert; die antipuritanische Satire wird nicht müde, damit ihren

Spott zu treiben (vgl. etwa Dryden, *Absalom and Achitophel I*, 529 f.). – V. 6 ff.: Die Kirche St. Anne in der Nähe von Blackfriars, die in der Reformation zerstört worden war, hatte einen in Nordsüdrichtung (anstatt der üblichen Ostwestrichtung) angelegten neuen Aufbau erhalten, der als puritanischer Betsaal verwendet wurde. Daneben war eine im Besitz der »saints« befindliche Glasfabrik.

A Non Sequitur (in *Wit Restor'd*, 1658) 72
Nonsense (in *Wit's Recreations*, 1641) 74

Die Autorenschaft ist, wie bei vielen Gedichten aus den genannten Sammelbänden, nicht ganz sicher zu ermitteln. Zwei Beispiele einer wenig beachteten Art von Nonsense Poetry im 17. Jh. Das Genre wird von manchen Forschern auf die »kabbalistischen« Verse in Coryats *Crudities* (1611) zurückgeführt. Es gibt ähnliche Erscheinungen in Frankreich, etwa bei Théophile de Viau. Daß in England auch eine recht volkstümliche Art dieser »surrealistischen« Poesie bestand, zeigen die beiden Wahnsinnsgedichte S. 152 und S. 158. Diese Texte sind wegen der Verwendung seltener Slang- und Dialektwörter sprachhistorisch interessant. Literarhistorisch ist *Nonsense* als eine der vielen Parodien auf die Mode der Sic-Vita-Gedichte der Zeit zu erklären (vgl. H. King, *Sic Vita*, S. 104 und W. Strode, *Of Death and Resurrection*, S. 144). Diese Parodien sind offensichtlich eine der Hauptanregungen für die weiteren Nonsens-Gedichte, von denen *A Non Sequitur* das fantastischste Beispiel ist. Manchmal ist nicht das Menschenleben der Gegenstand dieser Parodien, sondern die weibliche Keuschheit, das Junggesellentum oder Leiden und Freuden der Ehe (Beispiele in *Wit's Recreations* und *Wit and Drollery*, ³1682).

AURELIAN TOWNSHEND (1583–1651)

Sohn John Townshends of Dereham. Die Familie kam zu Ansehen unter den Tudors. Sir Robert Cecil ließ ihn ausbilden für den Dienst bei seinem Sohn William, schickte ihn zum Sprachstudium nach Frankreich und Italien (1600–03). 1608 mit Sir Edward Herbert wieder in Frankreich. 1631/32 schrieb er zwei Maskenspiele. Bei Ausbruch des Bürgerkrieges geriet er ins Elend. 1643 legte er dem Oberhaus eine Bittschrift zur Entlassung aus der Schuldhaft vor. Aufgrund eines Gedichts auf den Tod Karl I. wird angenommen, daß er den Bürgerkrieg überlebt und in dem Grafen von

Dorset einen Gönner gefunden hat. Townshends Gedichte wurden erst in diesem Jahrhundert veröffentlicht.

Text: *Poems and Masks*, ed. E. K. Chambers, Oxford 1912.

On his Hearing Her Majesty Sing
(On his Mistress Singing) 78
Unter dem ersten Titel in Henry Lawes, *The Second Book of Airs and Dialogues*, 1655; unter dem zweiten Titel in E. P., *Mysteries of Love and Eloquence*, 1658. – Bezeichnendes Beispiel für die formale Stereotypik der Preistopik in der höfischen Barocklyrik: derselbe Text kann einmal als ein Lobhymnus auf Königin Henrietta Maria und ein andermal als ein Kompliment für eine Geliebte im Druck erscheinen. – Die Nachwirkung der Traditionen der Musikphilosophie des Mittelalters – unhörbare Sphärenmusik, die erst nach dem Abstreifen der irdischen Existenz hörbar wird, als Modell für den intelligiblen Charakter der Idee der kosmischen Ordnung; irdische Musik als Abglanz davon – ist noch erkennbar, vor allem auch in dem Wortspiel V. 7: *change* als zeitlicher Wandel, Vergänglichkeit und zugleich als musikalischer Terminus für Modulation und damit für musikalische Bewegung in der Zeitlichkeit überhaupt.

To Charles I: 1632 78
Diese in Lob und Glückwunsch für Karl I. gipfelnde versifizierte Genealogie der Stuarts arbeitet mit einigen sehr gängigen Wortspielen: V. 4 *Steward* (Verwalter) = Stuart; – V. 6 f. *son* (Sohn) = *sun* (Sonne); – V. 10 *full of grace* (voll Grazie) ist zugleich die wörtliche Übersetzung von »gratia plena«, der Anrede an die Jungfrau Maria. – Die genealogischen Anspielungen sind so zu erklären: V. 2 ff.: Elisabeth I. (gest. 1603); – V. 4: Jakob I. (1603 bis 1625); – V. 6: Prinz Henry (gest. 1612) und Karl I. (geb. 1600); – V. 8: König Jakob verlor seinen ersten Sohn Henry 1612, Karls I. erstgeborener Sohn Charles James (geb. 1628) starb noch am Tage seiner Geburt; – V. 10: Karl II. (geb. 1630) und Maria, Prinzessin von Oranien (geb. 1631); – V. 14: Edward, der Schwarze Prinz, Sohn Edwards III. und Vater Richards II., starb 1376 nach einem Leben großer Tapferkeit und Popularität; – V. 15: Henry Monmouth = Heinrich V. (1413–22), der Sieger von Agincourt (Azincourt), Shakespeares Prince Hal; – V. 16: Coeur de Lion = Richard Löwenherz (1189–99); – V. 20: Henrietta Maria

von Bourbon, Tochter Heinrichs IV. von Frankreich; – V. 23: Elisabeth von der Pfalz, Tochter Jakobs I., heiratete 1612 Kurfürst Friedrich von der Pfalz, den »Winterkönig«. Die siebenfache Prüfung ist der böhmisch-pfälzische Krieg (1618–23) mit Friedrichs Niederlage in der Schlacht am Weißen Berg (1620) und seiner anschließenden Flucht nach Holland sowie der Besetzung der Pfalz durch Tilly.

EDWARD, LORD HERBERT OF CHERBURY (1583–1648)
Ältester Sohn Richard Herberts. Entstammte einer angesehenen Familie normannischer Herkunft an der walisischen Grenze. Studium in Oxford, University College (1595–1600). Heiratete dort seine Kusine. In den nächsten Jahren häufig bei Hofe und im Kreis Ben Jonsons und anderer »wits«; befreundet mit Jonson, Carew und Donne. Von Jakob I. geadelt. Reiste 1608 nach Frankreich in Begleitung von Aurelian Townshend; kämpfte bei der Belagerung von Juliers 1610. 1619 bis 1624 als Botschafter in Frankreich. Dort schrieb er *De Veritate* (veröffentlicht 1624). 1629 machte ihn Karl I. zum Baron Herbert of Cherbury. Bei Ausbruch des Bürgerkrieges versuchte er neutral zu bleiben. 1644 mußte er Schloß Montgomery an das Parlament ausliefern; auf ein Gesuch hin erhielt er eine Pension. Herbert war eine vielseitig interessierte Persönlichkeit: Historiker, Philosoph und Autobiograph. Seine Gedichte wurden erst 1665 veröffentlicht.

Text: *The Poems*, ed. G. C. Moore-Smith, Oxford 1923.

Kissing 82
Die Ahnenreihe dieser »Kunstlehre des Küssens« reicht von der *Anthologia Graeca* über Catulls Kußgedichte an Lesbia (Nr. 5 und 7) und Johannes Secundus' *Basia* (1539; wichtig ist vor allem Nr. VII) bis zu Tassos 36 Kußmadrigalen von 1592. Das in der italienischen Barocklyrik bis zum Überdruß beliebte Thema wird von Lord Herbert ohne die dort häufige schwüle Dekadenz behandelt.

The first Meeting 82
Obgleich die Details konventionell sind – das Blitzen der Augen geht z. B. über viele Zwischenglieder zurück auf den »fiero raggio« in Lauras Augen (*Canz.* 83), das Magnetbild gibt es schon in den sizilianischen Anfängen der Sonettkunst im 13. Jh. –, ist die Ausarbeitung ein Beweis für Lord Herberts souveränes und originelles Verfügen über das literarische Erbe.

The Thought 88
Hier zeigt sich Lord Herbert als der »erste Schüler Donnes«
(Douglas Bush) und als ein echter »Metaphysical Poet«.

SIR FRANCIS KYNASTON (1587–1642)
Studium in Oxford, Oriel College (B. A.); danach Trinity Hall,
Cambridge (M. A.). 1618 geadelt. 1621 ins Unterhaus gewählt.
Gründete in seinem Haus in Covent Garden eine private Akademie (Museum Minervae), wo er selbst wissenschaftliche Fächer
lehrte. Er übersetzte die ersten zwei Bücher von Chaucers *Troilus
and Criseyde* ins Lateinische, schrieb eine Romanze *Leoline and
Sydanis* (veröffentlicht 1642 zusammen mit *Cynthiades or Amorous Sonnets*).

Text: *Leoline and Sydanis, a Heroick Romance; together with
sundry Affectionate Addresses to his Mrs. under the Name
of CYNTHIA*, London 1642.

To Cynthia: On her Looking-Glass 92
Eine Reihe von Klischees der traditionellen Spiegelmetaphorik
wird kombiniert: der Narzissus-Mythos als Einkleidung für den
als *vanitas* und *amor sui* kritisierten Mißbrauch des Spiegels (V. 18
bis 23); die Spiegelung in den Augen des Geliebten (V. 28) u. a. m.
Dazu kommt der petrarkistische Preis der Geliebten und ihrer
Schönheit (V. 7–14) und die Thematik des Liebestodes aus Melancholie über das Nicht-Erhört-Werden (V. 29–36). Instruktiv ist der
Vergleich mit *Lucasta's Fan with a Looking-Glass in it* von
R. Lovelace, S. 296.

To Cynthia: On Being one with her 94
Hier wie in dem vorigen Gedicht werden konventionelle Bilder
und Hyperbeln wörtlich genommen.

FRANCIS QUARLES (1592–1644)
Geboren in Essex als Sohn eines Generalaufsehers für Proviantversorgung (surveyor-general of victualling) bei der Marine. Studium in Cambridge, Christ's College (B. A. 1608) und Lincoln's
Inn. 1613 im Ausland im Gefolge des Grafen von Arundel. Sein
erstes Gedicht *A Feast for Worms* erschien 1620. Von 1626 bis
1630 in Irland als Sekretär des Erzbischofs Ussher. 1633 zog er
sich nach Essex zurück. 1640 wurde er zum Chronologen der Stadt
London ernannt. Im selben Jahr schrieb er *The Virgin Widow*
(1649 gedruckt), eine Allegorie über die Kirche von England. An-

hänger der anglikanischen Kirche und treuer Royalist. In den letzten Jahren schrieb er hauptsächlich religiöse Prosa.

Text: *Divine Fancies*, London 1632.
  Poems, ed. A. B. Grosart, 3 Bde., Edinburgh 1880.

On the Ploughman (*Divine Fancies*, Lib. I, 76) 98
Geistliches Epigramm mit christlicher Interpretation des Unterschiedes zwischen arm und reich (vgl. etwa Matth. 20, 23/24 oder Pred. 5, 10–20).

On a Tennis-Court (*Divine Fancies*, Lib. III, 37) 100
Etwas pedantisch durchgeführter *conceit*-hafter Vergleich. Die weltliche Parallele von Strode (S. 150) hat eine wesentlich elegantere Form. – Die Übersetzung bemüht sich, das, was gemeint ist, sinngemäß in moderne Tennisausdrücke zu übertragen. – V. 8: *chase*, gemeint ist, daß der Ball zweimal den Boden berührt.

On the Story of Man (*Divine Fancies*, Lib. III, 11) 100
In genau symmetrischer Form wird des Menschen Aufstieg vom Nichts zur gottebenbildlichen Krone der Schöpfung (V. 1–10) und sein durch den Sündenfall verursachter Abstieg zum Nichts (V. 11 bis 20) geschildert. Das Schluß-Reimpaar rekapituliert das Ganze.

HENRY KING (1592–1669)
Ältester Sohn Dr. John Kings, Bischofs von London. Besuchte Westminster und Christ Church, Oxford (B. A. 1611, M. A. 1614; D. D.). 1639 Dekan von Rochester. 1642 Bischof von Chichester; 1643 entlassen. Lebte die folgenden Jahre von der Unterstützung seiner Freunde. In der Restaurationszeit erhielt er das Bistum zurück. King war mit vielen Literaten seiner Zeit befreundet, u. a. mit Jonson und Donne. Kings Vater hatte Donne zum Priester geweiht. Seine Gedichte wurden 1657 veröffentlicht.

Text: *The Poems*, ed. J. Sparrow, London 1925.
  The Poems, ed. M. Crum, Oxford 1965.

Sic Vita 104
Zu diesem berühmten und viel imitierten bzw. parodierten Gedicht vgl. W. Strode, *Of Death and Resurrection*, S. 144, und W. Corbett, *Nonsense*, S. 74 und die Anmerkungen dort.

Sonnet: The Double Rock 104
Wie in dem vergleichbaren Schluß von Kynastons *To Cynthia: On*

Being one with her, S. 94 wird das Klischee von Härte und Frost der Geliebten auf den Liebhaber ausgeweitet, ein auf Donnes Verfahrensweisen zurückgehender »Witz«, der ein petrarkistisches Motiv nicht nur wörtlich nimmt, sondern auch verfremdet.

Love's Harvest 106
Kings Ermahnung, vergleichbar dem Dialog zwischen Prospero und Ferdinand in Shakespeares *Tempest* IV, 1, 15–31, läßt, wie viele seiner leichteren Gedichte, unter der Oberfläche von Donneschem *concettismo* – etwa in der Kombination von Ernte- und Bank-*imagery* – eine praktische christliche Ethik erkennen, die mit Vernunft begründet wird.

Being Waked out of my Sleep by a Snuff of Candle which
  Offended me, I thus Thought 106
Vgl. H. Vaughan, *The Lamp*, S. 348. Der Unterschied in den Ausgangssituationen kennzeichnet die ganze Verschiedenheit zwischen den beiden Dichtern.

To a Lady who Sent me a Copy of Verses on my Going to Bed 108
In seiner höflichen Distanz zu der angesonnenen erotischen Betätigung, in der Fähigkeit zur Selbstironie und vor allem in dem leichten, persönlichen Ton steht dieses Gedicht Jonson näher als Donne.

GEORGE HERBERT (1593–1633)
Sohn Richard Herberts (sein älterer Bruder war Lord Herbert of Cherbury). Seine Mutter, Magdalen Herbert, war mit Donne befreundet. George Herbert besuchte Westminster School; Studium in Cambridge, Trinity College (B. A. 1612; M. A. 1616). Er wurde zum Fellow gewählt, 1618 Professor für Rhetorik und von 1620 bis 1627 Sprecher und Vertreter der Universität (public orator). Um 1626 Diakon. Verbrachte die nächsten Jahre in Zurückgezogenheit. 1630 erhielt er die Pfarre von Bemerton und wurde zum Priester geweiht. Herbert schrieb nur religiöse Dichtung. *The Temple* wurde posthum veröffentlicht.

Text: *The Works*, ed. F. E. Hutchinson, Oxford 1941. Alle Gedichte stammen aus *The Temple*, 1633.

The Windows 112
Rechtfertigung der Rhetorik im predigenden Verkünden religiöser Wahrheiten. Da unser Verständnis an sinnliche Wahrnehmung ge-

bunden ist, bedarf die offenbarte Wahrheit der Vermittlung durch die Predigt: das Licht = die Wahrheit Gottes, bedarf der Farben = *colours of rhetoric*. Die abstrakte Wahrheit ist für unsere Aufnahmefähigkeit ungeeignet (V. 10), menschliche Redekunst allein ist wertlos (V. 14 f.): erst beide zusammen erzeugen echte Frömmigkeit. – Wie die bekannteren Stücke *Jordan I* und *II* gehört dieses Gedicht zu den poetologisch wichtigen Texten des *Temple*. Vergleichbar ist auch A. Marvell, *The Coronet*, S. 322.

Prayer (I) 112
Eines der 15 Sonette in Herberts *Temple*. Die »englische« Sonettform ist eigenwillig für eine Reihung mit kulminierender Pointe verwendet. Paradoxerweise ist die Pointe eine ganz lapidare, einfach formulierte Aussage, die nach der barocken Exuberanz des Vorhergehenden noch stärker wirkt.

The Star 114
Heaven 116
Echo-Gedichte gibt es seit der Antike, der *locus classicus* ist Ovids Wiedergabe der Narziss-Echo-Sage in den *Metamorphosen III*. Im Barock werden Echotechniken in Musik und Poesie besonders beliebt; sie dringen auch ins Drama ein. Jonson, Webster, Decker u. a. schrieben Echo-Szenen, bei Lord Herbert gibt es vier Echo-Songs – selbst die Satire bemächtigte sich des Verfahrens. Bei George Herbert wird der antike Echo-Mythos kaum mehr angedeutet (V. 3 und V. 5 f.), da alles in christliche Symbolik umgemünzt ist: die Blätter, in denen die Nymphe Echo wohnte, sind die Blätter der Bibel, und diese sind das Echo der heiligen Wahrheit, die als Licht, Freude und Freiheit von Mühsal und Zeitverhaftung gesehen wird.

The Altar 118
Poemata figurata gab es bereits in der *Anthologia Graeca* und in der konstantinischen Zeit, bei Porfyrius Optatianus; auch Hrabanus Maurus und Alcuin pflegten diese Spielerei. Im Barock wird sie besonders beliebt. Man vergleiche die weltliche »Parodie« auf Herberts Altargedicht, die Davenant geschrieben hat, und die Tränen-Gedichte von J. Beaumont (S. 192, S. 270 und S. 272). V. 4: Vgl. 2. Moses 20, 25; V. 13 f.: Vgl. Lukas 19, 40.

A Wreath 118
Die Form ahmt das zentrale Bild des Gedichts nach: der letzte Begriff in jeder Zeile wird als erster Begriff in die folgende ein-

geflochten, die Schlußzeile schließt die Kranzform, indem sie den
Anfang (der zugleich das zentrale Bild ist), wieder aufnimmt.

Love (III) *120*
Decay *122*
Vgl. Vaughans *Corruption*, S. 340, wo dasselbe Thema behandelt
ist. Donne widmete dem Gedanken vom Schwinden des Göttlichen
aus der Welt an Pfingsten 1625 eine ganze Predigt. Unausbleiblich
ist jeweils die eschatologische Schlußfolgerung. – V. 3–5 vgl. 2. Moses 32, 9/10. – V. 10 vgl. 2. Moses 28, 31–35: Aarons priesterlicher
Rock hat goldene Schellen am Saum, »daß man seinen Klang höre,
wenn er aus und ein geht in das Heiligste vor dem Herrn«. Vgl.
auch G. Herberts *Aaron*.

THOMAS CAREW (um 1594/95–1640)
Sohn des Anwalts Sir Matthew Carew, der von Jakob I. in den
Adelsstand erhoben worden war. Seit 1608 Student am Merton
College, Oxford (B. A. 1611), 1612 in Middle Temple, schien sein
juristisches Studium jedoch zu vernachlässigen. Wurde 1613 Sekretär bei seinem Verwandten Sir Dudley Carleton, Botschafter in
Venedig, und war mit ihm von 1613 bis 1615 in Italien und 1616
in Den Haag. In Ungnade gefallen und entlassen, begleitete er
1619 Sir Edward Herbert (später Lord Herbert of Cherbury) nach
Paris. Rückkehr nach England vermutlich 1621. Gehörte zum
Freundeskreis Ben Jonsons (bekannt als »the tribe of Ben«); war
befreundet mit Sir John Suckling, Richard Lovelace, William
Davenant, Aurelian Townshend. Genoß literarisches Ansehen und
stand in Gunsten bei Hof (Hofdichter und bedeutender Dichter
der sogenannten Cavalier School). Erhielt 1630 Ernennung zum
»Gentleman of the Privy Chamber and Sewer in Ordinary to the
King«. 1634 Aufführung seines Maskenspiels *Coelum Britannicum*
(in Zusammenarbeit mit Inigo Jones). 1639 begleitete er den König auf dem Feldzug gegen Schottland.
Text: *The Poems*, ed. R. Dunlap, Oxford 1949.

A Rapture *124*
Berühmtes Erotikon der englischen Literatur, vermutlich früh – vor
1624 – entstanden. Vorbilder waren solche Stücke aus der ovidianischen *banquet-of-senses*-Dichtung wie Donnes *Elegy XIX*; Johannes Secundus' *Basia II* und vor allem Tassos Chor auf das
Goldene Zeitalter im ersten Akt des *Aminta* sind weitere Einflüsse. Wörtliche Anklänge an Donnes *Elegies* sind in dem Gedicht

häufig. Es ist viel nachgeahmt worden (von Cleveland, Randolph, Cartwright u. a.), und Wortechos daraus finden sich allenthalben in der Barocklyrik Englands. Die eigenartigste Nachwirkung ist die Übernahme einer Reihe von erotischen Bildern aus *A Rapture* in Crashaws ekstatisch-religiöses Gedicht *Prayer*. – V. 3: Der »Riese Ehre«, ursprünglich aus Tasso, kommt auch bei Donne, in dem Gedicht *The Damp*, vor. – V. 84: Vgl. z. B. Ovid, *Metamorphosen*, IV, 611. – V. 97 (H)Alcyone war die Tochter des Windgottes Äolus. Sie wurde in einen Eisvogel verwandelt, der der Sage nach Wind und Wellen beruhigen kann (vgl. Ovid, *Metamorphosen*, XI, 731 ff.). – V. 115 ff.: Die Metamorphose der antiken Tugendheldin Lucretia in eine liebeskundige Lais ist bei Aretino, in einem Brief an Malatesta, vorgebildet. Die Vermittlung des Gedankens bis zu Carew geschah wohl durch Burtons *Anatomy of Melancholy* aus dem Jahr 1621, wo in Teil 3, Sect. 2, Memb. 1, Subst. 2 Aretino zitiert ist. Die Fortsetzung der Beispielliste mit Penelope (V. 125), Daphne (V. 131, vgl. besonders Ovid, *Metamorphosen*, I, 548 ff.), Petrarcas Laura (V. 139) ist Carews Einfall. – V. 146: Die Parallele zu Donnes *Elegy XVIII*, 91–94 macht die Absicht eines obszönen Nebensinns hier deutlich.

Song: Eternity of Love Protested 134
Das häufige Thema der räumlichen Trennung der Liebenden wird hier mit dem der Unsterblichkeit der Liebe kombiniert und im Sinne des petrarkistischen Platonismus behandelt.

Boldness in Love 134
Zu dem zentralen Bild vgl. Shakespeare, *The Winter's Tale*, IV, 4, 105. Die Blume ist *calendula officinalis*, in der Elisabethanischen Zeit auch *sponsus solis* genannt. Eine zeitgenössische Vertonung des Liedes stammt möglicherweise von Karl I.

A Pastoral Dialogue 136
Freie Variation der berühmten Alba in Shakespeares *Romeo and Juliet*, III, 5, 1–36. – Zur Form des pastoralen Dialogs, der sehr beliebt war und für die verschiedenartigsten Themen verwendet wurde, vgl. J. Beaumont, *Easter Dialogue*, S. 286 und Joseph Hall, *A Sea Dialogue*, S. 358. Der Chorabschluß ist bei diesem Genre häufig, jedoch nicht obligatorisch.

To a Lady that Desired I would Love her 138
Antipetrarkistische Liebeswerbung mit hedonistischer Tendenz und Ablehnung nicht nur der Haltung, sondern auch des poetischen Stils der petrarkistischen Liebe.

WILLIAM STRODE (1602–um 1644/45)

Geboren in der Nähe von Plympton, Devonshire. Besuchte Westminster School; Christ Church, Oxford (B. A. 1621; M. A. 1624; B. D. 1631; D. D. 1638). Erhielt die Priesterweihe und wurde Kaplan bei Richard Corbett, dem Bischof von Oxford. Schrieb wie Corbett in seiner Muße Gedichte. 1629 Sprecher und Vertreter der Universität (public orator). 1633 eingesetzt in der Pfarrstelle in East Bradenham. 1636 wurde seine Tragikomödie *The Floating Island* anläßlich des Besuchs von Karl I. in Oxford aufgeführt. Von 1639 bis 1642 Vikar in Badby, Northamptonshire. Gestorben in Christ Church.

Text: *The Poetical Works*, ed. B. Dobell, London 1907.

Of Death and Resurrection *144*
Vgl. H. King, *Sic Vita*, S. 104 und die Anmerkung dazu. Es sind mindestens acht solche Gedichte aus dem 17. Jh. bekannt, nicht mitgezählt die Parodien, von denen wir mit Corbetts *Nonsense*, S. 74 ein Beispiel vorgeführt haben. – V. 15: siehe 2. Könige 20, 9–11 und Jes. 38, 8.

Upon the Blush of a Fair Lady *146*
Die hier gebrachte Version ist eine Kollationierung des Textes in Dobells Ausgabe mit der Variante, die in *Wit Restor'd*, 1658, zu finden ist. Die zeitgenössischen volkstümlicheren Anthologien enthalten meist eine Reihe von Gedichten von Strode.

On a Gentlewoman Walking in the Snow *146*
Wie das vorige Gedicht ein Beispiel für die Popularisierung der Motive der Cavalier Poetry. Dieser beliebte Text erschien in W. Porters *Madrigals* and *Airs*, 1632, in *Parnassus Biceps*, 1656, und in den meisten Auflagen von *Wit's Recreations*, 1640 ff.

Jack-on-Both-Sides *148*
Unter dem Titel *The Church Papist* in *Wit's Recreations*. Die Halbzeilen ergeben, in den Kolonnen von oben nach unten gelesen, ein römisch-katholisches, nebeneinander als Ganzzeilen gelesen, dagegen ein anglikanisches Glaubensbekenntnis.

Love Compar'd to a Game of Tables *150*
Wie bei vielen dieser populären Texte ist es auch bei diesem zweideutigen epigrammatischen Spaß unmöglich, den Verfasser mit Sicherheit zu bestimmen; es wird auch Sir Robert Ayton (oder Aytoun), 1570–1638, als Autor genannt.

ANONYMOUS

Text: *Wit and Drollery. Jovial Poems*, London 1656; ³1682.

Tom-a-Bedlam 152
Mad Maulkin 158

»Poor Tom«, der frei herumvagierende, halbnackte, bettelnde Tollhäusler, ist aus Shakespeares *King Lear* bekannt, wo sich Edgar unter dieser Maske tarnt. Es gibt im 17. Jh. mehrere Tom-a-Bedlam-Gedichte, so noch zwei weitere in *Wit and Drollery* und eines in *Wit and Mirth*, ⁴1684. Sie haben viele Gemeinsamkeiten, teilweise auch in den Bildern Überschneidungen mit den Nonsens-Gedichten (siehe Corbett, S. 74). Die hier gebrachte Fassung und ihr weibliches Pendant, *Mad Maulkin*, sind poetisch besser als die übrigen Beispiele. – Eine genaue Erklärung der Herkunft und Bedeutung aller Motive würde ein langes Spezialstudium erfordern; aber auch ohne solche Kommentierung können diese Texte fesseln. Politische »Wahnsinns-Gedichte« wie *The Madman* (in *Wit and Mirth*, 1682), *The Distracted Puritan* (ebd.) oder *The mad Zealot* (in *Rump*, 1662) sind von den Tom-a-Bedlam-Gedichten beeinflußt. Spitzbuben tarnten sich, wie die *rogue*-Literatur der Zeit zeigt, gerne als »poor Tom«.

OWEN FELLTHAM (1602–68)

Stammte aus Suffolk. Über sein Leben ist nicht viel bekannt, er war Anglikaner und leidenschaftlicher Royalist. Vermutlich hat er vor 1627 die Niederlande bereist. Bekanntschaft mit den Londoner »wits«; Gedichtbeiträge zu Longs Übersetzung von Barclays *Argenis* (1625), *Annalia Dubrensia* (1636), zu Randolphs Gedichten (1638) und anderen Werken. Vor 1641 in den Diensten des Grafen Thomond in Great Billing, Northamptonshire. Er starb in London.

Text: *Resolves, Divine, Moral, and Political*, ed. J. Cummings, London ²1820. In der 8. Auflage des Buches (1661), das 1623 (?) oder 1628 zuerst erschien, waren die lyrischen Stücke unter der Überschrift *Lusoria, or Occasional Pieces* als Anhang zum erstenmal abgedruckt worden.

The Sympathy 162

Die platonische Seelenliebe wird, wie in Donnes *A Valediction: Forbidding Mourning*, über die irdische Liebe weniger subtil Liebender gestellt. Schon bei diesen vermag die räumliche Trennung nichts gegen die emotionale Bindung der Herzen; die Seelenliebe

Anmerkungen 389

des Gedichtsprechers erhebt sich noch weit darüber zur vollendeten
»Sympathie«. – Das zentrale Bild von der *sympathetic vibration*
zweier Lauten war ein gängiger Topos der Renaissance-Musikphilosophie *(musica speculativa)*, der im 17. Jh. oft als poetisches
Bild für die absolute Seeleneinheit zwischen zwei Liebenden verwendet wurde. – Der in V. 9–13 beschriebene Lauten-Versuch ist
in Jacob Cat, *Silenus Alcibiades*, 1618, als Emblem mit dem Motto
(Lemma) »Quid non sentit Amor« abgebildet. Schon Shakespeares
Sonett Nr. 8 verwendet das Gleichnis (siehe V. 9 ff.).

Song *164*
Originelle Kombination der amourös-ritterlichen Cavalier-Haltung
mit dem ernsten Thema der Verarmung und Deklassierung vieler
Adeliger im Zuge der politischen Entwicklung.

Song: Upon a Breach of Promise *166*

THOMAS RANDOLPH (1605–35)
Geboren in Northamptonshire. Besuchte Westminster School. Studium in Cambridge, Trinity College. Gewann große Anerkennung
als Dichter. 1629 bekam er eine »minor Fellowship«, 1632 ein
»major Fellowship«. Bewunderer und Freund Jonsons. Das Gerücht, daß Jonson ihn als Sohn adoptierte, ist nicht erwiesen. Befreundet mit James Shirley und Sir Kenelm Digby. Später Erzieher der Kinder von William Stafford in Blatherwyke, Northamptonshire, wo er auch starb. Seine Gedichte (zusammen mit
dem pastoralen Drama *Amyntas*) wurden 1638 veröffentlicht.

Text: *The Poems*, ed. E. Parry, Yale 1917.
   The Poems, ed. G. Thorn-Drury, London 1929.

Song *168*
Die Allegorie der Musik nimmt hier selber die Stelle des Orpheus
ein, der in der Mythologie Klagelieder sang und der mit seinen
Weisen Bäume und Felsen zum Wandern und Tanzen brachte. Die
Rückverwandlung (V. 11 f.) ist ein mildes »metaphysisches« Paradoxon, das für die »Originalität« dieser Art von Pointen-Poesie
typisch ist.

On the Death of a Nightingale *168*
Eklektisches Verfügen über Motive aus der *musica speculativa*.
Der Verlust der Nachtigall bringt *discordia* in die Welt (V. 2 f.),
als ob sie, die verkörperte Harmonie *(musica mundana)*, die zentrale Ordnungsmacht und Seele (V. 9) des Kosmos gewesen wäre.

Auch die Nachtigall hat die Macht des Orpheus: Sie kann die Bäume des Haines, in dem sie gelebt hat, zum Wandern bringen und ins Elysium nach sich ziehen (V. 10). Und sogar die für den Menschen unhörbare *musica coelestis*, die Sphärenharmonie, kann von ihr lernen (V. 7 f.).

An Eclogue Occasioned by Two Doctors Disputing upon Predestination 170
Die Verwendung des Gattungstypus der Ekloge für konfessionelle oder theologische Disputationen gibt es in England seit Spensers *The Shepherd's Calendar*, 1579 (vgl. die Mai-, Juli- und September-Eklogen). – Randolph schiebt aber die wirkliche Erörterung des in diesen Jahren des steigenden puritanischen Einflusses aktuellen Themas der Prädestination ab und fordert die Theologen auf, ihre Streitigkeiten über solche dem Menschen nicht zukommende Fragen einzustellen und dafür als echte Hirten, getreu der Pastoraltradition, das Mysterium der Liebe = das Leben und Sterben Jesu zu besingen. Eine Fülle von Klischees der Pastoraldichtung werden dabei mit christlichem Inhalt gefüllt, bis hin zur »großen Schafschur Pans« = Gottes letztem Gericht.

The Milkmaid's Epithalamion 176
Die Verschiebung des traditionellen Epithalamions aus dem hohen in die niedere Stil- und Sozialsphäre ist aus Sucklings populärer *Ballad upon a Wedding* von 1638 bekannt. Randolphs bäuerliches Epithalamion des Milchmädchens ist früher. Er verkürzt, entsprechend dem Charakter und Lebensproblem seiner Sprecherin, das Hochzeitsgedicht auf seine letzte Station: Hochzeitsnacht und Kindersegen.

Anagram. Virtue alone thy Bliss 178
Die Frage, an wen dieses Gedicht gerichtet war und worin das Anagramm besteht, wird von Parry vorsichtig dahingehend beantwortet, daß die Adressatin eine gewisse Elizabeth Sylvertoun gewesen sei. Alle Buchstaben des Wortes *vertue* kommen in ihrem Familiennamen vor.

WILLIAM HABINGTON (1605–54)
Entstammte einer streng katholischen Familie in Worcestershire. Sein Vater, Thomas Habington, war am Babington und Gunpowder Plot (Pulververschwörung) 1605 beteiligt gewesen. William Habington wurde in Frankreich erzogen. Seit 1629 lebte er am englischen

Hof im engeren Kreis der in Gunst stehenden Katholiken. 1633 heiratete er Lucy Herbert, die Tochter Lord Powys'. Die Gedichtsammlung *Castara* (1634) wurde ihr zu Ehren geschrieben. Weitere Gedichte kamen in den Ausgaben 1635 und 1640 hinzu. Außerdem schrieb er noch ein Theaterstück *The Queen of Aragon*.

Text: *Poems*, ed. K. Allott, London 1948.

Against them who Lay Unchastity to the Sex of Women . . . *182*
Entgegnung auf Donnes *Song* »Go and catch a falling star«, S. 24. Solche *replies* liebte die Barocklyrik, entsprechend ihrem argumentativen Charakter, sehr. Viele Gedichte Donnes sind letztlich freie Antworten auf die petrarkistischen Sonette seiner Zeitgenossen. Männlicher und weiblicher Standpunkt in Liebessachen, Platonismus oder Antiplatonismus, Lob des Stadt- oder Landlebens – das sind die häufigsten Themen, an denen sich die Argumentation entzündet. – V. 19: *Castara* ist der poetische Deckname der von Habington angedichteten Dame, Lucy Herbert, Tochter Lord Powys', die Habington 1633 heiratete, zugleich ist es der Name seiner Gedichtsammlung, die ab 1634 in drei jeweils erweiterten Auflagen erschien.

Nox Nocti Indicat Scientiam *184*
»Eine Nacht tut's kund der andern«, Psalm 19, 3. So schön diese Meditation im Angesicht des gestirnten Himmels ist, so wenig wird die große Entsprechung zwischen Makro- und Mikrokosmos, die jeder Elisabethaner dabei behandelt hätte, noch als philosophisches Thema verstanden. Als Schlußfolgerung bleibt nur die Vergänglichkeit des Irdischen und die Ewigkeit der Sterne sowie die Macht des Schöpfers übrig. Die hierarchisch geordnete Harmonie des Kosmos und die daraus sich ergebenden ethischen Konsequenzen sind dieser nach-kopernikanischen Generation bereits als Thema abhanden gekommen.

SIR WILLIAM DAVENANT (1606–68)
Sohn eines Oxforder Gastwirts aus guter Familie. Er wurde als Patenkind Shakespeares angesehen (nach Aubreys Biographie war er sogar der Sohn Shakespeares). Er war Page der Herzogin von Richmond und danach Fulke Grevilles. 1627 begann er seine Theater- und Militärkarriere. 1635 wurde sein erstes höfisches Maskenspiel aufgeführt. Bis 1638 hatte er weitere Maskenspiele, Theaterstücke und Gedichte geschrieben. 1638 Nachfolger Jonsons

als »poeta laureatus«. Davenant kämpfte in beiden Bishops' Wars (Kriege gegen Schottland und Irland), war an der Armee-Verschwörung (Army Plot) 1641 beteiligt und diente im Bürgerkrieg zu Lande und zur See. 1643 geadelt. Von 1646 bis 1650 im Exil in Paris zusammen mit Hobbes, Cowley, Waller, u. a. 1650 von Karl II. zum Gouverneur von Maryland ernannt, aber auf dem Weg dorthin gefangengenommen. Im Gefängnis schrieb er an seinem romantischen Ritterepos *Gondibert* weiter. 1652 wurde er freigelassen und 1654 begnadigt. Es gelang ihm, weiterhin Theateraufführungen zu inszenieren. Theatergeschichte machte die Aufführung der Oper *The Siege of Rhodes* (1656). 1660 erhielt er eine der beiden Theaterlizenzen. Er wurde in Westminster Abbey beigesetzt.

Text: *Selected Poems*, ed. D. Bush, Cambridge, Mass. 1943.

To the Queen Entertain'd at Night by the Countess of Anglesey 188

Erste Veröffentlichung in *Madagascar*, 1638, Davenants erstem Gedichtband. Die Königin ist Henrietta Maria, Gattin Karls I., die Gräfin von Anglesey ist Elizabeth Villers, geborene Sheldon. Ihr Gatte, Christopher Villers, der jüngste Bruder des von Jakob I. und Karl I. begünstigten Herzogs von Buckingham, wurde 1623 Baron von Daventry, Graf von Northampton und Earl of Anglesey. Thomas Carew hatte dem Earl während dessen Brautwerbung als Liebesbote gedient und wurde von dem Ehepaar besonders gefördert. Der Graf starb 1630, die Gräfin heiratete später in zweiter Ehe den Honourable Ben. Weston. Szene des Gedichtes ist vermutlich der Sitz der Gräfin in Northampton (vgl. V. 11 f.).

The Countess of Anglesey Led Captive by the Rebels at the Disforesting of Pewsam (Song) 188

Bezeichnendes Beispiel für die Unfähigkeit der Cavaliers, den ernsten Realitäten des Bürgerkriegs literarisch etwas anderes entgegenzusetzen als klischeehafte aristokratische Attitüden einer Kultur, die zu den historischen Tatsachen eigentlich keine Beziehung fand. Der Aurora-Vergleich, die Haare als Fesseln, die Fürsten als willige Liebessklaven, die Sonnenüberbietung, die Macht des Orpheus, Bäume tanzen zu lassen: all das ist der Situation – einem Puritanerüberfall, der wie ein kleiner Bauernaufstand aussieht (vgl. V. 7 f. – die Zeile könnte freilich auch eine Reminiszenz an Donnes *Canonization* V. 11 sein) – merkwürdig wenig adäquat, ebenso wie der Schluß des Gedichtes. Über den eigentlichen

Anlaß, die Verwüstung von Pewsam Forest, konnte der Hrsg. nichts ermitteln. Das Lied erschien zuerst in Davenants *Works*, 1673, unter einer Gruppe von »Poems on Several Occasions«.

The Soldier Going to the Field 190
Ebd. Dieses Gedicht gehört zu demselben Typus wie Lovelaces *Song: To Lucasta. Going to the Wars*, S. 290 und steht etwa in der Mitte zwischen Montroses ernstem *Metrical Vow*, S. 250 und Sucklings frivolem *A Soldier*, S. 214.

An Altar 192
Parodie auf G. Herberts Altargedicht, S. 118. Auch in *Wit's Recreations*.

EDMUND WALLER (1606–87)

Sohn eines wohlhabenden Gutsbesitzers in der Nähe von Beaconsfield. Aus angesehener Familie. Besuchte Eton; Studium in Cambridge, King's College. Schon im Altar von 16 Jahren Parlamentsabgeordneter im Unterhaus. 1631 heiratete er eine Erbin; sie starb 1634. Von 1636 bis 1639 umwarb er Lady Dorothy Sidney (seine »Sacharissa«); 1639 heiratete sie Lord Spencer. Waller war wie Cromwell ein Cousin John Hampdens, blieb aber dem Königtum treu. Befreundet mit Falkland. 1643 maßgeblich an einer Verschwörung (»Waller's Plot«) beteiligt, London für den König einzunehmen. Nach Aufdeckung der Verschwörung kaufte Waller sich mit einer hohen Geldbuße frei und wurde verbannt. Er verbrachte 7 Jahre im Exil in Frankreich. Eine Sammlung früher Gedichte wurde 1645 veröffentlicht. 1651 vom Parlament begnadigt, kehrte er nach England zurück. Nach der Restauration saß er wieder im Parlament, wo er sich durch Reden für religiöse Toleranz auszeichnete. 1661 Mitglied der Royal Society. Genoß die Bewunderung seiner Zeitgenossen, die ihn wie Denham als Wegbereiter einer neuen Verskunst priesen.

Text: *The Poetical Works*, ed. G. Gilfillan, Edinburgh 1857.

The Fall 194
Aus *Poems*, 1645. Elegante Ausgestaltung einer Gelegenheitssituation mit »Korrespondenzen«: der Fall wird zum Sündenfall im Paradies in Beziehung gesetzt.

To a Fair Lady Playing with a Snake 196
Ebd. Manieristisches Motiv, das eine große Zahl von literarischen Anregungen in sich vereint.

To a Lady, from whom he Received a Silver Pen *196*
Ebd. Hier wird deutlich, wie sehr Waller ein Bindeglied zwischen
dem Zeitalter Donnes bzw. Jonsons und dem der »Augustans« ist.

SIR RICHARD FANSHAWE (1608–66)
Geboren in Ware Park, Hertfordshire. Studium am Jesus College,
Cambridge und Inner Temple. 1627 ging er ins Ausland, um
Sprachen zu studieren. 1635 als Sekretär des Botschafters in Madrid. Bei Ausbruch des Bürgerkrieges Rückkehr nach Oxford zum
Königshof. Heirat in Oxford. 1646 Kriegsminister des Prinzen
von Wales, den er auch außer Landes begleitete. 1647 Rückkehr
nach England; zur Zeit des Todes des Königs Aufenthalt in Irland,
um für Unterstützung für die königliche Sache zu werben. Kämpfte
bei Worcester, wurde gefangengenommen und gegen Kaution freigelassen. Nach der Restauration als Botschafter in Portugal und
Spanien, wo er starb. Am bekanntesten sind seine Übersetzungen
von Camões, *Lusiad* (1655), und Guarini, *Il Pastor Fido* (1647),
in dessen zweiter Ausgabe 1648 auch seine Gedichte erschienen.

Text: *Shorter Poems*, ed. N. W. Bawcutt, Liverpool 1964.

The Ruby *200*
Zuerst erschienen in *Il Pastor Fido ... with an Addition of divers
other Poems*, 1648. – Der Rubin, gewöhnlich Metapher für die
Lippen der Geliebten, zu denen dann noch Perlen-Zähne und
Diamant-Augen als Farbkontrast treten können, ist hier fast ganz
zum Selbstzweck des Gedichts geworden: 14 Zeilen sind seiner preziösen Beschreibung und bilderreichen Rühmung gewidmet; die
4 Schlußzeilen, die dann doch noch, fast wie eine Pflichtübung,
den konventionellen Vergleich mit der Schönheit der Dame bringen, wirken teils unsicher, teils matt und überflüssig nach dem
raffinierten Prunk des Anfangs.

SIR JOHN SUCKLING (1609–42)
Entstammte einer alten Familie aus Norfolk. Studium in Cambridge, Trinity College, danach auf der Rechtsschule Gray's Inn.
1628 bis 1630 auf Reisen. Bei seiner Rückkehr geadelt. Kämpfte
1631/32 in Deutschland unter Gustav Adolf. Seit 1632 bei Hofe
und dort in Ansehen wie Carew; genoß den Ruf eines großen
Liebhabers und Spielers und führte ein verschwenderisches Leben.
Sein Schauspiel *Aglaura* wurde 1637 mit einer großartigen Ausstattung aufgeführt, ein Foliodruck davon 1638 mit großem Ge-

winn veröffentlicht. Im Feldzug gegen Schottland 1639 führte er eine ebenfalls mit viel Aufwand ausgestattete Truppe an. 1641 an der Armee-Verschwörung (Army Plot) zur Befreiung des Grafen Strafford beteiligt. Daraufhin floh er nach Frankreich und starb dort 1642 (nach Aubrey verübte er Selbstmord). 1646 erschien *Fragmenta Aurea*.

Text: *Works*, ed. A. H. Thompson, London 1910.
     Poems, London 1933.

The Constant Lover 202
Die Verwendung des Kurzzeilenrefrains in jeder Strophe ebenso wie die Hyperbolik erinnern an Donne; freilich ist das Gedicht milder als vergleichbare Spottverse auf den Petrarkismus bei Donne.

Song: Why so Pale and Wan 204
Noch elisabethanisch orientiertes Lied. Nur der kolloquiale, betont maskuline Schluß tritt – ähnlich wie in manchen Liedern von Wyatt – aus der Konventionalität heraus und schlägt den Cavalier-Ton an, für den Suckling berühmt ist.

The Siege of a Heart 206
Die Belagerung als konventionelle Metapher für die Gewinnung des Herzens einer Dame wird mit vielen militärischen und erotischen Details ausgesponnen (vgl. die ähnliche Ausweitung der Metapher in Philip Massinger, *A New Way to Pay Old Debts*, 1633, III, 1,50 ff.). Die Pointe bezieht den ebenfalls konventionellen »Riesen Ehre« (vgl. Th. Carew, *A Rapture*, S. 124 und die Anmerkung dazu) in den Bildzusammenhang der Belagerung ein.

The Metamorphosis 210
A Farewell to Love 210
Solche *recantations* gibt es im Barock häufig, im Leben und in der Literatur. – Der Spiegel, in dem die Geliebte als Totenkopf erscheint, ist als *vanitas*-Emblem traditionell (siehe die männliche Variante dazu in R. Crashaw, *Death's Lecture and the Funeral of a Young Gentleman*, S. 246, V. 22 ff.). Die Sammlung *Wit's Recreations* (⁴1663), in der dieses Gedicht abgedruckt ist, endet mit einem weiteren *Farewell to Love* und einem *Farewell to Folly*, woran sich noch eine Ermahnung anschließt, nun anstatt solcher »Juvenilian Fancies«, wie sie *Wit's Recreations* enthält, H. Vaughans religiösen Gedichtband *Silex Scintillans*, 1650, zu lesen, nebst einer Probe daraus.

That none Beguiled Be 214
Die Kurzzeilenpaare, die in drei originellen Variationen lautmalerisch das Ticken der Uhr illustrieren, erinnern an ähnliche Verfahrensweisen in elisabethanischen Liedern, etwa bei Campion.

A Soldier 214

A Pedlar of Smallwares 216
Diese Art von handfester und dennoch charmanter Zweideutigkeit – von früheren Editoren teils unterschlagen, teils entschärft, teils als bedauerliche Entgleisungen vermerkt – gehören unbedingt zum Bilde Sucklings und der Cavalier Poetry. Zu der Tradition des Pedlar's Song vgl. Shakespeares Autolycus in *The Winter's Tale* IV, 4, 220 ff. und 316 ff. Schon bei Charles d'Orléans (1394 bis 1465) gibt es einen Vorläufer des Genres, das Rondeau *Petit Mercier*.

SIDNEY GODOLPHIN (1610–43)

Entstammte einer kornischen Familie. Studium in Oxford, Exeter College; verließ die Universität ohne Abschluß und besuchte anschließend vermutlich die Inns of Court (Rechtsschulen). Schrieb u. a. eine Elegie auf Donne und Beiträge zu *Jonsonus Virbius*. Parlamentsabgeordneter von Helston 1628. 1640 im sog. »Kurzen« und »Langen Parlament«. Kämpfte seit Beginn des Bürgerkrieges auf der Seite des Königs und fiel im Gefecht bei Chagford, Devonshire.

Text: *The Poems*, ed. W. Dighton, Oxford 1931.

A Song by Sidney Godolphin, Esq.; on Tom. Killigrew and Will. Murrey 220
Thomas Killigrew (1612–83) war Page bei Karl I. Ein berühmtes Gemälde van Dycks stellt ihn zusammen mit Thomas Carew dar. Er war Dramatiker, Theatergründer und ein echter Cavalier. William Murrey wurde 1643 zum Earl of Dysart erhoben. – Das Lied, das verschiedene Pastoralklischees einsetzt, um ein Stück Hofklatsch auszukosten, ist, da eine genaue Datierung fehlt, in seinen Anspielungen nicht ganz zu entziffern.

Hymn 224

WILLIAM CARTWRIGHT (1611–43)

Geboren bei Tewkesbury. Schulerziehung in Cirencester und Westminster. 1628 Student in Oxford, Christ Church (M. A. 1635). 1636 Aufführung seines Stückes *The Royal Slave* anläßlich des Besuchs des Königs in Oxford. 1638 erhielt er die Priesterweihe. Seine literarischen Werke fanden Bewunderung bei seinen Zeitgenossen (u. a. auch bei Ben Jonson). Seine besten Gedichte sind eine Elegie auf Sir Bevil Greville und ein Gedicht auf Jonson, sein Beitrag zu *Jonsonus Virbius* (1638). Er stand in Gunst bei Karl I.

Text: *The Plays and Poems*, ed. G. Blackmore Evans, Madison, Wisc. 1951.

A Valediction 228
Charakteristisches Beispiel der unselbständigen, aber technisch kompetenten und glatten Art, in der dieser Dichter, der zu seiner Zeit sehr bewundert wurde, die Klischees der von Donne und Jonson abstammenden Cavalier Poetry handhabt. Man beachte die komplizierte Syntax, die geschickte Behandlung des Metrums und die Tendenz zu klangvollen Alliterationen und einer fast schon augusteischen Balancierung der Zeile.

No Platonic Love 228
Die Diskussion um den Platonismus in der Liebe war in der Umgebung der preziösen Königin Henrietta Maria ein beliebter Zeitvertreib. Dabei wird einmal die platonische, ein anderes Mal die antiplatonische Position argumentierend vertreten. Ähnlich wie Cleveland in seinem bekannteren Gedicht *The Antiplatonic* verteidigt Cartwright hier den libertinistischen Naturalismus in sexualibus, der der Lebenspraxis der meisten Cavaliers entsprach und in der Restauration, etwa bei Rochester, Dryden und Etheredge, zur akzeptierten Norm wurde. Vgl. auch Denhams *Natura Naturata*, S. 266 u. Anm.

For a Young Lord to his Mistress, who had Taught him a Song 230
Die konventionellen Elemente – der Gesang der Dame als Konkurrenz der Sphärenmusik, die Gleichgestimmtheit der Seelen, der schöne Körper als harmonisch gestimmter Mikrokosmos usw. – sind geschickt zu einer kontinuierlichen Argumentation verbunden.

RICHARD CRASHAW (1612–49)
In London als Sohn eines puritanischen Geistlichen geboren. Besuchte Charterhouse (1629–31) und Pembroke College, Cambridge (B. A. 1634). Veröffentlichte ein Buch mit lateinischen Epigrammen. 1635 zum Fellow am Peterhouse College gewählt. Seine Dichterfreunde waren Abraham Cowley und Joseph Beaumont.

Seine Interessen galten der Dichtung, Musik und Malerei. Nahm häufig am religiösen Leben von Little Gidding teil. 1639 erhielt er wahrscheinlich die Priesterweihe. 1643 verließ er Cambridge. 1644 in Holland; danach wahrscheinlich einige Zeit in Oxford. 1645 trat er der römisch-katholischen Kirche bei. 1646 hielt er sich in Paris auf, reiste dann nach Rom, wo er trotz der Protektion durch Königin Henrietta unter Mißachtung, Armut und Krankheit litt. 1647 war er in den Diensten des Kardinals Pallotta, der ihm 1649 eine Stelle in der Kathedrale von Loreto verschaffte. Dort starb er im gleichen Jahr.

Steps to the Temple wurde 1646 veröffentlicht, *Carmen Deo Nostro* in Paris 1652.

Text: *Poems*, ed. L. C. Martin, Oxford ²1957.

The Flaming Heart 234
Aus *Carmen Deo Nostro*, Paris, 1652. Die hl. Theresa (1515–82) wird oft so dargestellt, wie sie sich in ihrem *Libro de sua vida* (1588) in einer Vision sah: mit einem Engel, der mit einem Pfeil auf ihr Herz zielt (vgl. die bekannte Skulptur Berninis in der Kirche Sa. Maria della Vittoria in Rom). – Der erste Teil des Gedichtes macht sich denselben Einfall zunutze, aus dem Waller, Marvell, Denham u. a. wenig später ihre panegyrischen oder satirischen *Instructions* oder *Advices to a Painter* entwickelten. Der großartige Höhepunkt (ab V. 85) hat dieses Non-plus-ultra barokken Geschmacks mit Recht berühmt gemacht. Neben den lateinischen Jesuiten-Epigrammen der Zeit ist Marino die stärkste stilistische Anregung.

In the Glorious Assumption of Our Blessed Lady 240
Text nach der Zweitfassung in *Carmen Deo Nostro*, die eine strukturelle Verbesserung gegenüber der ersten Fassung in *Steps to the Temple* von 1646 darstellt. – V. 8–11: Freie Verwendung von Sätzen aus dem Hohelied Salomos 2, 13; 6, 9 und 12, 11–12. Der *Come-away*-Refrain ist zudem eine häufig gebrauchte Formel in der elisabethanischen Madrigal- und Liedkunst. Schon G. Herbert hatte ihn aus der weltlichen in die religiöse Lyrik verpflanzt (siehe *Doomsday* in *The Temple*). – V. 17–30: Hier liegt die rhetorische Figur der *divisio* vor: Eine Liste von Begriffen kehrt in umgekehrter Reihenfolge und mit *amplificatio* wieder. – V. 52 ff. *flowers* in der Doppelbedeutung von Blumen und rhetorischem Schmuck. Durch dieses Wortspiel wird die Stelle zu einer Apologie

Anmerkungen 399

der Rhetorik in der religiösen Dichtung (vgl. G. Herbert, *The Windows*, S. 112 und A. Marvell, *The Coronet*, S. 322).

Death's Lecture and the Funeral of a Young Gentleman . . 244
Aus *Carmen Deo Nostro*. – V. 22 liegt nicht nur ein weit verbreitetes *vanitas-* und *memento-mori*-Klischee vor (vgl. Suckling, *A Farewell to Love*, S. 210), sondern möglicherweise auch eine Erinnerung an *Hamlet* V, 1, 187 ff.

To Pontius Washing his Blood-Stained Hands 246
Aus *Steps to the Temple*, 1646. – Eines der vielen geistlichen Epigramme Crashaws, die er, teils lateinisch, teils englisch, seit seiner Schulzeit verfaßte. Die Motive sind fast alle biblisch oder patristisch, das epigrammatische Verfahren dagegen lebt teils von der barocken Jesuiten-Epigrammatik, teils von zeitgenössischen Meditationspraktiken, teils ist es aus dem Geist des Marinismus entwickelt. Klassisch-antike Anspielungen sind dabei selten, aber hier hat sich doch ein mythologischer Rest eingeschlichen: das Waschwasser des Pilatus wird zur vergewaltigten Nymphe.

Easter Day 248
Ebd. – V. 6 weist auf den Phönix-Mythos hin; in der zweiten Strophe steckt die typologische Analogie zwischen dem Felsen, aus dem Moses Wasser schlug (4. Mos. 20) und dem Felsen von Christi Grabkammer. Von diesem Epigramm existieren mehrere lateinische und englische Vorformen.

JAMES GRAHAME, MARCHESS OF MONTROSE (1612–50)
Sohn des Grafen von Montrose in Schottland. Seit 1624 Schulerziehung in Glasgow. 1626 erhielt er die Grafenwürde. Seit 1627 Studium an der St. Andrews Universität. 1629 heiratete er die Tochter Lord Carnegies. Von 1633 bis 1636 im Ausland. Montrose war ein leidenschaftlicher, tatkräftiger Royalist, seine Gedichte geben diesem Gefühl Ausdruck. Beachtlich ist seine glänzende militärische Laufbahn: 1644 wurde er Generalleutnant und Marchess of Montrose. Sehr aktiv im Bürgerkrieg (für den König und auch gegen seine Landsleute). 1646 floh er ins Ausland. Bei seiner Rückkehr nach Schottland 1650 wurde er gefangengenommen und auf Parlamentsbeschluß 1650 in Edinburgh gehängt.

Text: *Poems of Montrose*, ed. J. L. Weir. In: *Notes and Queries* 173 (1937) 258 ff.

His Metrical Vow 250
Montrose, royalistischer General, der im August 1644 die schottischen Highlanders zu mehreren Siegen über die Puritaner führte, bis er im September 1645 bei Philiphaugh von einer Übermacht geschlagen wurde, hat nur wenige Gedichte hinterlassen. Er ist mehr eine Gestalt der Geschichte als der Literatur (vgl. Walter Scotts Roman *The Legend of Montrose*). Wie *His Metrical Vow* zeigt, war er ein echter Cavalier. Die Zeilen sind nach König Karls Hinrichtung am 30. 1. 1649 geschrieben. – V. 6: *Briareus* und *Argus* – Gestalten aus der griechischen Mythologie. Briareus war ein hundertarmiger Riese, Sohn des Uranos und der Gaea, Argus ein hundertäugiges Ungeheuer, Bewacher der Io, den Hermes bei deren Befreiung überlistete und tötete.

In Praise of Woman 250
Der petrarkistische Frauenpreis, bei dem die Frau in der Stufenordnung der Welt das sublimste irdische Geschöpf ist, eine Zwischenstufe zwischen Mann und Engel, wird bei den Cavaliers oft kombiniert mit dem Gedanken, daß die Frau für solche dichterische Verehrung als Lohn ihre Hingabe schuldig ist – sonst kann das Lob schnell in Schmähung umschlagen. Es ist interessant zu sehen, wie ein kleiner Dichter wie Montrose diese moralische Inkonsequenz nicht, wie Carew oder Lovelace, durch raffinierte Argumentationstechniken oder ein undefinierbares Schwanken zwischen Ironie und Ernst verschleiert (vgl. etwa Carew, *To a Lady that Desired I would Love her*, S. 138), sondern ab V. 17 ganz naiv als – metrisch abgesetzte – Pointe dem konventionellen Preis aufstülpt. Selbst auf der metaphorischen Ebene des ritterlichen Zweikampfes (V. 21 f.) kommt dadurch eine gespaltene Moral zustande: die *nobility* der Seele versichert sich erst ihrer eigenen Überlegenheit, bevor sie sich in den Kampf einläßt.

JOHN CLEVELAND (1613–58)
Als Sohn eines Vikars in Loughborough geboren. Besuchte die Landschule in Hinckley, Leicestershire. Seit 1627 Studium (zusammen mit John Milton und Henry More) in Cambridge, Christ's College (B. A. 1631, M. A. 1635). 1634 Fellow am St. John's College und Professor für Rhetorik. 1640 starke Opposition gegen Cromwells Wahl zum Parlamentsabgeordneten von Cambridge. Ging 1643 nach Oxford, seine offizielle Entlassung als Fellow erfolgte erst 1645. Von 1645 bis 1646 als Rechtsoffizier in Newark;

verteidigte die Stadt gegen die Schotten. Cleveland war Anhänger des Königs und zeigte sehr großes politisches Interesse (er verfaßte auch Zeitschriftenartikel), ging aber weder ins Exil noch einigte er sich mit den Feinden des Königs. 1655/56 für kurze Zeit im Gefängnis, erhob Einspruch bei Cromwell und erreichte seine Freilassung.

Cleveland wurde große Bewunderung als Dichter in seiner Zeit zuteil (besonders als Verfasser der Satire *The Rebel Scot*).

Text: *The Poems*, ed. J. M. Berdan, New York 1903.
    The Poems, ed. B. Morris und E. Whitington, Oxford 1967.

Upon Princess Elizabeth, Born the Night before New Year's Day 254

Wie bei vielen Texten, die Berdan im Anschluß an die zahlreichen Cleveland-Ausgaben des 17. Jh.s diesem Dichter zuschreibt, ist die Verfasserschaft nicht ganz gesichert. – Prinzessin Elisabeth, geb. 28. 12. 1635, ist auch von Vaughan und Crashaw bedichtet worden. Sie starb nach der Enthauptung ihres Vaters 1649 angeblich aus Kummer. Das Gedicht, erst 1677 veröffentlicht, ist in der Haltung ähnlich wie Townshends Epistel an Karl I., S. 78, zu der es sozusagen eine kleine Fortsetzung darstellt.

The General Eclipse 254

Auch hier ist die Verfasserschaft fraglich. Dieser Text ist nach der Schlacht von Naseby (14. 7. 1645) geschrieben und schildert die tiefe Betroffenheit der Royalistenpartei nach dieser entscheidenden Niederlage des Königs. Folgende historische Details sind dabei wichtig: Str. 1: Die Königin hatte sich nach Holland begeben, und ging später nach Paris. Der Tanz der Sonne an Ostern stammt aus einem Sprichwort. – Str. 2: Karl I. begab sich, nachdem sich alle Garnisonen, zuletzt Bristol, den Puritanern ergeben hatten, im April 1646 in die Gewalt der schottischen Armee. – Str. 3: Prinz Karl (II.) war nach der Niederlage von Naseby auf die Scilly Isles geflüchtet. – Str. 4: Prinz Karl und Prinzessin Maria (geb. 1631), seit 1642 mit Wilhelm von Oranien verheiratet, aber wohl noch am englischen Hof lebend. – Str. 5: Die puritanische Model Army. – Str. 6: Der erste Teil der Strophe zielt auf den Spitznamen der Soldaten Cromwells, die man, wohl zum Teil wegen ihrer Uniformen, »Ironsides« nannte. Die Anspielung auf den Türken ist dem Hrsg. nicht klar. – Die zweite Strophenhälfte beschreibt die Situation des royalistischen Adels, der im Bürgerkrieg vielfach Land verkaufen mußte, zunächst um den König finanziell zu unterstützen, später um sich von den Siegern Straffreiheit zu erkaufen. – Str. 7: Das »Rumpfparlament«, das Cromwell dann 1653 auflöste. John Lilburn war der Führer der Leveller-Partei, einer heterogenen sozialutopischen Gruppe, die königsfeindlich war und nach 1645 eine scharfe Oppositionspolitik gegen Cromwell betrieb.

A Fair Nymph Scorning a Black Boy Courting Her 256
Von Morris und Whitington aus dem Cleveland-Kanon ausgeschlossen. Das Jagen nach ausgefallenen Bildkorrespondenzen und der Mangel an echter Entwicklung eines Arguments ist sehr ähnlich wie in den authentischen Gedichten Clevelands, wo auch oft ein epigrammatischer Einfall den anderen jagt, ohne daß irgendein Ziel erreicht würde.

Mark Antony 260
The Author's Mock Song to Mark Antony 262
Erste Veröffentlichung 1647. – Während *Mark Antony* von ovidianisch-elisabethanischer Farb-, Klang- und Sinnenfreudigkeit erfüllt ist und nur in der letzten Strophe dem etwas ziellosen barocken Geistreich-Tun huldigt, das für Cleveland charakteristisch ist, ist der *Mock Song* eine echt manieristische Groteske. Der ironische und deskriptive Elemente vereinigende Preis eines häßlichen oder alten Weibes und das *love-making* mit ihr ist schon in der italienischen Lyrik des Cinquecento, etwa bei Berni, zu finden und ist offensichtlich eine Reaktion auf die Idealisierungs- und Ästhetisierungstendenz des Petrarkismus. Bei Donne, H. King, Corbett, Kynaston, Suckling u. a. sowie in den meisten Sammelbänden der Zeit gibt es einschlägige Stücke, wobei sich gelegentlich noch Erinnerungen an Horaz' Canidia-Gedichte (*Epod.* 5 und 17, *Sat.* 8) dazugesellen. – Auch bei dieser Groteske ist die Nachbarschaft zu Corbetts Nonsens-Gedichten spürbar. – V. 8: Es ist nicht geklärt, wer Sue Pomfret – offensichtlich eine stadtbekannte Schlampe – wirklich war. – V. 15: »Dun the horse in the mire« – Sprichwort, das völligen Stillstand bezeichnet (vgl. Butlers *Hudibras* II, 3, 109 f.).

SIR JOHN DENHAM (1615–69)
Sohn eines irischen Schatzkanzlers. 1631 bis 1634 Studium in Oxford. Seit 1634 Jurastudium in Lincoln's Inn. 1639 Zulassung zur

Advokatur. Wurde bekannt mit seinem Stück *The Sophy* (1641) und besonders mit *Coopers Hill* (Nachdruck 1642). Denham war ein »Cavalier-Dichter«; kämpfte auf der Seite des Königs. Im Ausland (1648–52) wie auch in England arbeitete er für den König. 1660 wurde er Baurat (Surveyor of Works); 1661 in den Adelsstand erhoben, erhielt er Geld und Grundbesitz. Im gleichen Jahr Parlamentsabgeordneter und 1663 Mitglied der Royal Society. 1665 zweite Heirat (1634 erste). Er war einige Zeit geistesgestört, erholte sich jedoch wieder und schrieb eine Elegie auf Cowley und zollte dem Werk Miltons, *Paradise Lost*, seine Anerkennung.

Text: *Poetical Works*, ed. T. H. Banks, Yale University Press, New Haven 1928.
The Poetical Works, ed. G. Gilfillan, Edinburgh 1857.

Natura Naturata 266
Der von Montaigne und später von Hobbes beeinflußte Naturalismus und Nominalismus, bei den Cavaliers meist noch in Frage gestellt durch den Petrarkismus und den Komment am Hofe des positiv religiösen Königs und seiner katholischen Gattin, drückt sich hier in einer Art aus, die Rochester und die Restaurationskomödie vorwegnimmt. Zu der erkenntnistheoretischen Haltung vgl. Th. Stanley, *Opinion*, S. 352.

An Occasional Imitation of a Modern Author upon the Game of Chess 268
Sprach- und Stilparodie. Zielscheibe ist die gesuchte Preziosität der Barockdichtung: exzessiver Gebrauch von schmückenden Adjektiven, antikisierendes, pseudogelehrtes und exotisches Beiwerk, Periphrasen, Alliterationen usw. – V. 1 f.: Ohne fachkundig zu sein, wagt der Hrsg. die vorsichtige Vermutung, daß eine Tamarinde gemeint ist. – V. 2: Preziöse Umschreibung für den Raben. – V. 4: Der Elefant. – V. 12: Lombarden = Geschäftsleute; Mailand war Handelszentrum. Das Schachspiel wurde wahrscheinlich von Kreuzfahrern, die es von den Arabern erlernt hatten, nach Europa gebracht. – V. 13: *Ad-hoc*-Kombination einer antiken Überlieferung, nach der Palamedes, der Erfinder fast aller zivilisatorischen Künste, das Würfelspiel erfand, um den Griechen vor Troja die Zeit zu verkürzen, mit der Penthesilea-Sage, die hier wegen der Schlußpointe über die Schachkönigin eingemischt wird. – V. 20: Die Zeile läßt irgendeine höfisch-politische Anspielung vermuten, die sich

etwa auf die katholische Königin und die adeligen Gegner Bischof Lauds beziehen könnte oder auf Vorgänge am französischen Hof nach Henrietta Marias Emigration. Denhams Gedichte sind kaum zu datieren; der einzige *terminus ante quem* ist sein Todesjahr 1669.

JOSEPH BEAUMONT (1616–99)
Geboren in Hadleigh, Suffolk, besuchte Hadleigh Grammar School. Seit 1631 Student in Cambridge, Peterhouse College (B. A. 1634). 1636 zum Fellow gewählt. Erhielt den Grad eines M. A. zusammen mit Richard Crashaw. 1644 wurde er zusammen mit anderen königstreuen Fellows von der Universität verwiesen, zog sich nach Hadleigh zurück und schrieb *Psyche*, ein episches Gedicht, das 1648 veröffentlicht wurde. Er heiratete 1650 und verbrachte die nächsten 10 Jahre auf dem Gut seiner Frau, wo er Gedichte schrieb. Während der Restauration erhielt er den Grad eines Dr. theol. (D. D.); 1660 wurde er einer der Kaplane des Königs. 1661 zog er nach Ely, kehrte nach Cambridge zurück, wurde Rektor des Jesus College und ließ Jesus Chapel auf eigene Kosten restaurieren. 1663 Rektor von Penthouse College. 1674 Theologieprofessor an der Universität.

Text: *The Minor Poems*, ed. Eloise Robinson, London 1914.

Goodfriday 270
Easter 272
Diese beiden Figurengedichte in Tränenform sind deutlich aufeinander bezogen. Beide sind – wie G. Herberts Figurengedichte (vgl. *The Altar*, S. 118), aber im Gegensatz zu Davenants Altar-Gedicht (siehe S. 192) – metrisch genau auf die darzustellende Form hin angelegt. Das Oster-Gedicht, in der Bildlichkeit ähnlich wie Crashaws *Easter Day* (siehe S. 248), fügt am Schluß noch ein Chor-Couplet an, das graphisch die Altartafel darstellen könnte, auf der das Morgenopfer dieses Liedes dargebracht wird (vgl. V. 16). Beide Texte haben Hinweise auf die gewünschte Vertonung.

Suspirium ad Amorem 272
Ebenfalls ein Figurengedicht, dessen graphisches Aussehen sich erst aus dem letzten Wort des Textes – *astray* – erklärt. Auch hier ist eine Vertonung angedeutet, und auch hier ist die Nähe Crashaws bzw. der katholischen Barockmystik nach Art der hl. Theresa spürbar.

Trinity Sunday 276
Trotz des stärker didaktischen Charakters ist auch hier an eine
Vertonung gedacht. Die theologische Argumentation stellt dem
offenbar im Zusammenhang mit dem frühen englischen Deismus
wieder aufgekommenen arianischen Zweifel an Christi Göttlichkeit und damit an der Trinitätslehre den Mysterienglauben
– *credo quia absurdum* – der katholischen Offenbarungsreligion
entgegen.

The Bankrupt 278
Das Motiv ist auch von Ralph Knevet (1600–71) in seiner *Gallery
to the Temple* (B. M. Add. MS. 27 447) ähnlich abgehandelt worden. Der gemeinsame Ausgangspunkt ist wohl G. Herberts Sonett
Redemption und natürlich die Gleichnisse der Bibel vom anvertrauten Pfund und vom ungetreuen Haushälter.

The Garden 280
Der gedankliche Kern ist die typologische Entsprechung zwischen
Paradiesesbaum und Kreuzesstamm auf dem Kalvarienberg. Die
sprachliche Einkleidung steht stilistisch nahe bei G. Herbert und
Vaughan.

The Sluggard 282

Easter Dialogue 286
Neben Crashaws hochmanieristischem Magdalena-Gedicht *The
Weeper* nimmt sich die gedämpftere Ekstatik dieser oratorienhaft
ausgestalteten Bibelszene fast klassisch aus. In der Behandlung
der Auferstehungsthematik gibt es Anklänge an das *Easter*-Gedicht
Beaumonts (s. o.) und an *Easter Day* von Crashaw (S. 248), die
wohl in den Meditations- und Liturgiegebräuchen der Zeit begründet sind. Zur Form des »Pastoral Dialogue« vgl. die Anmerkung zu Carews *A Pastoral Dialogue*, S. 386.

RICHARD LOVELACE (1618– um 1656/57)

Sohn eines Grundbesitzers in Kent. Besuchte Charterhouse (zusammen mit Crashaw) und Gloucester Hall, Oxford (M. A. 1636).
Lebte als Höfling und Landjunker, u. a. befreundet mit Carew,
Marvell und Charles Cotton. Als Cavalier-Dichter sehr geschätzt.
1639 bis 1640 diente er in den Feldzügen gegen Schottland und
Irland. 1642 legte er dem Unterhaus den kentischen Antrag auf
Wiedereinsetzung des Königs vor und kam daraufhin ins Gefängnis. Schrieb dort *To Althea, from Prison*. 1643 bis 1646 hielt

er sich im Ausland auf. 1648 erneut im Gefängnis; bereitete dort *Lucasta* zur Veröffentlichung vor (erschienen 1649). Nach seiner Freilassung lebte er in Armut und Zurückgezogenheit.

Text: *Poetical Works*, ed. W. Carew Hazlitt, London 1864.
The Poems, ed. C. H. Wilkinson, Oxford 1930.

Song: To Lucasta. Going to the Wars 290
Wie alle weiteren Texte von Lovelace aus *Lucasta*, 1649. Diese berühmten Verse – die Quintessenz der Cavalier-Mentalität und -Thematik – sind von John Lanière vertont worden. Vgl. auch Davenants *Soldier*-Gedicht, S. 190 und die Anmerkung dazu.

Gratiana Dancing and Singing 290
Gratiana gleicht den Himmelskörpern darin, daß sie zu ihrer eigenen Musik tanzt. – Die traditionelle Vergöttlichung der Dame durch den Topos der Sphärenharmonie, die in ihrem Singen irdische Wirklichkeit wird (vgl. Cartwright, *For a Young Lord*, S. 230 und Townshend, *On his Hearing Her Majesty Sing*, S. 78 ist hier mit dem Klischee von der herzensbrechenden Schönheit der Angebeteten kombiniert. Originell ist das *conceit*-hafte Ausweiten des Zentralgedankens auf den Raum, in dem Gratiana tanzt: So wie der Himmel in Gratiana irdisch wird, so wird der Boden, auf dem sie tanzt, zum Firmament, zum Atlas, und bleibt doch zugleich das Parkett, auf dem sich die gebrochenen Herzen ihrer Bewunderer ansammeln.

La Bella Bona Roba I (Ode) 292
La Bella Bona Roba II 294
Der Titel ist ein zeitgenössischer Euphemismus für eine Dirne (der wörtliche Sinn der italienischen Redensart ist »die schöne, gute Sache«). Der Ausdruck erscheint hier einmal auf eine hochgestellte Dame und einmal auf flüchtige und käufliche niedere Eroberungen angewendet. Dementsprechend sind Ton und Stilhöhe kontrastiert: In der Ode sind sie preziös bis zur Dunkelheit, rhetorisch, mit kostbarer Bildersprache und heroisch-klassischem Exemplum ausgestattet, in II kolloquial bis zum Bordell-Slang und Jägerjargon, und von dauernden Zweideutigkeiten durchzogen. Beide Gedichte sind einer Dame, »My Lady H.«, gewidmet.
I (Ode): Die Strophen I, II und IV richten sich in Apostrophen an drei Gruppen: an die Experten in der Liebeslehre, an die anderen Damen als »Sterne geringerer Ordnung« und an die weiteren Bewunderer der bedichteten »bella bona roba«. Ihr »Glanz«

ist das eigentliche Hauptmotiv, ihr moralischer Wert das tiefer
liegende »Problem«. Denn dieser Glanz kann innerer Wert
(Str. I), hohe Stellung (V. 2), im Innern loderndes Liebesfeuer
(Str. II) und Augenglanz (Str. IV und V) sein. Jedenfalls ist er
eine doppelte Gefahr für den Liebenden, weil er immer tötet, ob
sie nun zürnt oder zärtlich scheint (V. 9). Die Str. IV und V lassen
ihren wahren Charakter ahnen und machen auch den Zusammenhang mit der Überschrift verständlich: sie ist eine *femme fatale*
wie Tamyris (oder Thomyris), die Königin der Massageten, die
den Cyrus bekriegte, seine Armee zerstreute, ihn tötete und seinen
Kopf in eine Blutschüssel warf, »damit er seinen Blutdurst stillen
könne« (vgl. Herodot 1, 205).
II: Dieses Pendant, dessen komplizierte Bedeutung die Übersetzung kaum ganz klar machen kann, hat in den letzten 30 Jahren
Beachtung gefunden als ein frühes Beispiel für jenen Kolloquialismus in der englischen Lyrik, der bis hin zu Byron mit der Gruppensprache des adeligen *rake* verbunden blieb. – V. 2: marmoset =
Krallenäffchen; das Wort war, wie *la bella bona roba*, ein Euphemismus für eine Dirne. – V. 15: Die «rubenssche» Geschmackstendenz dieser Zeilen scheint ein in der englischen Kunst recht
vereinzeltes Phänomen zu sein.

Lucasta's Fan with a Looking-Glass in it 296
Ein modisches Utensil wird hier zum bildlichen Zentrum für eine
Reihe von konventionellen Themen, die raffiniert kombiniert werden: Der Vogel Strauß, aus dessen Federn der Fächer gemacht
ist, der Spiegel im Innern des Fächers und die Sonne = Phöbus
Apollo werden zu beneideten Rivalen des Sprechers. Mit dem
Blick, den Lucasta bei der Abwehr von Phöbus' Liebeshitze zufällig auf ihr eigenes Spiegelbild im Inneren des Fächers tut
(Str. V), schlägt ihre natürliche Keuschheit in kühle, unfruchtbare
Selbstliebe um (vgl. den Narzissus-Mythos sowie die ähnliche Stelle
bei Kynaston, *To Cynthia: On her Looking-Glass*, S. 92 und die
Anmerkung dazu). Die Götter strafen diesen eitlen *amor sui*, diese
Verweigerung der Naturbestimmung der Frau, und führen auf die
Bitte des Liebhabers hin (Str. VIII) durch die Zertrümmerung des
Spiegels Lucasta zur Liebe und zur adäquaten Spiegelung ihrer
Schönheit in Alexis' Augen zurück (Str. IX). – V. 3 f.: Dem
Strauß wurde eine besonders gute Verdauung zugeschrieben: er
kann Schlangen und Hufeisen vertragen.

ABRAHAM COWLEY (1618–67)

Nach dem Tode des Vaters geboren, der ein wohlhabender Londoner gewesen war. Schulerziehung in Westminster und Studium am Trinity College in Cambridge. 1640 zum Fellow gewählt. Befreundet in Cambridge mit Richard Crashaw und William Hervey. Wie Crashaw und Cleveland wartete er seine Entlassung vom College nicht ab, sondern zog sich 1643 zum Hof nach Oxford zurück. Von 1644 bis 1654 in Frankreich als Sekretär Jermyns und der Königin. 1654 Rückkehr nach England. 1655 für kurze Zeit im Gefängnis; danach Medizinstudium (M. D. Oxford, 1657). Es bleibt ungeklärt, ob Cowleys Anerkennung der Herrschaft Cromwells ernst gemeint war oder zur Tarnung royalistischer Tätigkeit diente. 1659/60 in Frankreich. Nach der Restauration wieder eingesetzt als Fellow; erhielt außerdem Landbesitz von Königin Henrietta. Zog aufs Land zurück und widmete sich dem Schreiben von Essays.

Cowley schrieb seine ersten Gedichte während der Schulzeit *(Poetical Blossoms*, veröffentlicht 1633). Mit seinem religiösen Epos *Davideis* fühlte er sich als Neuerer der Dichtkunst, als »Hannibal der Musen«. Außerdem machte er die pindarische Ode in England heimisch.

Text: *The Works*, 2 Bde., London ¹²1721.
    The English Writings, ed. A. R. Waller, 2 Bde., Cambridge 1905/06.

The Tree of Knowledge 302
Aus »Miscellanies« in *Poems*, 1656. – Der biblische Bericht vom Sündenfall wird in einer Art moderner Anagoge so erzählt, daß die erzählerischen Details gelehrte Analogien zu Formen der menschlichen Wissenschaft erhalten. Damit werden die »Dogmatiker«, d. h. die Vertreter einer deistischen Vernunftreligion, widerlegt (vgl. J. Beaumont, *Trinity Sunday*, S. 276 und die Anmerkung dazu). – V. 4: *Porphyrian tree:* Der heidnisch-neuplatonische Philosoph Porphyrios (ca. 234–301/5 n. Chr.) gab eine begriffliche Definition des Menschen in der graphischen Gestalt eines quasi genealogischen Baums, dessen Täfelchen die Stufenordnung der verschiedenen *genera* und ihrer *differentiae* von dem Begriff der Substanz bis zum einzelnen Menschen hin darstellen. – V. 5: Hier und in V. 24 ist *leaf* zugleich Baumblatt und Blatt Papier bzw. Buchseite. Ebenso ist *colour* in V. 7 zugleich Farbe und rhetorischer Schmuck.

— Die originalen Großschreibungen wurden hier beibehalten, da sie für den Eindruck wesentlich sind.

Bathing in the River 304
Aus *The Mistress*, 1647. — Wie viele Gedichte in diesem Band von Liebeslyrik läßt auch *Bathing in the River* die Herkunft des poetischen Verfahrens von Donne erkennen. Auch das Thema ist hier von Donne entlehnt (vgl. *The Bait*, S. 28). Es wird jedoch zu einer konventionellen *carpe-diem*-Pointe weiterentwickelt und steht, trotz der beträchtlichen *amplificatio*, die das Vorbild erfahren hat, hinter diesem an Frische zurück.

Ode: Sitting and Drinking in the Chair Made out of the
  Relics of Sir Francis Drake's Ship 308
Aus *Verses written on Several Occasions*, 1663. — Der Stuhl war von John Davis of Deptford der Universitätsbibliothek in Oxford geschenkt worden. Cowley hat diese Gelegenheit auch in einem kurzen Epigramm in demselben Gedichtband von 1663 gefeiert. — Das Schiff, mit dem Francis Drake 1577 bis 1580 die Welt umsegelte, hieß »The Golden Hind«. — Die Form des Gedichtes ist die der von Cowley eingeführten sog. *Pindaric odes*, der, wie Helen Gardner sagt, »unbeholfenen Eltern eines Gutteils der schlechtesten Versdichtung der folgenden hundert Jahre«. Immerhin hat das Gedicht soviel Originalität, anakreontische Klassizität und romantischen Schwung, daß es das Bild von Cowley abrunden kann.

ANDREW MARVELL (1621–78)
In Winstead by Hull als Sohn eines Geistlichen geboren; Besuch der Hull Grammar School. Seit 1637 Studium am Trinity College, Cambridge. Dort entstanden die ersten Gedichte (in Latein und Griechisch) des Sechzehnjährigen. In Cambridge wird Marvell mit den religiösen und philosophischen Bewegungen seiner Zeit konfrontiert; nach dem plötzlichen Tod der Mutter vorübergehende Konversion zum Katholizismus. 1641 Tod des Vaters und Abbruch des Studiums, von 1642 bis 1648 Reisen durch Holland, Frankreich, Italien und Spanien vermutlich als Privatlehrer und Reisebegleiter eines Adligen. In dieser Zeit entstanden seine ersten englischen Gedichte, die meisten seiner besten lyrischen Dichtungen vermutlich 1650 bis 1652 während eines Aufenthalts bei General Lord Fairfax in Yorkshire für dessen Tochter Mary. Danach

übernahm er noch eine weitere Hauslehrerstelle in Eton. Ab 1657/58 Beginn der politischen Laufbahn als »Latin Secretary« von Thurloe, des Staatssekretärs von Cromwell. Von 1659 bis zu seinem Tod Parlamentsabgeordneter seiner Vaterstadt Hull. Freundschaft mit Milton. In der Zeit seiner politischen Tätigkeit (1663 bis 1665 Reisen nach Rußland, Schweden und Dänemark) entstanden zahlreiche politische Dichtungen, Prosadichtungen und Verssatiren. Er starb in London.

Veröffentlicht wurden die *Miscellaneous Poems* erst posthum (1686).

Text: *Poems and Letters*, ed. H. M. Margoliouth, Oxford 1927; ²1952.

The Poems, ed. H. Macdonald, London 1952; ²1956.

On a Drop of Dew 314
Marvell schrieb von diesem Gedicht auch eine lateinische Fassung, *Ros*. Die formale Gestaltung der englischen Version mit ihrem unregelmäßigen Vers- und Reimschema ist der größte Triumph, zu dem diese Cowleysche Odenform (s. o.) je geführt worden ist. – Die Aufteilung ist genau durchdacht: 18 Verse geben die Beschreibung des Tautropfens, 18 Verse die platonische Analogie dazu, die Seele des Menschen. Die 4 Schlußzeilen fügen mit einem alttestamentarischen Vergleich (Manna) und einer neutestamentlichen Anspielung (Christus als *Almighty Sun* = *Son*, Sohn) den klaren christlichen Bezug hinzu.

The Garden 316
Auch hiervon existiert eine lateinische Fassung, *Hortus*. Das Gedicht errichtet eine – leicht ironische, da utopische – Gegenwelt zu den erotischen *banquet-of-senses*-Paradiesen in der Art von Carews *A Rapture*, S. 124, eine von der Hast weltlichen Ehrgeizes und Jagens nach amouröser Befriedigung freie Region vegetabilischer Unschuld und geistiger Beschaulichkeit. Hier wird dem Geist schließlich der platonische Aufflug, und der Seele das Preisen des farbigen Abglanzes des Ewigen möglich (Str. VI und VII). Die Bildersprache verkehrt alle erotischen Klischees der Cavalier Poetry – das Einschnitzen von Namen in die Rinde (Str. III), die amourösen Jagden der Götter aus Ovids *Metamorphosen* (Str. IV), das Rot und Weiß des Körpers der Geliebten (Str. III), die schwellenden Früchte als *simile* für die runde weibliche Körperlichkeit (Str. V) – ins harmlos Unerotische. Sogar der Sündenfall in

diesem Eden ist nur ein Fall ins Gras (V. 39 f.). – V. 43 f.: Ein populärer Irrglaube nahm an, daß im Meer artmäßige Entsprechungen zu allen Landtieren leben. – V. 47 f.: Diese berühmtesten und umstrittenen Zeilen des Gedichtes könnten durch *viridi umbra* in Vergils *Bucolica* IX, 20 angeregt worden sein.

The Coronet 322
Die für den puritanischen Dichter poetologisch und theologisch prekäre Frage nach der Zulässigkeit rhetorischen Schmucks bei der Verkündung religiöser Wahrheit wird hier noch dringlicher gestellt als bei G. Herbert (vgl. *The Windows*, S. 112), und sie wird negativer beantwortet. – V. 4 und V. 6: *garlands* und *flowers* = rhetorischer Schmuck, Dichtung. – V. 7 f.: Abkehr von der eigenen, pastoral eingekleideten Liebesdichtung (vgl. Donne, *Holy Sonnets XIII*, V. 9, S. 50).

The Definition of Love 324
Starker Donne-Einfluß in der unsinnlichen Qualität der mathematisch-naturwissenschaftlichen Vergleichsfiguren. – V. 24: *planisphere* = Astrolabium – ein astronomisches Instrument, das seit dem 11. Jh. zu Himmelsberechnungen, Höhenmessungen usw. verwendet wurde. Im planisphärischen Astrolabium ist die Sphärenform des Himmelsgewölbes auf eine Fläche projiziert. – V. 32: astronomische Begriffe.

To his Coy Mistress 326
T. S. Eliot sagt, unter Hinweis auf Textparallelen zu V. 21–24 bei Horaz und Catull: »Ein ganzer Kulturablauf ruht in diesen Zeilen.« Ikonographie und literarische Konventionen, die mit den Topoi *tempus edax rerum* und *carpe diem* verbunden sind, Raum- und Zeithyperbeln, barockes *memento mori* und klassizistischer Geist verbinden sich zu einem der großartigsten Gedichte des 17. Jh.s.

Bermudas 328
Die Bermuda-Inseln waren in den dreißiger Jahren des 17. Jh.s das Ziel puritanischer Auswanderer, die vor den Verfolgungen durch Bischof Laud flohen. – Es sind mehrere Quellen für Details dieser schönen und »reinen« Beschreibung einer paradiesischen Inselwelt entdeckt worden, u. a. eine Dichtung von Waller. Aber die Magie der sprachlichen Gestaltung kann nicht durch Vorbilder erklärt werden.

An Horatian Ode upon Cromwell's Return from Ireland . . 332
Oliver Cromwell kehrte Ende Mai 1650 aus Irland zurück, wo er
die sich seit acht Jahren behauptende Revolte fast aller Gruppen
gegen das puritanische Commonwealth brutal niedergeschlagen
hatte. Im Juli desselben Jahres zog er gegen die Schotten, die nach
der Hinrichtung Karls I. seinen Sohn als ihren König Karl II. an-
erkannt hatten, nachdem er den »Covenant« als Bedingung akzep-
tiert hatte. Marvells Ode ist also wahrscheinlich im Juni 1650 entstanden. – Die Beurteilung von Marvells eigener Einstellung zu
Cromwell in diesem Gedicht hat in den Jahren 1946 bis 1953 zu
einer kritischen Fehde zwischen zwei namhaften Gelehrten
– Cleanth Brooks und Douglas Bush – geführt. Einig sind sich
aber diese beiden und alle übrigen Beurteiler des Gedichtes in der
hohen ästhetischen Wertschätzung dieses vielleicht schönsten politischen Huldigungsgedichtes der englischen Literatur. – V. 13–20:
Die Interpretation, die diese Zeilen in der Übersetzung erfahren,
schließt sich der Deutung von G. A. Aitken an. V. 15 spielt an auf
Cromwells parteiinterne Kämpfe mit den Führern der Parlaments-
partei nach der Schlacht von Marston Moor (1644). – V. 23 f.: Die
Behauptung, der Blitz schlage nie in einen Lorbeer ein, findet sich
bereits bei Plinius d. Ä. – V. 47–52: Im November 1647 war
Karl I. von Hampton Court, der englischen Königsresidenz bei
London von der Zeit Heinrichs VIII. bis zum Tode Georgs I.
(1760), nach Carisbrook Castle auf der Isle of Wight geflohen.
Wahrscheinlich hatte Cromwell diese Flucht absichtlich nicht unter-
bunden, um den König desto sicherer verhaften und ihm Verrat
vorwerfen zu können. – V. 69: Diese Legende wird ebenfalls von
Plinius d. Ä. überliefert, und zwar im 28. Buch seiner *Naturalis
Historia*. – V. 74 und 86: Cromwell war vom 13. August 1649 bis
Mai 1650 in Irland. – V. 106: Das Wort *party-coloured* ermöglicht
hier einerseits das durch die Klammer in der Übersetzung angedeu-
tete Wortspiel; zum anderen macht es sich eine – unverbürgte –
Etymologie des schottischen Stammesnamens *Pict* zunutze, die dieses
Wort von lat. *pingere* ableitet: *Picti* = die Bemalten oder Täto-
wierten. – V. 110 und 112: Der englische Jäger ist natürlich Crom-
well, der caledonische Hirsch die schottische Armee. – V. 117 f.:
Die Kreuzform des Schwertgriffs soll die Geister bannen.

HENRY VAUGHAN (um 1621/22-95)

Entstammte einer alten walisischen Familie aus Brecknockshire. Seit 1638 Studium zusammen mit seinem Zwillingsbruder Thomas in Oxford, Jesus College. Er verließ das College ohne Abschluß und studierte Jura in London. Im Bürgerkrieg diente er auf der Seite des Königs. Vaughan war ein begeisterter Royalist und Mitglied der anglikanischen Kirche. Es ist ungewiß, wann er Medizin studiert hat; einige Jahre praktizierte er in Brecknock, später in Newton bei Usk. Er war zweimal verheiratet.

Vaughan schrieb hauptsächlich religiöse Dichtung (auch Prosa). Sein zweibändiges Hauptwerk erschien 1650 und 1655 unter dem Titel *Silex Scintillans*. U. a. übersetzte er auch Ovid, Ausonius, Boethius, Plutarch.

Text: *The Works*, ed. L. C. Martin, Oxford 1914; ²1957.

Corruption 340

Vgl. G. Herbert, *Decay*, S. 122 und die Anm. dazu. Das Gedicht enthält verschiedene Gedanken, die aus der hermetischen Philosophie stammen, die Vaughan von seinem Bruder übernahm und zum Teil in seine Dichtungen einarbeitete. Es geht darin im wesentlichen um die Beziehungen zwischen Gott und Natur. Durch den Sündenfall und durch sein gottfernes Verhalten hat der Mensch einen Wolkenvorhang zwischen Gott und die Schöpfung gezogen, der nicht nur seine eigne Blindheit und die Gefahr der Abtötung seiner Seelenkräfte zur Folge hat, sondern der auch die Verbindung alles übrigen Geschaffenen mit dem Schöpfer unterbindet und die Welt in tiefe Nacht versinken läßt. Während hier (ähnlich wie bei Herbert) der »Verfall« erst durch das Jüngste Gericht ein Ende findet, sieht Vaughan in anderen Texten die Möglichkeit visionärer Augenblicke, in denen der Vorhang durchsichtig wird, da die natürlichen Geschöpfe trotz Nacht und Sündenfall noch eine Verbindung mit Gott bewahrt haben, die zuweilen hervortritt. Hier ist der Punkt, an dem sich Vaughan mit Wordsworth berührt. – V. 36: *the center*. Es gibt verschiedene Deutungen: a) die Erde – als Zentrum des Universums; b) die Erde – als wahres Zentrum und Urstoff des Fleisches; c) der Seelengrund, der göttlich ist; d) der Tiefpunkt der Sündennacht und des Todes (Belege bei Boethius und Wycliffe). – V. 40: vgl. Offenbarung Joh. 14, 14–18.

I Walked the other Day 342
Der äußere Anlaß für dieses, ebenfalls hermetische, Gedicht war
wohl der plötzliche Tod von Vaughans Bruder William am
14. 7. 1648. Dieses Ereignis war auch einer der Gründe für des
Dichters Abkehr von weltlicher Karriere und Lebensführung. –
Der Zusammenhang mit den oben besprochenen Gedanken über
Gottes Immanenz in der Schöpfung, die hier noch auf den Toten
ausgedehnt wird, ist deutlich. Vgl. auch Vaughans *Peace*, V. 13.14,
G. Herberts *The Flower* V. 8–14 und Vaughans *The Seed Growing
Secretly*, V. 25.

The Shower 346
Bei dem poetischen Vergleich zwischen Naturphänomen und eigener religiöser Gestimmtheit steht die individuelle Betroffenheit und Thematik so sehr im Vordergrund, daß das Naturbild von Anfang an anthropomorph gesehen wird. Der Text ist konventioneller als die vorigen; die Hermetik spielt keine Rolle, wohl aber die Korrespondenz von Mikro- und Makrokosmos.

The Lamp 348
Vgl. das Gedicht von H. King, *Being Waked out of my Sleep . . .*,
S. 106.

THOMAS STANLEY (1625–78)
Seit 1638 Studium in Cambridge, Pembroke College, und vermutlich auch in Oxford. Heiratete sehr früh. Obwohl er ein Anhänger des Königs war, scheint er nicht am Bürgerkrieg teilgenommen zu haben. Angesehener Gelehrter und Übersetzer, recht wohlhabend. Er schrieb eine *History of Philosophy* (1655–62), die eigentlich nur eine erweiterte Übertragung von Diogenes Laertius ist; edierte Aischylos 1663. Am bekanntesten sind seine Übersetzungen von Anakreon und Johannes Secundus.
Text: *Original Lyrics*, ed. L. I. Guiney, Hull 1907.

The Magnet 352
Aus *Poems*, 1647. – Die äußerst gewandte Form kann nicht über eine epigonale Gedankenleere hinwegtäuschen. Die kosmische Geste, die noch aus der elisabethanischen hierarchischen Vorstellung vom Stufenbau der Welt zu stammen scheint, dient nur zur Propagierung eines flachen sexuellen Naturalismus (siehe V. 15 f.).

Opinion 352
Ebenfalls aus *Poems*, 1647. Stanley befaßt sich hier spielerisch mit

einem Thema, das seit Protagoras und Platons *Theätet* die Philosophie beschäftigt hat. Der erkenntnistheoretische Skeptizismus ist bezeichnend für die Mentalität der jüngeren Cavaliers und der Restauration.

The Lazy Hours Move Slow 354
Auch in diesem Stück des religiös verbrämten *taedium vitae* zeigen sich die charakteristischen Züge dieses Kleinmeisters: große formale Glätte bei dünn-epigonalem Gehalt. Das Gedicht steht in John Gambles *Airs and Dialogues*, 1657.

JOHN HALL (1627–56)
Besuchte die Grammar School in Durham; seit 1646 Studium in Cambridge, St. John's College. 1646 veröffentlichte er ein Buch mit Essays, *Horae Vacivae*; 1647 erschien ein Gedichtband, gewidmet Thomas Stanley. Leidenschaftlicher Anhänger Cromwells, Verfasser von polemischen Schriften.
Übersetzungen von Longinus erschienen 1652 unter dem Titel *The Height of Eloquence*.

Text: *Poems*, ed. S. E. Brydges, London ²1816.

A Sea Dialogue 358
Aus *Poems*, 1646. – Das antike Modell, Horaz' Ode III, 9, ist durch das ständige Einarbeiten von Meeresbildern in eine sehr attraktive neue Beleuchtung gerückt und wird dann noch, in Erfüllung der Formtradition des »Pastoral Dialogue« (vgl. Carew, *A Pastoral Dialogue*, S. 136 und Beaumont, *Easter Dialogue*, S. 286), mit einem abschließenden Chorus versehen, der freilich in seiner Banalität den großen Qualitätsabstand zu dem antiken Vorbild deutlich werden läßt.

The Ermine 360
Ein Vergleich mit Marvells *On a Drop of Dew*, S. 314, oder Vaughans *The Shower*, S. 346, zeigt die Oberflächlichkeit und das Mißverhältnis zwischen dem auslösenden Bild und den didaktischen Folgerungen, die daran geknüpft werden.

THOMAS TRAHERNE (1637/38–74)
Sohn eines Hereforder Schuhmachers. Mit Unterstützung eines wohlhabenden Verwandten Studium am Brasenose College, Oxford (B. A. 1656; M. A. 1661; B. D. 1669). 1657 erhielt er die Pfarre in Credenhill, Herefordshire, die er bis zum Tode behielt. 1660 Priesterweihe. Lebte abwechselnd in Oxford und Credenhill.

1667 nach London als Kaplan Sir Orlando Bridgemans, der von 1667 bis 1672 Lordsiegelbewahrer war. Als er in den Ruhestand trat, nahm er Traherne nach Teddington, Middlesex mit, wo dieser 1674 starb.

Manuskripte der Gedichte und *Centuries of Meditation* wurden 1896/97 von Bertram Dobell in London entdeckt und identifiziert. Er ließ sie auch drucken.

Text: *Centuries, Poems, and Thanksgivings*, 2 Bde., ed. H. M. Margoliouth, Oxford 1958.
Poems of Felicity, ed. H. I. Bell, London 1910.

The Salutation 364
Gehört zu der Gedichtgruppe »Religiöse Überlegungen über die Naturgegenstände, die das Auge eines Kindes wahrnimmt«. Wie stark diese mystischen Erfahrungen persönlich erlebt sind, läßt ein Blick in das dritte von Trahernes *Centuries of Meditation* erkennen.

Admiration 366
Die Verwandtschaft zu Vaughans religiöser Erfahrungswelt ist deutlich, besonders in der Überzeugung von der Immanenz und ständigen Erlebbarkeit des Göttlichen in der Welt. Die Ähnlichkeit erklärt sich aus dem gleichen Hintergrund von mystisch-enthusiastischem protestantischem Sektentum. Freilich sind Trahernes religiöse Erlebnisse im Gegensatz zu denen Vaughans unphilosophisch und rein visionär.

Bibliographie in Auswahl

Bibliographien

Berry, L. E., *A Bibliography of Studies in Metaphysical Poetry 1939–1960*. Madison 1964.

Keynes, G., *A Bibliography of Dr. John Donne*. Cambridge ²1932.

Auswahl allgemeiner Studien zur Lyrik des englischen Barock.

Alden, R. M., *The Lyrical Conceits of the Metaphysical Poets.* In: SP 17 (1920) 183–198.

Allen, D. C., *Image and Meaning*. Baltimore 1960.

Bennet, J., *Five Metaphysical Poets: Donne, Herbert, Vaughan, Crashaw, Marvell*. Cambridge 1964.

Brandenburg, A. S., *The Dynamic Image in Metaphysical Poetry.* In: PMLA 57 (1942) 1039–45.

Collmer, R. G., *The Function of Death in Certain Metaphysical Poems.* In: McNR 16 (1965) 25–32.

Diehm, A., *Studien zur Mystik und Weltwirklichkeit in der Dichtung Andrew Marvells, Henry Vaughans und Thomas Trahernes.* Tübingen 1957.

Doughty, W. L., *Studies in Religious Poetry of the Seventeenth Century*. London 1946.

Duncan, J. E., *The Revival of Metaphysical Poetry*. University of Minnesota Press 1959.

Eliot, T. S., *The Metaphysical Poets.* In: Selected Essays. London ³1951.

Ellrodt, R., *Les Poètes Métaphysiques Anglais*. 2 Bde. Paris 1960.

Esch, A., *Englische Religiöse Lyrik des 17. Jahrhunderts. Studien zu Donne, Herbert, Crashaw, Vaughan*. Tübingen 1955.

Freeman, R., *English Emblem Books*. London 1948.

Harris, V., *All Coherence Gone: A Study of the Seventeenth-Century Controversy over Disorder and Decay in the Universe*. London 1966.

Hunter, J., *The Metaphysical Poets*. London 1965.

Iser, W., *Manieristische Metaphorik in der englischen Dichtung.* In: GRM, N. F., 10 (1960) 266–287.

Keast, W. R. (ed.), *Seventeenth-Century English Poetry. Modern Essays in Criticism.* New York 1962.

Knights, L. C., *On the Social Background of Metaphysical Poetry.* In: Scr 13 (1945) 37–57.

LaHood, M. J., *»Carpe Diem« in the Renaissance.* In: ER 15 (1965) 10–14.

Martz, L. L., *The Poetry of Meditation.* New Haven 1954.

Martz, L. L., *The Paradise Within.* New Haven 1964.

Martz, L. L., *The Wit of Love.* Notre Dame, Indiana 1969.

Mazzeo, J. A., *A Seventeenth-Century Theory of Metaphysical Poetry.* In: RR 42 (1951) 245–255.

Mazzeo, J. A., *A Critique of Some Modern Theories of Metaphysical Poetry.* In: MP 50 (1952) 88–96.

Mazzeo, J. A., *Renaissance and Seventeenth-Century Studies.* New York 1964.

Milch, W., *Metaphysical Poetry and the German »Barocklyrik«.* In: CLS 23–24 (1959) 16–22.

Miner, E., *The Metaphysical Mode from Donne to Cowley.* Princeton University Press 1969.

Muraoka, I., *The Historical Background of Metaphysical Poetry.* In: SEL 36 (1960) 49–64.

Nethercot, A. H., *The Reputation of the Metaphysical Poets during the Seventeenth Century.* In: JEGP XXIII (1924).

Nethercot, A. H., *The Reputation of the Metaphysical Poets during the Age of Pope.* In: PQ IV (1925).

Nethercot, A. H., *The Reputation of the Metaphysical Poets during the Age of Johnson.* In: SP XXII (1925).

Nicolson, M. H., *The Breaking of the Circle. Studies in the Effect of the »New Science« upon Seventeenth-Century Poetry.* New York 1960.

Pinto, V. d. S., *The Restoration Court Poets.* London u. New York 1965.

Praz, M., *Studies in Seventeenth-Century Imagery.* London 1939 bis 1947. 2 vols.

Richmond, H. M., *The School of Love: The Evolution of the Stuart Love Lyric.* Princeton 1964.

Stewart, St., *The Enclosed Garden: Tradition and Image in Seventeenth-Century Poetry.* Madison 1965.

Summers, J., *The Heirs of Donne and Jonson.* London 1970.

Sypher, W., *The Metaphysicals and the Baroque.* In: PR 11 (1944) 3–17.

Tillyard, E. M. W., *The Metaphysicals and Milton.* London 1956.

Tuve, R., *Elizabethan and Metaphysical Imagery.* Chicago 1947.

Wallerstein, R., *Studies in Seventeenth-Century Poetic.* Madison 1950.

✕ Wedgwood, C. V., *Poetry and Politics under the Stuarts.* Cambridge 1961.

Wellek, R., *The Concept of Baroque in Literary Scholarship.* In: JA 5 (1946) 77–109.

Williamson, G., *Six Metaphysical Poets, A Reader's Guide.* New York 1967.

Ausgewählte Studien zu den einzelnen Autoren

JOSEPH BEAUMONT

Stanwood, P. G., *A Portrait of Stuart Orthodoxy.* In: CQR 165 (1964) 27–39.

THOMAS CAREW

Blanshard, R. A., *Thomas Carew and the Cavalier Poets.* In: TWA 43 (1954) 97–105.

Blanshard, R. A., *Carew and Jonson.* In: SP 52 (1955) 195–211.

Fischer, H., *Thomas Carew: To a Lady that Desired I Would Love Her.* In: Die englische Lyrik, hrsg. von K. H. Göller. Düsseldorf 1968, 166–174.

King, B., *The Strategy of Carew's Wit.* In: REL 5 (1965) 42–51.

Parfitt, G. A. E., *The Poetry of Thomas Carew.* In: RMS 12 (1968) 56–67.

Schoff, F. G., *Thomas Carew: Son of Ben or Son of Spenser.* In: Discourse 1 (1958) 8–24.

Selig, E. I., *The Flourishing Wreath: A Study of Thomas Carew's Poetry.* New Haven 1958.

JOHN CLEVELAND

Kimmey, J. L., *John Cleveland and the Satiric Couplet in the Restoration.* In: PQ 37 (1958) 410–423.

Morris, B., *John Cleveland (1613–1658). A Bibliography of His Poems.* London, 1967.

Wedgwood, C. V., *A Metaphysical Satirist*. In: Listener 59 (1958) 769–771.

Withington, E., *The Canon of John Cleveland's Poetry*. In: BNYPL 67 (1963) 307–327; 377–394.

ABRAHAM COWLEY

Ghosh, J. C., *Abraham Cowley (1618–1667)*. In: SR 61 (1953) 433–447.

Hinman, R. B., *»Truth is Truest Poesy«: The Influence of the New Philosophy on Abraham Cowley*. In: ELH 23 (1956) 194 bis 203.

Hinman, R. B., *Abraham Cowley's World of Order*. Harvard University 1960.

Nathanson, L., *The Context of Dryden's Criticism of Donne's and Cowley's Love Poetry*. In: N&Q, N. S., 4 (1957) 56–59.

Nathanson, L., *Dryden, Donne and Cowley*. In: N&Q, N. S., 4 (1957) 197–198.

Nethercot, A. H., *Abraham Cowley, the Muse's Hannibal*. Oxford 1931.

Pettet, E. C., *A Study of Abraham Cowley*. In: English 4 (1943) 86–89.

Suerbaum, U., *Die Lyrik der Korrespondenzen: Cowleys Bildkunst und die Tradition der englischen Renaissancedichtung*. Bochum-Langendreer 1958.

Walton, G., *Cowley and the Decline of Metaphysical Poetry*. In: Scr 6 (1937) 17–108.

RICHARD CRASHAW

Adams, R. M., *Taste and Bad Taste in Metaphysical Poetry: Richard Crashaw and Dylan Thomas*. In: HudR 8 (1955) 61–77.

Fischer, H., *Richard Crashaw: Easter Day*. In: Die englische Lyrik, hrsg. von K. H. Göller. Düsseldorf 1968, 175–183.

Fischer, H., *Richard Crashaw: In the Glorious Assumption of our Blessed Lady*. In: Die englische Lyrik, hrsg. von K. H. Göller. Düsseldorf 1968, 184–193.

Moloney, M. F., *Richard Crashaw*. In: CathW 162 (1945) 43–50.

Praz, M., *Richard Crashaw*. Brescia 1945.

Praz, M., *The Flaming Heart: Essays on Crashaw, Machiavelli, and Other Studies in the Relations Between Italian and English Literature from Chaucer to T. S. Eliot*. New York 1958.

Turnell, M., *Richard Crashaw After Three Hundred Years.* In: NIC 146 (1949) 100–114.

Wallerstein, R. C., *Richard Crashaw. A Study in Style and Poetic Development.* Madison 1959.

Warren, A., *Richard Crashaw: A Study in Baroque Sensibility.* Louisiana State University 1939.

Willey, B., *Richard Crashaw.* Cambridge 1949.

Williams, G. W., *Image and Symbol in the Sacred Poetry of Richard Crashaw.* University of South Carolina 1963.

WILLIAM DAVENANT

Harbage, A., *Sir William Davenant.* Philadelphia 1935.

Marchant, E. C., *Sir William Davenant.* Oxford 1936.

Nethercot, A. H., *Sir William D'Avenant: Poet Laureate and Playwright-Manager.* New York 1967.

Squier, C. L., *Davenant's Comic Assault on Préciosité: The Platonic Lovers.* In: ColS 12 (1966) 57–72.

JOHN DENHAM

Wasserman, E. R., *John Denham.* In: The Subtler Language: Critical Readings of Neoclassic and Romantic Poems. Baltimore u. London 1959.

JOHN DONNE

Alvarez, A., *The School of Donne.* London ²1962.

Andreasen, N. J., *John Donne, Conservative Revolutionary.* Princeton 1967.

Bewley, M., *Religious Cynicism in Donne's Poetry.* In: KR 14 (1952) 619–646.

Bewley, M., *The Masks of Donne.* In: Masks and Mirrors. London 1970.

Brooks, C., *The Well Wrought Urn: Studies in the Structure of Poetry.* New York 1947.

Chambers, A. B., *The Fly in Donne's »Canonization«.* In: JEGP 65 (1966) 252–259.

Clair, J. A., *Donne's »The Canonization«.* In: PMLA 80 (1965) 300–302.

Crofts, J. E. V., *John Donne.* In: Essays and Studies. Oxford 1937.

Deubel, V., *Tradierte Bauform und lyrische Struktur.* Stuttgart 1971.

Fausset, H. I., *John Donne. A Study in Discord.* New York 1967.

Gardner, H., *John Donne.* Englewood Cliffs, N. J. 1965.

Guss, D. L., *John Donne, Petrarchist.* Detroit 1966.

Guss, D. L., *Donne's Conceit and Petrarchan Wit.* In: PMLA 78 (1963) 307–314.

Heist, W. W., *Donne on Divine Grace: Holy Sonnet No. XIV.* In: PMASAL 53 (1968) 311–320.

Höltgen, K. J., *Eine Emblemfolge in Donnes »Holy Sonnet XIV«.* In: Archiv 200 (1963) 347–352.

Hunt, C., *Donne's Poetry.* Yale University Press 1954.

Kermode, F., *John Donne.* London 1964.

Kermode, F., *Discussions of John Donne.* Boston 1962.

Koppenfels, W. von, *Das petrarkistische Element in der Dichtung von John Donne.* München 1967.

Kiley, F., *A Larger Reading of John Donne's »A Lecture Upon the Shadow«.* In: CEA 30 (1968) VIII, 16 f.

Leishman, J. B., *The Monarch of Wit.* London 1951.

Legouis, P., *Donne, the Craftsman. An Essay upon the Structure of the »Songs and Sonnets«.* New York 1962.

Louthan, D., *The Poetry of John Donne. A Study in Explication.* New York 1951.

Moloney, M. F., *John Donne. His Flight from Mediaevalism.* New York 1965.

Matsuura, K., *A Study of Donne's Imagery.* In: SEL 26 (1949) 125–184.

Raine, K., *John Donne and the Baroque Doubt.* In: Horizon XI (1954).

Rooney, W. J., *»The Canonization« – The Language of Paradox Reconsidered.* In: ELH 23 (1956) 36–47.

Roth, R., *Donne and Sonnets IX and X.* In: Gifthorse (1946/1947) 15–18.

Rugoff, M. A., *Donne's Imagery. A Study in Creative Sources.* New York 1962.

Smith, A. J., *John Donne: The Songs and Sonnets.* London 1964.

Stein, A., *Donne and the Satiric Spirit.* In: ELH 11 (1944) 266–282.

Stein, A., *Donne's Harshness and Elizabethan Tradition.* In: SP 41 (1944) 390–409.

Stein, A., *Donne's Obscurity and the Elizabethan Tradition.* In: ELH 13 (1946) 98–118.

Stein, A., *John Donne's Lyrics. The Eloquence of Action.* Minneapolis 1965.

Unger, L., *Donne's Poetry and Modern Criticism.* New York 1950.

Williamson, G., *The Donne Tradition.* New York 1958.

Winney, J., *A Preface to Donne.* London 1970.

EDWARD, LORD HERBERT OF CHERBURY

Keister, D. A., *Donne and Herbert of Cherbury: An Exchange of Verses.* In: MLQ 8 (1947) 430–434.

Rickey, M. E., *Rhymecraft in Edward and George Herbert.* In: JEGP 57 (1958) 502–511.

Willey, B., *Lord Herbert of Cherbury: A Spiritual Quixote of the Seventeenth Century.* In: Essays and Studies 27 (1941) 22–29.

RICHARD FANSHAWE

Harbage, A., *Fanshawe and Hobbe's Leviathan.* In: TLS 30 (1932).

Whitfield, J. H., *Sir Richard Fanshawe.* In: IS 19 (1964) 64–82.

OWEN FELLTHAM

Robertson, J., *The Poems of Owen Felltham.* In: MLN 58 (1943) 38–47.

GEORGE HERBERT

Bottrall, M., *George Herbert.* London 1954.

Caldwell, B., E. E. Samaha, Jr., und D. G. Fricke, *George Herbert: A Recent Bibliography 1960–1967.* In: SCN 26 (1968) III, Item 7.

Eliot, T. S., *What is Minor Poetry?* In: WelR 3 (1944) 256–267.

Freeman, R., *George Herbert and the Emblem Books.* In: RES 17 (1941) 150–165.

Freenwood, E. B., *George Herbert's Sonnet »Prayer«. A Stylistic Study.* In: EIC 15 (1965).

Knieger, B., *The Religious Verse of George Herbert.* In: CLAJ 4 (1960) 138–147.

Montgomery, R. L., jr., *The Province of Allegory in George Herbert's Verse.* In: TSLL 1 (1960) 457–472.

Ostriker, A., *Song and Speech in the Metrics of George Herbert.* In: PMLA 80 (1965) 62–68.

Rickey, M. A., *Utmost Art. Complexity in the Verse of George Herbert.* Lexington 1966.

Ross, M. M., *George Herbert and the Humanist Tradition.* In: UTQ 16 (1947) 169–182.

Stein, A., *George Herbert's Lyrics.* Baltimore 1968.

Summers, J. H., *George Herbert. His Religion and Art.* London 1954.

Summers, J. H., *Herbert's Form.* In: PMLA 66 (1951) 1055 ff.

Taketomo, S., *Metaphysical Poetry of George Herbert.* In: SEL 19 (1939) 155–172.

Taylor, I. E., *Cavalier Sophistication in the Poetry of George Herbert.* In: ATR 39 (1957) 229–243.

Tuve, R., *A Reading of George Herbert.* Chicago 1958.

Ziegelmaier, G., *Liturgical Symbol and Reality in the Poetry of George Herbert.* In: ABR 18 (1967) 344–353.

BEN JONSON

Beaurline, L. A., *The Selective Principle in Jonson's Shorter Poems.* In: Criticism 8 (1966) 64–74.

Boughner, D. C., *The Devil's Disciple: Ben Jonson's Debt to Machiavelli.* New York 1968.

Cubeta, P. M., *A Jonsonian Ideal: »To Penshurst«.* In: PQ 42 (1963) 14–24.

Douglas, J. W., *»To Penshurst«.* In: ChS 42 (1961) 133–138.

Hart, J., *Ben Jonson's Good Society. On »To Penshurst«.* In: ModA 8 (1963) 61–68.

Nichols, J. G., *The Poetry of Ben Jonson.* London 1969.

Palmer, J., *Ben Jonson.* Port Washington, N. Y. 1967.

Parfitt, G. A. E., *The Poetry of Ben Jonson.* In: EIC 18 (1968) 18–31.

Trimpi, W., *Ben Jonson's Poems. A Study of the Plain Style.* Stanford, Cal. 1962.

Wilson, G. E., *Jonson's Use of the Bible and the Great Chain of Being in »To Penshurst«.* In: SEL 8 (1968) 77–89.

HENRY KING

Berman, R., *Henry King and the 17th Century.* London 1964.

Gleckner, R. F., *Henry King: A Poet of his Age.* In: TWA 45 (1956) 149–167.

RICHARD LOVELACE

Bewley, M., *The Colloquial Byron; Note: Lovelace's »La Bella Bona Roba«*. In: Masks and Mirrors. London 1970.

Bottral, R., *Byron and the Colloquial Tradition in English Poetry*. In: Criterion (1938).

Hartman, L. H., *The Cavalier Spirit and its Influence on the Life and Work of Richard Lovelace*. o. O. 1925.

Jones, G. F., *Lov'd I Not Honour More: The Durability of a Literary Motif*. In: CL 11 (1959) 131–143.

Judson, A. C., *Who was Lucasta?* In: MP 23 (1925).

King, B., *Green Ice and a Breast of Proof*. In: CE 26 (1965) 511 bis 515.

Palmer, P., *Lovelace: Some Unnoticed Allusions to Carew*. In: N&Q 14 (1967) 96–98.

Weidhorn, M., *Richard Lovelace*. (= Twayne's English Authors Series 96.) New York 1970.

Wilkinson, C. H., *Lovelace*. In: TLS 14 (1937).

Williamson, C. F., *Notes on the Poems of Richard Lovelace*. In: MLR 52 (1957) 227–229.

ANDREW MARVELL

Alvarez, A., *Marvell and the Poetry of Judgment*. In: HudR 13 (1960) 417–428.

Berthoff, A. E., *The Allegorical Metaphor: Marvell's »Definition of Love«*. In: RES 17 (1966) 16–29.

Bradbrook, M. C., und M. G. Lloyd Thomas, *Andrew Marvell*. Cambridge 1940.

Colie, R. L., *»My Echoing Song«: Andrew Marvell's Poetry of Criticism*. Princeton 1970.

Davison, D., *Marvell's »The Definition of Love«*. In: RES, N. S., 6 (1955) 141–146.

Davison, D., *The Poetry of Andrew Marvell*. London 1964.

Davison, D., *Notes on Marvell's »The Garden«*. In: N&Q 13 (1966) 25–26.

Friedman, D. M., *Marvell's Pastoral Art*. London 1970.

Hofmann, K., *Das Bild in Andrew Marvells lyrischen Gedichten*. Heidelberg 1967.

Hyman, L. W., *Andrew Marvell*. New York 1964.

Iser, W., *Andrew Marvell »To His Coy Mistress«*. In: NS 6 (1957) 555–577.

Kermode, F., *The Argument of Marvell's »Garden«*. In: EIC 2 (1952) 225–241.

Klonsky, M., *A Guide Through »The Garden«*. In: SR 58 (1950) 16–35.

Legouis, P., *Andrew Marvell, Poet, Puritan, Patriot*. Oxford 1956.

Leishman, J. B., *The Art of Marvell's Poetry*. London 1966.

Lord, G. D. F. (ed.), *Andrew Marvell. A Collection of Critical Essays*. Englewood Cliffs, N. J. 1968.

Moldenhauer, J. J., *The Voices of Seduction in »To His Coy Mistress«: A Rhetorical Analysis*. In: TSLL 10 (1968) 189–206.

Nevo, R., *Marvell's »Songs of Innocence and Experience«*. In: SEL 5 (1965) 1–21.

Orwen, W. R., *Andrew Marvell's »The Garden«*. In: N&Q 191 (1946) 247–249.

Press, J., *Andrew Marvell*. London 1958.

Røstvig, M.-S., *Andrew Marvell's »The Garden«: A Hermetic Poem*. In: ES 40 (1959) 65–76.

Saveson, J. E., *Marvell's »On a Drop of Dew«*. In: N&Q 5 (1958) 289–290.

Schulze, E. J., *The Reach of Wit: Marvell's »The Definition of Love«*. In: PMASAL 50 (1965) 563–574.

Toliver, H. E., *Marvell's Ironic Vision*. New Haven 1965.

Wallace, J. M., *Destiny His Choice: The Loyalism of Andrew Marvell*. London 1968.

Warnke, F. J., *Play and Metamorphosis in Marvell's Poetry*. In: SEL 5 (1965) 23–30.

Wilding, M. (ed.), *Marvell: Modern Judgements*. London 1969.

Williamson, G., *The Context of Marvell's »Hortus« and »Garden«*. In: MLN 76 (1961) 590–598.

Winterton, J. B., *Some Notes on Marvell's »Bermudas«*. In: N&Q 5 (1968) 102.

FRANCIS QUARLES

Beachcroft, T. O., *Quarles and the Emblem Habit*. In: DubR 188 (1930).

Davies, H. N., *Quarles' Hybrid Strain*. In: ELN 4 (1967) 266 bis 268.

Howell, A. C., *Augustus Toplady and Quarles' »Emblems«*. In: SP 57 (1960) 178–185.

Praz, M., *Studi sul Concettismo*. Mailand 1934.
Skelton, R., *Francis Quarles*. In: N&Q 197 (1952) 50 ff.

THOMAS RANDOLPH

Day, C. L., *New Poems by Randolph*. In: RES 8 (1932) 29–36.
Kottas, K., *Thomas Randolph, sein Leben und seine Werke*. Wien 1909.

JOHN SUCKLING

Beaurline, L. A., *»Why so Pale and Wan«: An Essay in Critical Method*. In: TSLL 4 (1962) 553–563.
Henderson, F. O., *Traditions of Précieux and Libertin in Suckling's Poetry*. In: ELH 4 (1937) 274–298.
Kastner, L. E., *Suckling and Desportes*. In: MLR 5, VI (1910–11).
Midgley, E. G., *Pope, Suckling and Waller*. In: N&Q 195 (1950) 386 ff.

THOMAS TRAHERNE

Day, M. M., *Traherne and the Doctrine of Pre-existence*. In: SP 65 (1968) 81–97.
Gilbert, A. H., *Thomas Traherne as Artist*. In: MLQ 8 (1947) 435–447.
Guffey, G. R., *Thomas Traherne on Original Sin*. In: N&Q 14 (1967) 98–100.
Hepburn, R. W., *Thomas Traherne: The Nature and Dignity of Imagination*. In: CJ 6 (1953) 725–734.
Marks, C. L., *Thomas Traherne and Cambridge Platonism*. In: PMLA 81 (1966) 521–534.
Marshall, W. H., *Thomas Traherne and the Doctrine of Original Sin*. In: MLN 73 (1958) 161–165.
Salter, K. W., *Thomas Traherne: Mystic and Poet*. London 1964.
Sandbank, S., *Thomas Traherne on the Place of Man in the Universe*. In: SELL 53 (1966) 121–136.

HENRY VAUGHAN

Bethell, S. L., *The Cultural Revolution of the Seventeenth Century*. London 1951.
Durr, R. A., *On the Mystic Poetry of Henry Vaughan*. Cambridge 1962.

Garner, R., *Henry Vaughan, Experience and Tradition*. Chicago 1959.

Holmes, E., *Henry Vaughan and the Hermetic Philosophy*. New York 1967.

Hutchinson, F. E., *Henry Vaughan. A Life and Interpretation*. Oxford 1962.

Kermode, F., *The Private Imagery of Henry Vaughan*. In: RES, N. S. 1 (1950) 206–225.

Marilla, E. L., *The Secular and Religious Poetry of Henry Vaughan*. In: MLQ 9 (1948) 394–411.

Marilla, E. L., *The Mysticism of Henry Vaughan: Some Observations*. In: RES 18 (1967) 164–166.

EDMUND WALLER

Aldington, R., *Note on Waller's Poems*. In: LiA 312 (1922).

Allison, A. W., *Toward an Augustan Poetic: Edm. Waller's »Reform« of English Poetry*. In: PQ 43 (1962) 397 f.

Grierson, A. J. C., *Poems by Waller*. In: TLS 29 (1927).

Richmond, H. M., *The Fate of Edmund Waller*. In: SAQ 60 (1961) 230–238.

Roeckerath, N., *Der Nachruhm Herricks und Wallers*. Leipzig 1931.

Shepherd, T. B., *The Poetry of Edmund Waller*. In: LQHR (July 1942) 263–268.

Thorn-Drury, G., *The Poems of Waller*. o. O. 1905.

Verzeichnis der Abkürzungen

ABR	American Benedictine Review	HudR	Hudson Review
Archiv	Archiv für das Studium der Neueren Sprachen und Literaturen	IS	Italian Studies
		JA	Jahrbuch für Amerikastudien
		JEGP	Journal of English and German Philology
ATR	Anglican Theological Review		
		KR	Kenyon Review
BNYPL	Bulletin of New York Public Library	LiA	Living Age
		LQHR	London Quarterly and Holborn Review
CathW	Catholic World		
ChS	Christian Scholar	McNR	McNeese Review
CJ	Cambridge Journal	MLN	Modern Language Notes
CE	College English		
CEA	CEA Critic	MLQ	Modern Language Quarterly
CL	Comparative Literature		
		MLR	Modern Language Review
CLAJ	College Language Association Journal (Baltimore)		
		ModA	Modern Age (Chicago)
CLS	Comparative Literature Studies	MP	Modern Philology
		NIC	Nineteenth Century
ColS	Colorado Studies	N&Q	Notes and Queries
CQR	The Church Quarterly Review	NS	Die Neueren Sprachen
DubR	Dublin Review	PQ	Philological Quarterly (Iowa City)
EIC	Essays in Criticism		
ELH	Journal of English Literary History	PR	Partisan Review
		PMASAL	Papers of the Michigan Academy of Science, Art and Letters
ELN	English Language Notes		
ER	English Record (N. Y. State Eng. Council)		
		PMLA	Publications of the Modern Language Association of America
ES	English Studies		
GRM	Germanisch-romanische Monatsschrift		

REL	Review of English Literature (Leeds)	SNL	Satire News Letter (N. Y.)
RES	Review of English Studies	SP	Studies in Philology
		SR	Sewanee Review
RMS	Renaissance & Modern Studies (Nottingham)	TLS	[London] Times Literary Supplement
RR	Romanic Review		
SAQ	South Atlantic Quarterly	TSLL	Texas Studies in Literature and Language
SCN	Seventeenth-Century News	TWA	Transactions of the Wisconsin Academy of Sciences, Arts, and Letters
Scr	Scrutiny		
SEL	Studies in English Literature		
SELL	Studies in Engl. Literature and Language (Japan)	UTQ	University of Toronto Quarterly
		WelR	Welsh Review

Inhaltsverzeichnis

Einleitung 5

WILLIAM ALABASTER (1567–1640)

Sonnet 28: Of the Reed that the Jews Set in Our Saviour's Hand 20
Sonett 28: Über das Rohr, das die Juden unserem Erlöser in die Hand gaben
Sonnet 33: Ego sum Vitis 20
Sonett 33: Ich bin der Weinstock

JOHN DONNE (1572–1631)

Song 24
Lied
The Canonization 26
Die Heiligsprechung
The Bait 28
Die Lockspeise
The Apparition 30
Die Geistererscheinung
Love's Diet 32
Diät für die Liebe
The Relic 34
Die Reliquie
A Valediction: Forbidding Mourning 36
Abschied: Verbot zu trauern
A Lecture upon the Shadow 38
Eine Lektion über den Schatten
The Blossom 40
Die Blüte
The Storm 44
Der Sturm
Holy Sonnets V: I am a little world 48
Geistliche Sonette V: Ich bin eine kleine Welt . . .
Holy Sonnets IX: If poisonous minerals 50
Geistliche Sonette IX: Wenn giftige Minerale . . .
Holy Sonnets XIII: What if this present were 50
Geistliche Sonette XIII: Was wär', wenn diese Nacht . . .

Holy Sonnets XIV: Batter my heart 52
Geistliche Sonette XIV: Zerschmettre mein Herz . . .

BEN JONSON (1573–1637)

The Musical Strife: In a Pastoral Dialogue 54
Musikalischer Wettstreit: In Form eines pastoralen Dialogs
The Hour-Glass 56
Das Stundenglas
To Penshurst 56
An Penshurst
Song: To Celia 64
Lied: An Celia
The Triumph of Charis 64
Der Triumphzug der Charis
Song: That Women are but Men's Shadows 66
Lied: Darüber, daß die Frauen nur die Schatten der Männer sind
An Ode: To Himself 68
Eine Ode: An sich selbst

RICHARD CORBETT (1582–1635)

Fairford Windows 72
Auf die Fenster der Kirche von Fairford
A Non Sequitur 72
Ein Non Sequitur
Nonsense 74
Nonsens

AURELIAN TOWNSHEND (1583–1651)

On his Hearing Her Majesty Sing. (On his Mistress Singing) 78
Als er Ihre Majestät singen hörte. (Auf den Gesang seiner Geliebten)
To Charles I: 1632 78
An Karl I.: 1632

EDWARD, LORD HERBERT OF CHERBURY (1583–1648)

Kissing 82
Das Küssen
The first Meeting 82
Die erste Begegnung
The Thought 88
Der Gedanke

Inhaltsverzeichnis 433

SIR FRANCIS KYNASTON (1587–1642)

To Cynthia: On her Looking-Glass 92
An Cynthia: Über ihren Spiegel
To Cynthia: On Being one with her 94
An Cynthia: Über das Einssein mit ihr

FRANCIS QUARLES (1592–1644)

On the Ploughman 98
Der Pflüger
On a Tennis-Court 100
Der Tennisplatz
On the Story of Man 100
Die Geschichte des Menschen

HENRY KING (1592–1669)

Sic Vita 104
Sic Vita
Sonnet: The Double Rock 104
Sonett: Der Doppelfelsen
Love's Harvest 106
Liebesernte
Being Waked out of my Sleep by a Snuff of Candle which
  Offended me, I thus Thought 106
Als ich aus dem Schlaf geweckt wurde durch einen qualmenden Kerzendocht, dessen Geruch mir widerwärtig in die Nase stieg
To a Lady who Sent me a Copy of Verses on my Going to
  Bed 108
An eine Dame, die mir ein Blatt mit Versen schickte, als ich gerade zu Bett ging

GEORGE HERBERT (1593–1633)

The Windows 112
Kirchenfenster
Prayer (I) 112
Gebet (I)
The Star 114
Der Stern
Heaven 116
Himmel
The Altar 118
Der Altar

A Wreath 118
Ein Kranz
Love (III) 120
Liebe (III)
Decay 122
Verfall

THOMAS CAREW (1594/95–1640)
A Rapture 124
Eine Ekstase
Song: Eternity of Love Protested 134
Lied: Bekenntnis zur Ewigkeit der Liebe
Boldness in Love 134
Dreistigkeit in der Liebe
A Pastoral Dialogue 136
Ein ländliches Gespräch
To a Lady that Desired I would Love her 138
An eine Dame, die den Wunsch geäußert hatte, ich möge sie lieben

WILLIAM STRODE (1602– um 1644/45)
Of Death and Resurrection 144
Tod und Auferstehung
Upon the Blush of a Fair Lady 146
Auf das Erröten einer schönen Dame
On a Gentlewoman Walking in the Snow 146
Auf eine Dame, die durch den Schnee ging
Jack-on-Both-Sides (The Church Papist) 148
Der Opportunist (Der anglikanische Papist)
Love Compar'd to a Game of Tables 150
Vergleich der Liebe mit einem Brettspiel

ANONYMOUS
Tom-a-Bedlam 152
Tom, der Tollhäusler
Mad Maulkin 158
Das irre Malchen

OWEN FELLTHAM (1602–68)
The Sympathy 162
Sympathie ⟨Einklang⟩

Inhaltsverzeichnis

Song 164
Lied
Song: Upon a Breach of Promise 166
Lied: Auf einen Wortbruch

THOMAS RANDOLPH (1605–35)

Song 168
Lied
On the Death of a Nightingale 168
Auf den Tod einer Nachtigall
An Eclogue Occasioned by Two Doctors Disputing upon
  Predestination 170
*Eine Ekloge, veranlaßt durch den Disput zweier Theologen
  über die Prädestination*
The Milkmaid's Epithalamion 176
Das Epithalamion des Milchmädchens
Anagram. Virtue alone thy Bliss 178
Anagramm: Tugend allein ist deine Seligkeit

WILLIAM HABINGTON (1605–54)

Against them who Lay Unchastity to the Sex of Women . 182
*Gegen diejenigen, die dem weiblichen Geschlecht notorische
  Untreue zuschreiben*
Nox Nocti Indicat Scientiam 184
Nox Nocti Indicat Scientiam

SIR WILLIAM DAVENANT (1606–68)

To the Queen Entertain'd at Night by the Countess of
  Anglesey 188
*An die Königin, als sie eines Nachts von der Gräfin von
  Anglesey gastlich aufgenommen wurde*
The Countess of Anglesey Led Captive by the Rebels, at
  the Disforesting of Pewsam (Song) 188
*Die Gräfin von Anglesey als Gefangene der Rebellen bei
  der Verwüstung des Forstes von Pewsam (Lied)*
The Soldier Going to the Field 190
Der Soldat beim Auszug ins Feld
An Altar 192
Ein Altar

EDMUND WALLER (1606–87)

The Fall 194
Die zu Fall Gekommenen

To a Fair Lady Playing with a Snake 196
An eine Schöne, die mit einer Schlange spielte
To a Lady, from whom he Received a Silver Pen 196
An eine Dame, von der er eine silberne Schreibfeder erhalten hatte

SIR RICHARD FANSHAWE (1608–66)
The Ruby 200
Der Rubin

SIR JOHN SUCKLING (1609–42)
The Constant Lover 202
Der ehrlich Liebende
Song: Why so Pale and Wan 204
Lied: Warum so bleich und matt
The Siege of a Heart 206
Belagerung eines Herzens
The Metamorphosis 210
Die Metamorphose
A Farewell to Love 210
Abschied von der Liebe
That none Beguiled Be 214
Daß keiner durch den schnellen Fluß der Zeit
A Soldier 214
Ein Soldat
A Pedlar of Smallwares 216
Ein Hausierer in Kurzwaren

SIDNEY GODOLPHIN (1610–43)
A Song by Sidney Godolphin, Esq.; on Tom. Killigrew
and Will. Murrey 220
Ein Lied auf Tom. Killigrew und Will. Murrey von Sidney Godolphin, Esq.
Hymn 224
Hymne

WILLIAM CARTWRIGHT (1611–43)
A Valediction 228
Ein Abschied
No Platonic Love 228
Keine platonische Liebe

Inhaltsverzeichnis

For a Young Lord to his Mistress, who had Taught him a
  Song 230
*Für einen jungen Lord an seine Dame, die ihn ein Lied
  gelehrt hatte*

RICHARD CRASHAW (1612–49)

The Flaming Heart 234
Das flammende Herz
In the Glorious Assumption of Our Blessed Lady. The
  Hymn 240
*Auf die glorreiche Himmelfahrt Unserer Lieben Frau
  (Hymne)*
Death's Lecture and the Funeral of a Young Gentleman . . 244
Die Lektion des Todes und das Begräbnis eines jungen Edelmannes
To Pontius Washing his Blood-Stained Hands 246
An Pontius Pilatus, als er seine blutbefleckten Hände wäscht
Easter Day 248
Ostertag

JAMES GRAHAME, MARCHESS OF MONTROSE (1612–50)

His Metrical Vow 250
Sein Gelübde in Versen
In Praise of Woman 250
Zum Lobe der Frau

JOHN CLEVELAND (1613–58)

Upon Princess Elizabeth, Born the Night before New
  Year's Day 254
*Auf Prinzessin Elisabeths Geburt in der Nacht vor dem
  Neujahrstag*
The General Eclipse 254
Die totale Finsternis
A Fair Nymph Scorning a Black Boy Courting Her . . . 256
Eine schöne Nymphe weist die Werbung eines jungen Mohren ab
Mark Antony 260
Mark Anton
The Author's Mock Song to Mark Antony 262
Des Autors Spottlied auf Mark Anton

SIR JOHN DENHAM (1615–69)

Natura Naturata 266
Natura Naturata
An Occasional Imitation of a Modern Author upon the
Game of Chess 268
*Parodie auf ein Gelegenheitsgedicht eines modernen Autors
über das Schachspiel*

JOSEPH BEAUMONT (1616–99)

Goodfriday 270
Karfreitag
Easter 272
Ostern
Suspirium ad Amorem 272
Suspirium ad Amorem. Seufzer an die ewige Liebe
Trinity Sunday 276
Dreifaltigkeitssonntag
The Bankrupt 278
Der Bankrotteur
The Garden 280
Der Garten
The Sluggard 282
Der Langschläfer
Easter Dialogue 286
Ostergespräch

RICHARD LOVELACE (1618–1656/57)

Song: To Lucasta. Going to the Wars 290
Lied: An Lucasta, als er in den Krieg zog
Gratiana Dancing and Singing 290
Gratiana tanzt und singt
La Bella Bona Roba I (Ode) 292
La Bella Bona Roba I (Ode)
La Bella Bona Roba II 294
La Bella Bona Roba II
Lucasta's Fan with a Looking-Glass in it 296
Lucastas Fächer mit dem Spiegel darin

ABRAHAM COWLEY (1618–67)

The Tree of Knowledge 302
Der Baum der Erkenntnis

Bathing in the River 304
Bad im Fluß
Ode: Sitting and Drinking in the Chair Made out of the
    Relics of Sir Francis Drake's Ship 308
*Ode: Als ich trinkend in dem Stuhl saß, der aus den Resten
    des Schiffes von Sir Francis Drake gezimmert worden ist*

ANDREW MARVELL (1621–78)

On a Drop of Dew 314
Auf einen Tautropfen
The Garden 316
Der Garten
The Coronet 322
Das Diadem
The Definition of Love 324
Definition der Liebe
To his Coy Mistress 326
An seine spröde Geliebte
Bermudas 328
Bermudas
An Horatian Ode upon Cromwell's Return from Ireland . 332
Eine Horazische Ode über Cromwells Rückkehr vom irischen Feldzug

HENRY VAUGHAN (um 1621/22–95)

Corruption 340
Verfall
I Walked the other Day 342
Neulich ging ich
The Shower 346
Der Regenschauer
The Lamp 348
Die Lampe

THOMAS STANLEY (1625–78)

The Magnet 352
Der Magnet
Opinion 352
Ansicht
The Lazy Hours Move Slow 354
Die trägen Stunden schleichen hin

JOHN HALL (1627–56)
    A Sea Dialogue 358
    Meeresgespräch
    The Ermine 360
    Das Hermelin

THOMAS TRAHERNE (1637/38–74)
    The Salutation 364
    Die Begrüßung
    Admiration 366
    Bewunderungswürdigkeit

Anmerkungen 371

Bibliographie in Auswahl 417

Abkürzungsverzeichnis 429